Scène érotique avec un couple chinois, xixe siècle
Anonyme

LES GRANDS CLASSIQUES
DE LA LITTÉRATURE LIBERTINE

ANONYME

LA MERVEILLEUSE HISTOIRE DE HSI MEN AVEC SES SIX FEMMES

-30-

Auteur
Christophe HENRY *(Introduction et notes)*

Édition établie sous la direction de
Catriona SETH
*Professeur à l'université de Nancy II
et Indiana University (Bloomington)*

Avec la collaboration de
Claude BLUM

Documents et illustrations
Jacques FOURNIER

Le Monde   ÉDITIONS
GARNIER

Isbn : 978-2-35856-079-5 (Le Monde)
Isbn : 978-2-36156-048-5 (Le Monde)
Isbn : 978-2-35184-076-4 (Garnier)

ŒUVRES DE LA COLLECTION

Tome 12
Rétif de la Bretonne : *Le Pied de Fanchette*

Tome 13
Charles Duclos : *Histoire de Madame de Luz*
Les Confessions du comte de ***

Tome 14
Boyer d'Argens : *Thérèse philosophe*
Gervaise de la Touche : *Dom Bougre*

Tome 15
Contes et nouvelles

Tome 16
Pierre Louÿs : *Aphrodite*

Tome 17
Brantôme : *Vie des dames galantes* (choix de textes)

Tome 18
Fougeret de Monbron : *Margot la ravaudeuse*
Le Canapé couleur de feu
La Belle sans chemise, ou Ève ressuscitée

Tome 19
Curiosités et anonymes : *L'École des filles*
La Messaline française

Tome 20
Bussy-Rabutin : *Histoire amoureuse des Gaules*

Tome 21
Les Mille et Une Nuits – I (choix de textes)

INTRODUCTION

Le Kin P'ing Mei – *ou* Jin Ping Mei *selon la transcription de la République Populaire de Chine – est un roman chinois mis au point entre le* XIV*ᵉ et le début du* XVII*ᵉ siècle. Selon le colophon, il serait « l'œuvre d'un écrivain de l'époque du défunt empereur Shizong », qui régna de 1522 à 1566 sous l'ère Jiajing¹. Il se présente comme une métaphore sexuelle, longue et ramifiée, de l'hédonisme oriental, de la chance économique et de l'opportunisme politique, réglés par l'intelligence mafieuse.*

Le récit date sa situation initiale de 1112 et s'achève en 1127. Les incohérences et anachronismes, ainsi que les clins d'œil à un horizon de réception plus tardif – celui qui se forme en Chine au XVI*ᵉ siècle – indiquent un récit travaillé sur un mode rétrospectif. L'anonymat est hélas de règle dans la Chine médiévale pour les récits en langue vulgaire – les premiers auteurs n'apparaissent qu'à partir du* XIV*ᵉ siècle, et encore, pour les genres nobles². Cela n'a pas empêché les hypothèses les plus diverses³. L'historien Wu Han (1909-1966) a démontré l'impossibilité de l'attribution traditionnelle au célèbre Wang Shizhen (1526-1590), dont la participation à ce type de littérature*

---

1. Voir *Fleur en fiole d'or, Jin Ping Mei Cihua,* traduction et notes d'André Lévy, Paris, Gallimard, La Pléiade, 1985, rééd. Paris, Gallimard, Folio, 2004, en deux volumes, I, p. 1056, note 2 de la page 9. Par commodité, nous désignons cette édition de référence comme Édition Intégrale Française (EIF).

2. La Préface, certainement celle de l'éditeur définitif (tant elle est publicitaire), signée « Le Gai Luron » (*Xinxin zi*), attribue l'ouvrage au « maître de l'éclat de rire de Lanling » (*Xioaxioa sheng,* « celui qui se moque de la moquerie »). Voir EIF, I, p. 1051, note 1 de la p. 3. Pour une étude de la signification et des différentes lectures auxquelles se prête le titre, voir *Ibid.,* p. 7.

3. *Ibid.,* p. XVIII-XXIX.

n'a jamais été attestée. Différents noms agitent la critique : le contemporain Wu Xiaoling, auteur d'une magistrale histoire de la littérature chinoise, défend l'hypothèse de Li Kaixian (1502-1568), qui aurait pu être, sinon l'auteur, du moins le rédacteur de la version finale. David Roy documente actuellement la possible paternité de Tang Xianzy (1550-1616), tout aussi plausible que celle de Jia Sanjin (1534-1592), originaire de Yixian où l'intrigue se trame, et que défend Zhang Yuanfen.

La critique occidentale, moins impliquée culturellement, tend plutôt à dégager divers moments et degrés de participation à l'élaboration du roman, qu'elle tient pour l'œuvre collective de plusieurs décennies, voire de plusieurs siècles. Ceci relance le débat sur les différentes versions, de la plus ancienne (la plus pure) à la plus récente, qui serait aussi la plus licencieuse – Zhu Xing défend l'idée d'une version originelle quasi virginale sur laquelle se seraient sédimentées plusieurs couches de verrues sordides et salaces. L'idée d'un récit progressivement amélioré, puis repris voire réécrit par un éditeur habile ne sert pas forcément les desseins de ceux qui désirent, en soutenant l'hypothèse d'un auteur unique, étudier l'intentionnalité et les significations du Kin P'ing Mei. *À moins de recourir à la théorie d'une intentionnalité collective, il est difficile d'orienter l'interprétation de l'ouvrage autrement que dans le sens d'une métaphore du « cycle de la rétribution » qu'invoque la Préface des versions du roman antérieures à 1650 : le cycle indéfini des renaissances déterminées par la rétribution des actes (*Baoying lunhui, *traduction du sanskrit* samsâra*), croyance bouddhique communément acceptée en Chine depuis le* IXe *siècle*[4].

---

4. Voir EIF 1985, p. 4 et p. 1 052, note 1 des pages 4 et 5.

L'origine du roman est à mettre en relation avec l'activité des artistes-conteurs de l'époque Song (Xᵉ-XIIIᵉ) : les improvisateurs du genre court, assez méprisés, tirent leur matière de faits divers et sont les inventeurs d'un réalisme du petit détail. Toutefois, le Kin P'ing Mei *se désigne à l'occasion comme un pinghua (récit historique commenté), genre qui s'épanouit après l'acculturation des Mongols, au XIVᵉ siècle. Mais de nombreux caractères du texte, notamment la présence du conteur et son dialogue avec le lecteur, l'objectivation de l'action, le lyrisme descriptif et les dialogues réalistes, renvoient à la poétique romanesque du XVIᵉ siècle et, de fait, la seconde Préface, attenante aux éditions connues de la seconde moitié du XVIIᵉ siècle, indique que Yuan Hongdao a eu connaissance des vingt ou trente premiers chapitres dès 1596⁵. Selon la critique contemporaine, sa publication princeps ne peut être antérieure à 1613-1614, date à laquelle aucun imprimé du roman n'est connu, mais il circule en 1619-1620 – la version « mêlée de vers » (*cihua*), découverte en 1932, présente d'ailleurs une préface datée de 1618.*

Il est possible que le roman ait circulé dès la fin du XVIᵉ siècle sous une forme lacunaire dans les milieux littéraires et artistiques. Si, vers 1620, il manque encore le cinquième du texte, il n'en est pas moins alors tenu en très haute estime. En référence aux Quatre Livres confucéens*, Feng Menglong (1574-1646) en fait un des « quatre grands livres extraordinaires », avec* Les Trois Royaumes, Le Voyage en Occident *et* Au fil de l'eau *– leur édition définitive, ainsi que celle du* Kin P'ing Mei*, est établie en l'ère Chongzhen (1628-1644). À cette époque, il est déjà noté que l'ouvrage constitue une sorte d'excroissance des chapitres XXIII à XXVII d'*Au bord de

---

5. Ibid., p. 7-8, 1 054 n. 1 et 2.

l'eau *(Shuihi zhuan), auquel il emprunte l'histoire de Wu Song qui veut venger le meurtre de son frère, ce que soulignent la critique et les commentaires de l'édition chinoise révisée par Zhang Zhupo (v. 1650-1690)*[6]. *Dans une note de la traduction du* Livre des récompenses des peines, *Abel Rémusat indique en 1816 que l'un des frères du célèbre empereur Ching-tsou en a fait une version en mandchou qui « passe pour un chef-d'œuvre d'élégance et de correction »*[7].

L'histoire de l'entrée du livre en Occident et du progressif perfectionnement de sa traduction est intimement liée à la redécouverte par les Chinois et les Japonais d'anciennes versions inconnues qui ont permis sa restitution définitive. Vers 1800, les Mémoires des missionnaires de Pékin *signalent les premières mesures de proscription officielle de l'ouvrage, alors inconnu en Europe. En 1816, Rémusat le mentionne comme exemple du « cynisme le plus révoltant », pouvant être mis en rapport avec Pétrone, Martial et « tout ce que la Rome corrompue et l'Europe moderne ont produit de plus licencieux ». Cela n'empêche pas* La Chine moderne *de Louis Bazin (1853) d'en produire timidement un passage du premier chapitre. Il faut encore attendre soixante ans pour que paraisse l'adaptation condensée de Soulié de Morant (1912). L'effort est méritoire, mais du point de vue de la satisfaction littéraire et philologique, ce n'est qu'avec la traduction allemande que propose Franz*

---

6. La parenté du *Kin P'ing Mei* avec *Au bord de l'eau,* attribué à Luo Guanzhong (*Luo Guanzhong zhi Shuihu zhuan*), est invoquée par la Préface attenante au roman jusqu'au XVIIᵉ siècle. A. Lévy précise : « On ne sait à peu près rien de cet auteur présumé d'*Au bord de l'eau,* généralement identifié à un dramaturge de la fin de la dynastie des Yuan, au XIVᵉ siècle ; il semble bien qu'un écrivain de ce nom ait été, en tout cas, l'auteur d'une série de grands romans historiques dont l'*Histoire des trois royaumes.* » (EIF 1985, p. 4 et p. 1 053, note 6 de la page 4).

7. EIF, Introduction, p. VIII.

Kuhn (1884-1961) en 1930, que sont dépassés les paliers du démarquage et de l'adaptation condensée. D'où un remarquable effet d'émulation, typique de la science germanique de Weimar : en 1933, les frères Otto et Arthur Kibat publient les deux premières livraisons d'une traduction intégrale, frappée la même année d'interdiction par Joseph Goebbels, qui proscrit aussi la traduction Kuhn en 1938. La première version non allemande du livre, due à Clement Egerton et au romancier chinois Lao She, est anglaise (1939). Première version complète sur le plan narratif, elle est hélas latinisée en de nombreux passages. Demeurée inaccessible jusqu'aux années 1960, elle cède l'avantage à la traduction abrégée de Kuhn à partir de laquelle est établie par Jean-Pierre Porret, en 1949, la première édition française – la nôtre –, éditée par Guy Le Prat à Paris.

Quelques années plus tôt – l'année même de l'édition Kuhn – avait été découverte en Chine un texte plus long et moins modifié que tout autre, ainsi que des exemplaires au Japon. Ils ont permis de compléter le texte et la traduction japonaise intégrale de Shinobu Ono et Kuichi Chida, traduite en russe par Victor Manoukhine, mais demeurée manuscrite jusqu'aux années 1960. Autant dire que jusqu'à l'édition d'André Lévy en deux volumes de la Pléiade sous le titre de Fleur en fiole d'or *(1985), un Français qui ne maîtrisait ni le russe, ni le japonais ni l'allemand ne pouvait connaître le* Kin P'ing Mei *qu'à travers l'édition intelligemment abrégée que nous reproduisons ici.*

En 1949, La Merveilleuse Histoire de Hsi Men *se présente ainsi comme un condensé en 350 pages de la version Kuhn. Rééditée en 1962 sous le titre de* Kin p'ing mei ou les six fleurs du mandarin, *elle fut décisive dans la découverte de ce grand texte par le public français. Pour* *n'être pas forcément expurgée, cette version est habilement abrégée. La version de 1949 que nous publions se démarque agréablement d'une transcription littérale, au bénéfice d'une analogie non dissimulée avec les romans libertins du XVIIIe siècle. Si cette traduction délicate ne vise pas l'absolue fidélité à l'original, elle fut essentielle dans l'histoire de l'établissement français du livre et son intégration aux classiques de l'érotisme. On pourra toujours regretter que cette édition ne rende compte que de la première partie de la destinée de Hsi Men ; aucun regret ne tient pourtant à l'endroit des titres de chapitres, adjonctions inutiles de traducteurs successifs, que nous avons retranchés. Demeure un texte d'une belle tenue stylistique, qui a le mérite de ne pas décourager son lecteur par la démultiplication des tropes archéologiques, mais l'initie bien au contraire à l'essentiel : à l'histoire racontée.*

Christophe HENRY

LA MERVEILLEUSE HISTOIRE DE HSI MEN AVEC SES SIX FEMMES

Chapitre premier

Notre histoire se passe à l'époque Soung, sous le règne de l'Empereur Houi Tsoung et dans la période dite Tchong ho, c'est-à-dire le « Règne de l'Harmonie »[1].

Alors vivait au Chantoung, dans le canton de Tsing ho hsien dépendant de la préfecture de Toung ping fou[2], un jeune fêtard qui s'appelait

---

1. La Dynastie Song règne entre 960 et 1279 et constitue l'âge d'or du Moyen Âge chinois, inaugurant le billet de banque, la première marine permanente, le premier usage connu de poudre à canon, ainsi que la première géographie orientée. La dynastie Song se divise en deux périodes. Durant la période des Song du Nord (960-1127), celle à laquelle se rapporte ce récit, la capitale des Song se situe dans la ville septentrionale de Bianjing (actuelle Kaifeng) et l'empire s'étend sur la majorité de la Chine historique. La période des Song du Sud (1127-1279), qui fait suite à la grande défaite de 1126 lors de laquelle s'impose la dynastie Jin, voit les Song se replier au sud du fleuve Yangzi Jiang et établir leur capitale à Lin'an (actuelle Hangzhou). Bien que la dynastie ait perdu le contrôle du berceau traditionnel de la civilisation chinoise au bord du fleuve Jaune, l'économie reste en leurs mains, le sud de la Chine comptant 60 % de la population et une majorité des terres agricoles. Notons que le récit original s'ouvre avec l'évocation parabolique de Yiang Yu, roi du Chu occidental (232-202), bon et justicier, d'une vaillance exceptionnelle, mais qui renonce à la « grande affaire des opérations militaires » pour ne pouvoir supporter l'idée de renoncer à sa favorite Yu, à laquelle fait suite l'histoire de son successeur sur le trône de Chu, Liu Bang, prince de Han et futur empereur, qui conçoit de substituer au prince héritier le fils adultérin qu'il a eu de la courtisane Qi, Mondésir. Suite à l'entremise des quatre sages ermites des montagnes du Shaanxi et à la mort du roi, l'impératrice fait empoisonner le fils de la favorite et réduit celle-ci au rang de « truie humaine » par mutilation des membres et anéantissement des sens. Voir l'Édition Intégrale Française établie par André Lévy (ci-après EIF), I, p. 17-20 et 1062, n. 2 et 3.

2. Dans l'original chinois, ces éléments sont introduits par des considérations morales appuyées sur le principe de la rétribution, sur lesquelles broche directement l'évocation de la personnalité, de la beauté et du destin de Lotus-d'Or (elle n'est pas encore nommée) en la sous-préfecture de Claire-

Hsi Men[3]. De son vivant, son père avait tenu un florissant commerce de drogues dans les provinces de Se tchouan et de Kwang, toutes deux riches en herbes, et il avait fini propriétaire d'un grand magasin de drogues au chef-lieu Tsing ho hsien. Sa maison comportait cinq pièces sur la façade et sept autres en profondeur[4]. On y voyait des domestiques en grand nombre et des écuries bien garnies de chevaux et de mules. Hsi Men pouvait donc se compter parmi les gens très fortunés du canton, sinon les plus riches et les plus distingués.

Fils unique, gâté et choyé dès l'enfance, il s'était tôt accoutumé à une vie très libre où l'on tenait les Lettres en horreur. Dès la mort de ses parents, il s'était encore plus définitivement ancré dans le parti de « se laisser rouler par les vagues du plaisir, de se faire caresser par la lune et les vents et de passer ses nuits parmi les fleurs et les saules ». La boxe et l'escrime, les cartes, les dés, les échecs et les devinettes étaient ses seuls talents.

Une bande de neuf vauriens, tous aussi enclins à la brutalité qu'à la plus basse flagornerie, l'accompagnait dans ses débauches. Parmi eux, Ying Po Koué était son ami le plus proche. Marchand de soie failli, il gagnait maintenant sa vie en fournissant en nouvelles recrues les harems des mandarins. On le surnommait Ying le Tapeur. Il était maître aux échecs, aux dés ainsi qu'au ballon. Après lui venait un nommé Hsié Hsi Ta, petit-fils de l'ancien gouverneur de la ville de Tsing ho hsien. Dès la mort prématurée de ses parents, il s'était jeté dans une vie de dérèglements qui lui avait fermé l'accès à une carrière de fonctionnaire. Il pinçait passablement le luth et jouissait, lui aussi, d'une grande estime dans le cercle. Les sept autres étaient Tchou Chi Nien, Sun Tien Houa, Yun Li Chou, Tchang Chi Kié, Pou Tchi Tao, Pai Lai Kwang, et Wou Tien En[5]. Le dernier nommé avait été

Rivière (Qinghe Xian), « jusqu'à mettre en émoi la préfecture supérieure de Paix-à-l'Est ». Claire-Rivière se trouve dans la province du Shandong sous les Song, mais passe sous la juridiction de la préfecture supérieure de Guangping dans la province voisine du Hebei en 1373. Toutefois elle n'a jamais dépendu de la préfecture de Paix-à-l'Est ; Lévy propose d'expliquer la confusion par l'interversion volontaire de Claire-Rivière et de Val-Soleil (Yanggu), effectivement sous la juridiction de Paix-à-l'Est, motivée par des raisons de vraisemblance économique et comique (EIF, I, p. 21 et 1 062 N. 4). Pour une chronologie de la matière romanesque, voir EIF, I, p. LV-LXVII [pour les livres I à V] et II, VII-XXXI [pour les livres VI à X].

3. Ximen Qing dans l'original chinois. Il s'agit, sinon du héros, du moins du personnage principal du roman, que caractérisent une appétence sexuelle sans limite en même temps qu'un sens des affaires hors du commun. Pour un rappel complet des protagonistes et une géographie des péripéties, voir EIF, I, XLV-LIII.

4. Les plans de la maison principale et de la position des pavillons dans les jardins, établis à partir des indications du roman, sont proposés par A. Lévy, cf. EIF, I, p. XLIX-L.

5. Hsié Hsi Ta (2e compagnon de débauche), « petit-fils de l'ancien gouverneur de la ville », correspond au Xie Xida dans l'EIF (I, p. 214). Sun Tien Houa, 4e compagnon de débauche, est identifié comme Sun Tianhua et surnommé « Bouche-Cousue » dans l'édition Lévy. Yun Li Chou (5e compagnon de

pour un temps géomancien cantonal. Relevé de ce poste, il opérait maintenant comme intermédiaire et répondant pour les affaires d'argent privées des fonctionnaires de la ville. C'est ainsi qu'il avait approché le riche Hsi Men, car ce dernier jouait souvent, dans ces tractations, le rôle de prêteur. Les neuf s'entendaient parfaitement pour abuser de la fortune et de la générosité de Hsi Men et ils faisaient tout ce qu'ils pouvaient pour l'encourager à boire, à jouer et à fréquenter des femmes.

En matières d'argent, Hsi Men déployait une ruse et une énergie considérables. La plupart des fonctionnaires du canton étaient ses débiteurs et son influence atteignait jusqu'à une certaine clique de courtisans corrompus que l'Histoire connaît sous le nom des « Quatre grands criminels d'État »[6]. Par là sont clairement désignés : le Chancelier tout puissant Tsai King, le Maréchal Yang Kian et les deux eunuques Kao Soui et Toung Kwan. On ne s'étonnera donc pas que Hsi Men fût très respecté dans tout le canton, d'autant qu'il se mêlait à toutes les affaires publiques importantes et que leur conclusion dépendait fréquemment de son avis.

D'un premier mariage, Hsi Men avait une fille, pas encore mariée mais fiancée[7].

---

débauche) est en fait le commandant Yun, prénommé Lishou (« Quitte-la-Garde »). Tchang Chi Kié (ici le 6ᵉ compagnon de débauche mais indiqué comme le 8ᵉ dans l'EIF) renvoie à Chang Shijié, « Toujours-Là ». Pou Tchi Ta (7ᵉ compagnon de débauche), décède, dans notre édition, dès le chapitre I et est remplacé par le « neveu de l'eunuque Hua, Hua Zixu », indiqué comme le 6ᵉ dans l'EIF qui, notons-le, ne fait pas mention de Pou Tchi Ta, de son décès et de son remplacement (voir EIF, I, p. 214-217). Pai Lai Kwang (8ᵉ compagnon de débauche) est désormais orthographié en Bai Laichuang et dit le « Glandouilleur » ; Wou Tien En (9ᵉ compagnon de débauche), géomancien cantonal relevé de son poste, intermédiaire de Hsi Men pour les prêts accordés aux fonctionnaires de la ville et autres tractations, correspond à Wu Dian, « l'ex-géomancien de la sous-préfecture [...] retiré à la suite de quelque déconvenue ».

6. Il s'agit des quatre ministres favoris de l'empereur Huizong, qui règne de 1101 à 1126. Ils sont traditionnellement donnés pour « félons » en raison de leur responsabilité dans la défaite militaire Song de 1126. Le Chancelier tout puissant Tsai King (Cai Jing), le premier et principal ministre du règne (1046-1126), au pouvoir de 1103 à 1106, 1107 à 1109 et 1120 à 1126 (EIF, I, p. 1 063, n. 5 de la page 22). Sous le règne de l'empereur Huizong, poussés par leur propre faiblesse militaire et fiscale, les Song s'allient, au début des années 1120, avec la dynastie Jin (1122-1234) de Mandchourie du Nord, contre les Liao. Après la défaite de ces derniers, les Jin se retournent contre les Song et marchent sur la Chine du Nord, s'emparant de la capitale, Kaifeng, en 1126. Les Song se retirent plus au sud, et en 1135, ils établissent une nouvelle capitale à Hangzhou, dans la province de Zhejiang. Le Maréchal Yang Kian (Yang Jian) est un eunuque qui exerça la fonction de commissaire aux armées ; il fut tenu pour coresponsable de la grande déroute de 1126. Quant aux deux eunuques Kao Soui (Gao Qiu) et Toung Kwan (Tong Guan), favoris de l'empereur Huizong, ils sont dotés d'importantes fonctions militaires, et tenus eux aussi pour responsables de la défaite des armées impériales par les Jin (Horde d'or).

7. Dans la version chinoise, on apprend ce détail au chapitre III du Livre I (EIF, I, p. 81). La jeune fille est fiancée à Chen Kingji, « qui n'a pas encore dix-sept ans et va encore à l'école », de la famille des Chen, « ceux qui sont apparentés au commandant en chef de la garde impériale des Huit Cent Mille » (EIF, I, p. 81). Pour les fiançailles de la fille de Hsi Men, cf. *Ibid.* p. 81.

En deuxièmes noces, il avait épousé Vierge de Lune, âgée de vingt-cinq ans et fille du Gouverneur de la partie gauche de la ville. Vierge de Lune, ou plutôt : Mme Lune, comme on la nommait depuis son mariage, était une créature bonne et raisonnable qui s'était habilement adaptée au caractère de son époux, très différent du sien. Deux concubines vivaient encore avec elle dans la maison : Li Kiao et la maigre et souffreteuse Tcho Tiou, toutes deux anciennes favorites de Hsi Men qui les avait connues dans une Cour aux Fleurs, qu'on appelle aussi maison de thé [8]. Trois ou quatre jolies filles d'entre les domestiques jouissaient encore de ses faveurs passagères. Mais comme tout cela ne lui suffisait toujours pas, il cédait souvent à l'envie dévorante de quitter sa maison pour aller « folâtrer avec les vents, jouer avec les rayons de la lune » et séduire les femmes et les filles d'autrui.

— Nous sommes aujourd'hui le 25 du neuvième mois, dit-il un jour à son épouse ; le troisième jour du mois prochain, mes neuf amis et moi, nous fêterons notre réunion annuelle. Prends tes dispositions dès maintenant, je t'en prie, pour nous préparer un banquet digne de cette cérémonie. Et surtout, n'oublie pas les chanteuses !

Mme Lune fit la moue : — Je ne veux rien savoir. Qu'est-ce que c'est que ces gens ! As-tu vraiment l'intention de recevoir dans ton honorable maison cette bande d'énergumènes qui semblent être sortis de l'enfer pour aller à la chasse aux âmes défuntes ? Tu pourrais avoir quelques égards envers ta troisième femme qui est bien malade depuis un certain temps déjà.

— Ma chère, j'ai pris l'habitude de me ranger à tes avis, mais je ne le ferai pas en cette circonstance. Je veux bien souffrir que tu juges défavorablement sept de mes amis ; mais épargne, je t'en prie, Ying et Hsié. Ce sont deux hommes très sûrs, auxquels on peut se fier. D'ailleurs je projette quelque

---

8. La première épouse de Ximen Qing est bien défunte, comme l'indique l'EIF (I, p. 85), qui précise aussi qu'elle était née Chen. Le futur mari de sa fille est donc choisi dans la famille d'origine de sa première femme, selon une pratique collatérale courante dans la Chine médiévale. Voir Jacques Gernet, *La Vie quotidienne en Chine à la veille de l'invasion mongole*, Paris, 1959. Dans l'EIF (I, p. 170), Mme Lune ou Dame Lune, épouse principale, est introduite au chapitre IX du Livre I, à l'occasion du mariage de Hsi Men (Ximen Qing) avec Lotus d'Or. Ceci est assez logique, étant donné que le Livre I se consacre majoritairement à la séduction, puis à l'installation matrimoniale de celle-ci dans la maison du héros. Il est précisé que Mme Lune, « née Wou, est fille du commandant de la ville » ou « demoiselle du commandant Wu » (EIF I, p. 81 et p. 1078, n.1 de la p. 81) ; le grade (*quianhu*), qui renvoie à la hiérarchie militaire Ming bien plus tardive que le temps supposé du récit, correspond à un commandement de 1 120 hommes. Li Kiao et Tcho Tiou, respectivement Charmante Li et demoiselle Zhuo, sont introduites au chapitre III du Livre I de l'EIF (I, p. 85). Li est une courtisane de « l'établissement fixe » (*Goulan*), c'est-à-dire de la balustrade du théâtre où les artistes donnaient des représentations et se livraient ouvertement à la prostitution ; elle réside chez Hsi Men qui promet d'en faire une des ses épouses « si elle sait se conduire ». Zhuo est la troisième épouse de Hsi Men. L'EIF (I, p. 62) indique que la Troisième, l'ex-deuxième demoiselle Zhuo, souffre « ces derniers temps de malaises dont elle ne parvient pas à se remettre. » Elle est néanmoins bien vivante (p. 85-86). Son remplacement sans explication constitue l'une des incohérences de l'original chinois.

chose de tout à fait nouveau pour notre prochaine réunion : C'est sans intérêt de se réunir pour se quitter simplement une fois de plus ; je veux maintenant que nous échangions des serments solennels de fraternité, pour qu'à l'avenir chacun d'entre nous trouve auprès de nous tous un soutien et une aide efficaces.

— Cela vous a fière allure ! Je me dis seulement que les autres trouveront sans doute aide et soutien auprès de toi, mais qu'en revanche ils ne te seront jamais plus utiles que des marionnettes de théâtre.

— Si ma situation reste assez brillante pour me permettre d'aider toujours, tant mieux ! répliqua Hsi Men en souriant. Mais ne te fais donc pas de souci, j'en parlerai à l'ami Ying.

— Les oncles Ying et Hsié ! cria soudain, pour les annoncer, le jeune valet de chambre, le petit Tai A, joli garçon aux yeux brillants et aux sourcils délicatement dessinés.

Hsi Men alla saluer ses amis dans la salle d'accueil. Ying portait un surtout doublé de soie bleu ciel, assez usé. Cependant son béret de crêpe noir semblait sortir à l'instant de chez le chapelier et ses chaussures étaient impeccables.

— Où étiez-vous donc tout ce temps ?

— Nous avons passé hier chez la tante Li et nous y avons admiré la nièce de ta deuxième femme. Diable ! cette petite s'est bien développée. Ce sera bientôt une vraie beauté ! Sa mère nous a suppliés par deux et trois fois de dénicher un gentil jeune homme pour la petite, dès que le moment sera venu de la dépuceler. Elle craint fort qu'elle ne tombe entre tes mains [9].

— Tiens, tiens. Il faut que j'aille y voir de mes propres yeux. Et où êtes-vous encore allés ?

— La veille, nous avons assisté aux cérémonies funèbres chez la veuve de notre ami. Elle te remercie d'ailleurs de ton présent funéraire. Elle n'a pas osé te convier au sacrifice aux morts dans son étroite et humble maison.

— Hé, qui aurait cru qu'il s'en irait si vite, le pauvre ? Il venait de m'offrir un authentique éventail doré de Se tchouan et je m'apprêtais justement à le remercier par un autre présent. Il est mort et mon cadeau réduit à du papier d'argent pour ses funérailles.

— Nous voici obligés de combler ce vide, si nous voulons encore être dix, dit Hsié. De toute façon, nous célébrons notre fête annuelle d'ici peu

---

9. Ce sera chose faite au chapitre X de la présente édition. Cannelle, nièce de Charmante Li, porte le même nom dans les différentes versions. L'aventure de Hsi Men avec elle a deux objectifs avoués : permettre à la « bande des dix » de festoyer aux frais de ce dernier, et à Cannelle de rejoindre sa tante auprès de lui en tant que courtisane et éventuellement d'épouse.

de jours ; je pense, ami Hsi Men, que nous pouvons compter sur ton hospitalité : elle a déjà souvent fait ses preuves.

— J'en parlais précisément avec ma femme. J'ai même une idée tout à fait particulière. Quel est le sens, à votre avis, de ces rencontres, de ces séparations, de nos beuveries, de nos orgies ?... Quant à moi, je propose que, cette fois, nous nous réunissions dans un temple et que nous nous jurions devant Dieu une fraternité absolue, afin que chacun de nous soit une aide pour tous les autres et à jamais. Il va de soi que je me charge de l'achat des trois bêtes pour le sacrifice ; vous autres, vous contribuerez aux frais dans la mesure de vos moyens. Que dites-vous de mon idée ?

— Il vaut mieux, bien sûr, prier Bouddha pendant qu'on est de chair et d'os, plutôt que de lui faire brûler de l'encens par sa veuve.

— Il faut que chacun y mette du sien ! dit Ying vivement. Mais je te prie de ne pas oublier qu'à côté de toi nous ne sommes tous que de misérables queues de rats malades. Et du diable s'ils tirent beaucoup de jus de leurs ulcères purulents !

— Vieux fou ! dit Hsi Men en riant, qui donc vous demandera de donner beaucoup ?

— Ta proposition est excellente ! décréta Hsié. Mais qui choisirons-nous pour remplacer le défunt Pou Tchi Tao ? Il est nécessaire que notre Ligue soit complète.

Hsi Men, songeur, respira bruyamment par le nez. — Que pensez-vous du jeune Houa, le neveu de Houa l'eunuque [10] ? Les terrains de nos deux familles se touchent ; quand il se promène, rien ne le sépare de nous qu'une faible épaisseur de briques. Il a d'ailleurs la main généreuse. Je l'ai rencontré souvent et il suffirait que je l'envoie chercher.

— Tu entends Houa Tsé Hsou, le client de la petite Wou Yi ?

— En personne.

— Hé, fais-le venir bien vite ! Il y aura quelques bons repas à récolter chez lui.

— Vieux Tapeur ! Faut-il que tu ne penses jamais qu'à ta bedaine ? Tu mourras un jour de constipation ! dit Hsi Men en grognant pendant que les autres riaient. Puis il fit un signe au petit valet Tai A pour qu'il aille chercher le voisin.

---

10. Dans sa forme dialoguée, le passage traduit un passage du chapitre XI du Livre II de l'original chinois (EIF, I, p. 214-217), qui décrit la réception de la bande par le jeune Houa (Hua Zixu), simplement parce que c'est à son tour de recevoir et non parce qu'il intègre la confrérie suite à la mort de Pou Tchi Ta, d'ailleurs absent du récit. Il est possible que Kuhn (1930), suivi par Perrot, ait installé cette conversation qui permettait d'introduire avec plus d'efficacité l'épouse de Houa, Vase (Fiole dans l'EIF), amenée à jouer un rôle déterminant dans le récit.

— Où se passera la chose ? s'enquit Ying. Ici, ou au temple ?

— Nous avons le choix entre un temple bouddhiste et un temple taoïste, dit Hsié. Ce serait donc le Young fou sé « le Temple de la parfaite Béatitude », ou bien Yu Wang Miao, « le Temple de l'Empereur de Jade »[11].

— Notre affaire n'a aucun rapport avec le bouddhisme, trancha Hsi Men, et je ne connais pas le grand bonze de Young fou sé. Par contre je connais très bien le grand prêtre de Yu Wang Miao. Je propose donc le temple taoïste, il est situé à l'écart et il est très vaste.

— Pas si vite ! dit Ying narquois. Si le bonze ne te connaît pas, il connaît d'autant mieux la femme de Hsié. Je propose donc le Young fou sé.

— Mauvais coucheur ! fit en riant celui qu'il ridiculisait ; tu te crois donc obligé de venir mettre ton nez dans toutes les conversations sérieuses !

L'entretien fut interrompu par le petit valet Tai A.

— M. Houa n'est pas chez lui, annonça-t-il à son maître. J'ai fait la commission à son épouse. Elle n'en semblait pas enchantée, mais elle vous salue et vous fait dire que son mari aurait mauvaise grâce à refuser votre honorable requête. Elle lui fera souvenir d'arriver à l'heure le troisième jour du mois. A la fin, elle m'a donné deux gâteaux pour la course.

— Aimable femme, très raisonnable, murmura Hsi Men content.

On but encore une tasse de thé puis les deux visiteurs se levèrent.

— Nous allons prévenir les six autres et recueillir leur contribution, dirent-ils en prenant congé. Frère Hsi Men, tu te chargeras sans doute de faire le nécessaire auprès du prêtre Wou.

— Certainement.

— Occupe-toi aussi de nous procurer des chanteuses !

— Tout sera fait.

Les deux compères se retirèrent en riant et plaisantant.

Le matin du premier jour du mois suivant, Hsi Men pesa quatre onces d'argent pur et il envoya son petit serviteur Lai Hsing lui acheter un porc, un mouton, des poulets, des canards, six cruches de vin[12] et ce qu'il faut

---

11. Ces considérations sur les temples ainsi que la visite que la bande rend à celui de « l'Empereur de Jade » ne figurent pas à cette place dans l'original chinois. Elles sont inspirées de la cérémonie d'ordination de Petit Mandarin, le fils que Hsi Men a eu de Vase (Fiole), conduite par le prêtre Wu au chapitre XXXIX (EIF, I, p. 812-815). De toute évidence, il s'agit d'un dispositif subtil des éditeurs allemands et français pour introduire la péripétie de Wu Soung (Wou Song) tuant le tigre qui terrorisait la passe de Beausoleil, *Jingyang gang* (voir EIF, I, p. 1056, n. 1 de la p. 17). Si l'édition originale s'entame directement avec cet épisode, elle use de la présentation de la bande et de ses beuveries pour introduire directement le dépucelage de Cannelle, nièce de la courtisane Charmante Li logée chez Hsi Men (*Ibid.*, p. 216-217).

12. La traduction est imprécise, dans la mesure où le mot chinois (*Jiu*) désigne toutes sortes de boissons alcoolisées dans lesquelles il faut sans doute compter les grogs chauds qu'ingurgitent nos protagonistes tout au long du récit (voir EIF, I, p. 23 et 1 065 n. 9 de la p. 23). Introduit au IIᵉ siècle avant J.-C.,

pour ce genre de banquet, avec des bougies d'encens et de la monnaie de papier. S'y mettant à trois, Lai Hsing, Lai Pao et le petit Tai A traînèrent le tout jusqu'au temple où ils le confièrent aux soins du prêtre Wou en lui transmettant cette commission :

— Notre maître viendra demain pour prêter le serment de fraternité avec ses amis. Ils passeront la journée entière ici pour fêter cette circonstance. Aie l'obligeance, Maître, de rédiger une formule de serment appropriée et de préparer le festin.

Le lendemain matin, à l'heure dite, les neuf convives se présentèrent en habits de fête chez Hsi Men. On se mit en cercle, on se salua cérémonieusement et on prit rapidement une petite collation avant de se rendre au Temple de l'Empereur de Jade. Une fois là-bas, ils contemplèrent les salles aux toits d'une hauteur majestueuse et aux murs élevés et puissants. Sur le portail d'entrée brillait une épigraphe en huit caractères sur fond rouge.

Trois chemins en méandres conduisent vers l'intérieur. Où que se pose le regard, il rencontre du marbre clair comme de l'eau. Les murs de la salle principale ont un éclat bleu vert et doré. Les toitures s'élèvent en une courbe audacieuse. Au beau milieu, trône majestueusement l'« Ancêtre de la Triple Pureté ». Dans la salle suivante, monté sur un buffle noir, siège Lao Tsé.

Après avoir traversé la salle du fond, les convives arrivèrent par une petite porte dans le domaine du prêtre Wou. Ils se virent tout entourés de fleurs éclatantes parmi les pelouses vert jaspe, mêlées au bleu d'azur foncé des pins et au gris alcyon clair des bambous.

La maison du prêtre avait trois pièces sur le devant qui servaient à son office ecclésiastique. Elles reluisaient d'ordre et de propreté en l'honneur des visiteurs. Une image de l'« Empereur de Jade du Palais d'Or Céleste » était suspendue dans la pièce du milieu ; les portraits des « Génies de Pourpre du Palais » et des quatre Maréchaux Célestes : Ma, Tchao, Wen et Houang [13]

---

le vin a été produit à grande échelle pour le Palais impérial sous la dynastie des Han. Cependant la brièveté de la saison de croissance du raisin en a limité l'essor, et la viticulture décline sous dynastie des Tang (618-907 après J.-C.). Le vin fait l'objet d'un regain durant la dynastie des Yuan (1271-1368) mais aux XVᵉ et XVIᵉ siècles, il semble peu apprécié, pour l'être à nouveau à la fin de la dynastie des Qing (1644-1912), avec l'importation des vins européens. Voir Li Zhengping, *Vins et alcools chinois : histoire, élaboration, dégustation*, Champs-sur-Marne, 2010.

13. La visite au Temple de l'Empereur de Jade a tout d'une supercherie. En témoigne la mention des « quatre Maréchaux Célestes » qui évoque les quatre ministres que l'empereur Huizong dit les « Quatre grands criminels d'État » au début de ce chapitre, responsables de la défaite Song de 1126 contre la Horde d'or : le Chancelier Tsai King (Cai Jing), le Maréchal Yang Kian et les deux eunuques Kao Soui (Gao Qiu) et Toung Kwan (Tong Guan), favoris de l'empereur. Les noms communs invoqués ici renvoient par leurs sonorités à ceux des quatre personnalités historiques. Cette amusante mise en scène n'est pourtant pas le fait de l'original du XVIᵉ siècle.

ornaient les parois des autres. Le prêtre reçut les arrivants en s'inclinant sur le seuil de la salle des dévotions et il les invita à s'asseoir pour prendre du thé. Ensuite, il leur fit faire le tour de son domaine. La vue de l'un ou l'autre des nombreux saints arrachait à nos délurés compagnons des observations impertinentes. L'ami Pai Lai Kwang s'en prit au tigre du tableau du Maréchal Céleste Tchao :

— Mes amis ! s'écria-t-il, regardez bien ce tigre, près du vieux Tchao. Espérons qu'il est végétarien, sans quoi sa compagnie ne serait pas rassurante.

— Eh bien, imbécile, dit Ying pour l'instruire, il appartient à la suite du Maréchal Céleste.

— Aïe ! brailla Hsié en tirant la langue et l'agitant dans un effroi comique, je ne voudrais pas d'une suite aussi dangereuse.

— De quoi s'agit-il ? demanda Hsi Men en s'approchant du groupe rassemblé devant le tableau au tigre.

— Hsié, répondit Ying pince sans rire, s'émeut à propos d'un ami dangereux. Pour toi, tu aurais dû mourir cent fois de la terreur que t'inspirent tes huit voraces compagnons.

Les éclats de rire de tout le monde firent s'approcher le prêtre qui vint se mêler à la conversation :

— Puisqu'il s'agit de tigre, il se trouve que notre canton est précisément affligé d'une de ces bêtes féroces. Il s'est attaqué à bien du monde et dix chasseurs environ y ont déjà perdu la vie.

— Quoi ? fit Hsi Men interdit.

— Comment ? Ces messieurs l'ignoraient ? Moi aussi. Je ne fais que l'apprendre à l'instant par un de mes hommes que j'avais envoyé demander l'aumône à notre protecteur, le riche M. Tchai, à Hong hai koun, préfecture de Tchang tchou fou. Sur le chemin du retour, il a vu le monstre qui a des taches blanches sur le front et les yeux protubérants. Les voyageurs et les commerçants ont peur de traverser seuls le plateau de King yang et ne voyagent qu'en groupes. Notre magistrat cantonal a promis une prime de cinquante taëls au bienheureux qui tuerait le tigre. Ah les pauvres inspecteurs forestiers, ils en ont eu, des bastonnades, pour n'avoir pas encore su capturer la bête !

Le mot de « prime » avait fait bondir Pai Lai Kwang :

— J'irai à la chasse, moi, et pas plus tard que demain. Je ne veux pas que ce beau morceau d'argent m'échappe.

— Et ta vie, demanda Hsi Men, elle ne compte pour rien ?

— Oh la vie, la vie ? L'essentiel, c'est l'argent !

— Splendide ! fit Ying dont la voix se fraya un chemin parmi les éclats de rire. Laissez-moi donc vous conter une histoire. Un avare se débattait dans la gueule d'un tigre. Son fils, pour le sauver, saisit un couteau et le brandit pour égorger la bête. « Arrête, imbécile », s'écrie l'avare, « veux-tu donc abîmer cette fourrure précieuse ? »

Des hurlements de rire fusèrent.

On avait dressé pendant ce temps deux tables chargées de plats immenses et la compagnie attaqua joyeusement l'appétissant festin.

Quelques jours plus tard, Hsi Men reçut un matin la visite de son ami Ying, qui lui dit :

— J'ai une nouvelle remarquable à t'apprendre.

— Raconte !

— Figure-toi que ce tigre monstrueux, dont le prêtre Wou nous parlait l'autre jour, un homme l'a tué hier de ses poings nus.

— A d'autres !

— Comment, tu ne me crois pas ? Je vais te le conter en détail, écoute-moi bien [14].

Et sautillant d'un pied sur l'autre et gesticulant beaucoup, il entreprit son récit. L'homme se nommait Wou Soung et venait de Yang kou hsien, le canton voisin. Cadet de deux frères, il avait changé de domicile pour quelque ennui et il avait été recueilli quelque temps dans la propriété du riche Tchai à Hong hai koun. Guéri de telle et telle maladie, il était parti à la recherche de son frère aîné [15]. Son itinéraire l'avait fait passer sur les hauteurs du King yang où il avait rencontré le tigre ; et il avait si bellement régalé la bête de coups de poings et de coups de pieds, qu'elle en était restée morte sur la place. Ying racontait tout cela avec le plus grand luxe de détails et de mots, illustrant son récit par des mimiques si réelles qu'on en eût cru qu'il avait assisté en personne à l'affaire et qu'il avait abattu le tigre de ses propres mains.

— Et l'on attend d'un moment à l'autre qu'il fasse son entrée solennelle au Yamen du sous-préfet avec son butin, conclut-il à bout de souffle.

— Je voudrais bien y assister. Dépêchons-nous de déjeuner.

---

14. Est inséré ici le récit de la prise par Wu Soung du tigre féroce qui terrorisait la passe de Beausoleil qui introduit le roman (Livre I, chapitre I) dans l'édition chinoise originale (EIF, I, p. 23-29). Les éditeurs occidentaux, peut-être inspirés par une version chinoise dialoguée, ont repris des éléments du chapitre I pour le rendre plus romanesque et moins descriptif.

15. Il s'agit de Wou Ta, époux de Lotus d'Or que ne tardera pas à séduire Hsi Men, sans avoir fait immédiatement le rapprochement avec l'herculéen Wou Soung. Wou Ta est identifié dans l'EIF (I, p. 22) comme Wu Zhi dit l'Aîné. Donné pour originaire de Val-Soleil, il a vendu la maison ancestrale et s'est séparé de son cadet pour emménager à la sous-préfecture de Claire-Rivière. Son frère Wu Song est, dès le début du récit, évoqué pour son tempérament sanguin ; pris de boisson, il a frappé un conseiller des Affaires militaires à la cour et a dû s'exiler dans un domaine retiré du Cangzhou (Qinghe xian), y cultivant la justice au mépris de l'argent et faisant des émules.

Les trois amis furent bientôt postés en observateurs au premier étage d'un grand cabaret. Ils n'eurent pas à attendre longtemps le tintement des gongs et les roulements de tambours. La foule allongea le cou. Un cortège de chasseurs défila en colonne par deux, tous armés de piques dont des fourragères rouges ornaient la pointe. Derrière eux, porté soigneusement par quatre hommes et pareil à un sac couvert de soie jaune, parut le tigre abattu. En queue s'avançait le puissant héros, l'égorgeur de tigres en personne monté sur un grand palefroi blanc. Ouh! ce géant formidable! La stature d'au moins sept pieds de haut; un visage aux pommettes saillantes, aux contours aigus; les yeux, tels des étoiles étincelantes, irradiaient bien loin leur regard pénétrant. Sa main serrait une lourde masse de fer. On comprenait que le souffle venait à manquer aux léopards et aux tigres, s'ils voyaient un gaillard de cette trempe se dresser sur la pointe des pieds en brandissant son arme pesante; on comprenait que les ours, dans les cavernes et les ravins, sentaient leur âme quitter leur corps quand ce poing s'abaissait pour frapper. Le jeune héros portait un turban où était brodée une svastika et qu'ornaient deux fleurs argentées. Son torse était habillé d'un solide pourpoint de chasse, taché de sang et rapiécé, et il portait, par-dessus, une tunique ouverte de satin rouge, taillée en carré.

— Il faudrait la force d'un buffle de mille livres pour faire reculer un homme pareil! chuchota Hsi Men à ses deux compagnons en rongeant ses ongles d'émotion. Et tout en absorbant hâtivement quelques gorgées de vin, ils se communiquaient à voix basse leur admiration : « Voilà donc le héros du jour, le fameux Wou Soung de Yang kou hsien! »

Enfin le cortège arriva devant le Yamen du sous-préfet. Wou Soung descendit de cheval et se rendit dans la salle où l'attendaient le magistrat et tous les fonctionnaires. En voyant le géant et l'énorme cadavre de la bête qu'on déposait au pied de la tribune vermillon, le mandarin se dit : « Qui d'autre eût été capable d'accomplir cet exploit ? » Puis il se tourna vers Wou Soung avec un salut affable et il se fit conter l'aventure de bout en bout. Les fonctionnaires groupés de chaque côté écarquillaient les yeux et grelottaient de peur à l'entendre.

Le récit terminé, le mandarin offrit un triple vin d'honneur au héros et lui fit tenir la prime de cinquante taëls en argent [16]. Wou Soung s'inclina et

---

16. Yamen désigne un palais et par extension ici, la sous-préfecture. C'est avec l'arrivée de Wou Soung au Yamen que notre édition reprend le fil de l'édition originale (EIF, I, p. 28). Les mandarins étaient les grands commis et fonctionnaires de la Chine ancienne, médiévale et classique, qui devaient passer de nombreux concours pour accéder aux charges civiles et militaires. Voir Chye Kiang Heng, *Cities of aristocrats and bureaucrats : the development of medieval Chinese cityscapes*, Hawaï, University of Hawaii Press, 1999. Le tael (*liang*), mot malais diffusé par les navigateurs portugais pour désigner une unité de compte, est variable en fonction du temps et des lieux. L'once chinoise de l'époque est estimée à

dit avec modestie :

— Si j'ai vaincu ce monstre, ce n'est nullement à mes faibles forces que je le dois, mais à l'influx bienfaisant qui émane de Votre Excellence et à quelques circonstances heureuses. En vérité je n'ai pas mérité une si forte récompense. Je suis affligé par la sévérité des bastonnades infligées à tant de braves chasseurs à cause du tigre. Que Votre Excellence me permette de lui proposer en toute humilité qu'elle partage la prime entre tous ces braves et fasse ainsi éclater Sa magnanimité aux yeux de tous.

— Qu'il soit fait selon le désir du héros, décréta gracieusement le mandarin.

Wou Soung effectua le partage sur-le-champ.

Le mandarin, que tant d'altruisme, ce sens du devoir et cet esprit de camaraderie avaient touché, décida de donner un emploi public à Wou Soung.

— Ton canton d'origine et le mien, Yang kou hsien et Tsing ho hsien, se touchent, dit-il. Je suis disposé à faire de toi mon capitaine des gardes [17]. Tu aurais pour mission de purger de leurs bandits les régions à l'est et à l'ouest du fleuve Tsing. Qu'en dis-tu ?

Wou Soung s'agenouilla et s'inclina en témoignage de gratitude.

— Je ferai tout pour me montrer digne de votre faveur.

Un jour, Wou Soung s'entendit appeler dans la rue :

— Eh bien, mon frère, ne me vois-tu pas ?

Il se retourna et reconnut son aîné qu'il avait vainement cherché si long-temps.

La disette et les mauvaises récoltes avaient décidé Wou Ta à quitter son pays pour aller s'établir dans la ville de Tsing ho hsien, où il avait loué une maison modeste dans la rue de la Pierre purpurine. Comme il était maladif, qu'il avait le visage tiré et la peau crevassée, ses voisins le surnommaient « Bonhomme-Trois-Pouces » ou « Écorce-de-l'Arbre-nain », et ils lui fai-saient souffrir d'incessantes railleries. Il gagnait sa vie en courant les rues, l'épaule courbée sous une lourde charge de pâtés chauds qu'il vendait [18].

---

37 grammes ; la pièce d'argent d'importation circule à partir de la fin du xvie siècle, mais l'usage est généralement de fragmenter les lingots d'argent. Pour les menues dépenses, on use des sapèques en différents alliages de cuivre et de fer. Voir EIF, I, p. 1 065 n. 10 de la p. 23.

17. La fonction de Capitaine des gardes, dit aussi de la milice dans l'original chinois, renverrait plutôt, selon Lévy, à la police, *Xunbu dutou* signifiant : « chef de ceux qui patrouillent et arrêtent ». Voir EIF, I, p. 1 066 n. 1 de la p. 29.

18. Wou Ta, ou Wu l'Aîné dans l'EIF, y est aussi surnommé « Bonhomme de trois pouces » et « écorce de mûrier à papier, expressions populaires, l'une [*sancun ding*] évoquant sa taille, l'autre [*gushu pi*] sa tête difforme au visage étriqué ». Voir EIF, I, p. 1 066, n. 1 de la page 30. Ce portrait introduit donc le mari de Lotus-d'Or, promis à la mort par le désir mutuel que celle-ci et Hsi Men conçoivent. Les pâtés que fabrique et vend Wu l'Aîné, désignés comme galettes cuites à la vapeur par l'EIF (I, p. 1 066 n. 1

Mais ses affaires allaient mal ; au bout de six mois de séjour à Tsing ho hsien, il trouva son maigre bien si fort diminué, qu'il se vit obligé de quitter sa demeure pour s'aller loger à meilleur compte chez un certain M. Tchang qui lui céda une boutique avec une chambre sur la Grand-rue [19]. Tout en continuant de circuler avec sa charge de pâtés, il sut, à force de gentillesse et de serviabilité, se gagner la sympathie des serviteurs de son propriétaire, si bien qu'ils décidèrent leur maître à lui faire grâce du loyer. Le vieux Tchang, richissime sexagénaire, possédait des dizaines de milliers de cordelettes de mille sapèques, mais il n'avait pas un pouce de fils ou de fille. Il n'avait que son épouse, femme vieille et sévère. Pas un brin de jeunesse, pas un grain de gaîté dans la maison, qui eût pu réjouir son cœur ! Il lui arrivait souvent de se frapper tristement la poitrine en soupirant :

— Pauvre de moi ! Vieux et sans postérité, à quoi me sert tout mon argent ?

Un beau jour, sa femme l'entendit :

— Eh bien soit, je prierai une entremetteuse de te trouver deux jolies jeunes esclaves. Tu pourras te distraire du matin jusqu'au soir de leurs danses et de leur musique, si cela te fait plaisir.

Le vieillard avait accepté joyeusement et l'entremetteuse, en effet, lui avait amené quelques jours plus tard deux belles fillettes. Malheureusement, la petite Pai Yu Lien, qui avait seize ans, était morte peu après. L'autre, qui s'appelait Pan Kin Lien et qui avait quinze ans, était la sixième fille d'un pauvre tailleur du sud de la ville, nommé Pan. Elle devait à ses charmes précoces et surtout à ses mignons petits pieds le nom de Kin Lien : « Lotus d'Or ». Sa mère l'avait vendue, après la mort de son père, à un M. Wang. Dans cette maison aristocratique, elle avait appris l'art de lire et d'écrire ainsi qu'à chanter et à jouer du luth. C'était une fillette très éveillée et souple de caractère. A treize ans, elle savait déjà s'embellir les yeux et les sourcils et elle se mettait du rouge avec un art consommé ; elle jouait de la flûte de bambou et de la guitare, elle était habile à tous les travaux à l'aiguille et triomphait des difficultés de l'écriture. Toujours bien coiffée, elle portait un

de la p. 30), *chui bing* (galette cuite) ou *cheng bing* (galette à la vapeur) sont des galettes de froment consommées après avoir été grillées ou réchauffées à la vapeur.

19. Ce M. Tchang (Zhang dans l'original chinois) est un personnage utile à la mise en place du récit. Il renvoie à l'un des sept contes de l'*Antre aux fantômes des collines de l'Ouest* intitulé « L'Honnête Commis Tchang », cf. *Connaissance de l'Orient*, n° 38, Paris, Gallimard, 1972, p. 94-95, cit. d'après EIF, I, p. 1 067, n. 1 de la p. 31. À son propos, l'EIF signale que Wu l'Aîné vit alors avec une fille d'un premier lit prénommée Bienvenue, en évocation de la félicité de son premier mariage. Quant à Pai Yu Lien, elle porte dans l'EIF le nom de Lotus-de-Jade Bai, un nom évoquant blancheur et pureté qui n'est pas sans s'opposer à la nature de Lotus d'Or.

joli chignon de cheveux ondulés. Sa tunique bien ajustée se tendait sur son jeune corps. Ainsi grandissait-elle en petite beauté très coquette [20].

Le vieux Wang mourut comme elle avait quinze ans. Sa mère aussitôt la racheta pour vingt taëls et la revendit chez Tchang. Lotus d'Or y gagna encore maintes perfections et y apprit notamment à jouer de la pi-pa à sept cordes.

Elle avait dix-huit ans à ce moment-là et elle était d'une beauté parfaite. « Le visage doux comme la fleur du pêcher ; le sourcil fin, arqué comme la faucille de la nouvelle lune... » M. Tchang la désirait depuis longtemps ; mais la crainte de sa sévère épouse l'avait toujours empêché de porter la main sur cette fleur de grand prix. Un jour pourtant, comme sa femme était en visite chez une voisine, il parvint à ses fins. Il est vrai qu'il paya cher ce court bonheur clandestin, et de cinq manières différentes : premièrement, il eut des courbatures ; deuxièmement, ses yeux se mirent à larmoyer ; troisièmement, il ressentit des bourdonnements d'oreilles ; quatrièmement, il fut affligé d'un rhume ; et cinquièmement, d'une crise de cystite. Il n'était pas question qu'il sût cacher la raison de ses souffrances à son épouse : il s'ensuivit une scène conjugale violente, sans tenir compte des coups et des injures qu'écopa la pauvre Lotus d'Or. M. Tchang en conçut du chagrin et il résolut de la marier en dehors de sa maison. Ses serviteurs lui donnèrent son brave locataire, Wou Ta le veuf, comme un mari qui convenait. M. Tchang pensa qu'il ne lui serait peut-être pas impossible de revoir de temps en temps Lotus d'Or en cachette et il acquiesça avec empressement. L'heureux Wou Ta obtint sa nouvelle épouse pour rien, sans avoir une seule sapèque à débourser.

---

20. La première mention de Lotus-d'Or dès le chapitre I de l'EIF explique son nom d'une façon qui n'est pas anodine dans l'ambiance érotique chinoise : « La nommée Lotus-d'Or était la sixième enfant du tailleur Pan [...]. Toute petite elle était si jolie déjà qu'on lui avait bandé les pieds : c'est à leur mignonne dimension que faisait allusion le petit nom de Lotus-d'Or. » Lotus-d'Or (*Jin*) est donc un *xiaoming*, « petit nom » que l'on donnait à l'enfant en plus du *xing* (nom de famille : ici Pan) et du *ming* (prénom). Voir EIF, I, p. 1 059, n. 2 de la p. 18. La nature musicienne de Lotus d'Or (renforcée par la métaphore de la fellation que constitue la flûte au long cours du récit) et l'omniprésence de la musique instrumentale dans le récit, presque systématiquement associée aux courtisanes et prostituées, soulignent l'importance sociale et érotique de la musique dans la Chine médiévale (voir Louis Laloy, *La musique chinoise*, Paris, Henri Laurens, 1903 et Fritz A. Kuttner, *The Archaeology of Music in Ancient. China : 2000 Years of Acoustical Experimentation*, 1400 B.C.-A.D. 750, London, Paragon House, 1990). L'éducation de Lotus d'Or est d'ailleurs un reflet d'un phénomène typique de l'époque Song, celui d'un apprentissage littéraire, artistique et musical soigné sur lequel nous renseigne un ouvrage essentiel pour la connaissance des structures sociales : John W. Chaffee, *The thorny gates of learning in Sung China : a social history of examinations*, State University of New York Press, 1995. Pour le rôle essentiel que jouent Lotus d'Or et les autres femmes dans le roman, voir : *Presence and presentation : women in the Chinese literati tradition*, sous la direction de Sherry J. Mou, London (Macmillan) & New York (St. Martin's Press), 1999. Et pour la composition du titre à partir des noms des trois femmes les plus dépravées de Hsi Men, voir la seconde Préface (EIF, I, p. 7).

Une fois le mariage accompli, M. Tchang veilla inlassablement au bien-être du jeune couple et mit toujours la meilleure grâce à leur avancer des sommes d'argent lors qu'ils étaient dans l'embarras. Et pendant que Wou Ta vendait ses pâtés par la ville sans se douter de rien, son bienfaiteur profitait du moindre relâchement de surveillance pour se glisser dans l'appartement de ses locataires où il continuait de fréquenter clandestinement Lotus d'Or. En vérité, le mari l'y surprit une fois ; mais il n'osa pas broncher, car il se dit qu'il n'était qu'un pauvre petit objet entre les mains du vieillard. Cette situation se prolongea un certain temps, jusqu'au jour où M. Tchang fut emporté par une violente crise de cystite. En comprenant les dessous de l'affaire, sa femme entra en fureur et elle mit le couple à la porte sans autre forme de procès. Ainsi Wou Ta se vit-il une fois de plus obligé de se chercher une nouvelle demeure. Il parvint à louer deux petites chambres dans la maison d'un nommé Wang, qui était en bordure de la rue de l'Ouest. Il continua comme devant à porter sa perche sur l'épaule et à gagner humblement sa vie en vendant des pâtés.

Honorable lecteur, il va de soi qu'une jolie femme a besoin d'un gentil amant pour son contentement, et qu'elle sait se le procurer, pour peu qu'elle ait de ruse ; une vieille expérience nous l'enseigne. Wou Ta pouvait être le plus honnête garçon du monde, cela n'empêchait pas que sa femme le trouvait répugnant. Chaque matin, elle grillait d'impatience qu'il s'en aille avec ses pâtés et la laisse seule pour toute la journée. Elle se tenait de préférence derrière la fenêtre du balcon, sous prétexte par exemple de ranger les melons qu'elle faisait passer sous le rideau, en profitant de l'occasion pour exhiber ses deux ravissants « lis d'or ».

Cela devait finir par être remarqué et le mari même en eut vent. Il se dit qu'il ne pourrait plus désormais rester rue de l'Ouest et il fit part un jour à sa femme de son projet de déménager.

— Fainéant ! Pauvre benêt ! siffla-t-elle. Tu espères donc trouver d'autres étrangers qui te logent encore à meilleur compte, pour qu'on se moque encore davantage de toi ? Si tu tiens à déménager à tout prix, donne-toi au moins la peine de trouver la somme qu'il nous faudrait pour avoir enfin un petit appartement qui nous appartienne !

Wou Ta courut se procurer dix taëls et loua, rue de l'Ouest, un logement de quatre pièces, dont deux au rez-de-chaussée et deux au premier, avec un petit jardin. C'était joli et tranquille.

Dès qu'ils y furent installés, il se remit à porter ses pâtés par la ville pour gagner péniblement son pain.

Et voilà que ce jour-là le hasard lui faisait rencontrer son frère. Tout joyeux, il l'emmena dans sa nouvelle maison. Il le fit monter à l'étage et le présenta fièrement à sa femme.

— Voici le fameux égorgeur de tigre des hauteurs de King yang, le capitaine des Gardes – ton beau-frère Wou Soung.

Les mains jointes, Lotus d'Or leva des yeux pleins d'admiration sur son beau-frère.

— Dix mille vœux de bonheur, murmura-t-elle et tous deux se saluèrent d'une légère inclinaison.

Timide et discret, Wou Soung examina cette parfaite beauté. Son frère aîné insista pour le garder à déjeuner et il sortit pour compléter leurs modestes provisions. Son frère et sa femme restèrent ainsi en tête à tête un bon moment. Lotus d'Or se sentait secrètement ravie en face de ce mâle accompli et elle frémissait à évoquer la force qu'il fallait pour tuer un tigre.

— Comment est-ce possible, songeait-elle, qu'une même mère ait donné le jour à ces deux frères ? Le premier : un arbre nain tordu, homme aux trois dixièmes et vilain diable pour les sept autres. Le second : un lutteur qui déborde de force. Ah ! qu'il vienne habiter chez nous !

Son plan était fait.

— Avez-vous trouvé à vous loger, beau-frère ? demanda-t-elle en épanouissant un sourire. Qui s'occupe de votre ménage ?

— Mon service ne me permet pas de m'éloigner beaucoup de la résidence du sous-préfet. Je me suis logé au hasard dans une auberge du quartier. Deux de mes soldats font mon ménage.

— Cher beau-frère, ne préféreriez-vous pas habiter chez nous ? Des soldats malpropres pour la cuisine et le service... Pouah ! comme c'est peu appétissant ! Ici, ce serait votre belle-sœur en personne qui préparerait vos repas et qui soignerait vos affaires.

Wou Soung hésita : — Je vous suis infiniment obligé, dit-il évasivement.

— Sans doute avez-vous une compagne, continua-t-elle pour tâter le terrain. Vous auriez toute liberté de la recevoir ici.

— Je ne suis pas marié.

— Combien de verts printemps compte mon beau-frère ?

— J'ai gaspillé vingt-huit années.

— Vous êtes donc mon aîné de cinq ans. Où avez-vous séjourné en dernier lieu ?

— J'ai passé un an dans la préfecture de Tsang tchou. Je ne me doutais pas que mon frère s'était dirigé de ce côté.

Ainsi se déroula, dans la chambre du haut, cette conversation qu'animait, unilatéralement, une secrète concupiscence. Enfin Wou Ta parut.

Chère épouse, n'as-tu pas l'intention de descendre pour t'occuper du repas ?

— Voyez-vous le malappris ! répondit-elle irritée. Est-ce poli de laisser un invité seul ? Va quérir la vieille Wang, notre voisine, elle s'occupera bien du repas.

Docile, le mari trotta chez la voisine et l'on finit par pouvoir se mettre à table. Il y avait du poisson, du rôti, des légumes, du vin chaud et des gâteaux [21].

— Ayez la bonté, beau-frère, de vous contenter de notre humble nourriture et de notre vin trop clair, dit Lotus d'Or en tendant le premier gobelet à leur hôte.

— Je vous remercie, belle-sœur, et je vous prie de ne pas prononcer d'inutiles paroles d'excuse.

Wou Soung, qui était une nature simple, prit tout cela pour des manières hospitalières et il ne songea pas un instant que la jeune femme qu'il avait en face de lui avait grandi comme une esclave et que son affabilité cachait de basses intentions. Cependant, il s'était avisé que, de temps en temps, le regard de Lotus d'Or coulait le long de son corps comme une caresse ; et sa timidité l'avait obligé à baisser la tête plusieurs fois. Aussi se dépêcha-t-il de prendre congé dès la fin du repas, résistant à toutes les tentatives pour le faire rester davantage.

— Une autre fois, belle-sœur.

— Mais vous viendrez habiter chez nous, n'est-ce pas ? Je vous disais tout à l'heure combien nous souffrons de la médisance des voisins. Votre présence ici nous serait si précieuse...

— Eh bien, puisque vous y tenez tant, je ferai déposer mes affaires dès ce soir.

— Votre esclave vous attend.

---

21. Étant donné l'importance de la cuisine dans le roman, voir : *Food in Chinese culture : anthropological and historical perspectives*, sous la direction de K. C. Chang, New Haven & London, Yale University Press, 1977 ; Frederick J. Simoons, *Food in China : a cultural and historical inquiry*, Boca Raton, CRC Press, 1991 ; Jacqueline M. Newman, *Food culture in China*, Westport, & London, Greenwood Press, 2004.

Chapitre deuxième

Le lendemain après-midi, Wou Soung emménagea dans la maison de son frère.

Au déjeuner, il fut gêné qu'elle lui servît le thé de sa main.

— Tant de soins me rendent confus, belle-sœur. Dès demain je donnerai l'ordre à un soldat de se mettre à mon service.

— Vous n'y pensez pas, beau-frère! Quel mal y a-t-il à ce que je vous serve? Vous êtes de la famille, après tout. J'ai bien la petite Ying[22] qui est là pour m'aider, mais je ne l'aime pas: elle est si maladroite. C'est comme pour vos soldats: je ne supporterais pas de les voir. Ils ne seraient bons qu'à salir mon fourneau et mes casseroles.

Cela faisait un mois qu'il habitait chez son frère. L'hiver était venu. Depuis quelques jours, il soufflait du nord une tempête de novembre glaciale. D'épais nuages rougeâtres couvraient le ciel. Soudain la neige bienfaisante se mit à tomber.

La neige tomba jusqu'au soir. Dans les éclaircies, le paysage apparaissait dans sa parure d'argent, comme si le ciel et la terre avaient décortiqué du riz entre leurs énormes rouleaux. Le lendemain, après avoir expédié son mari à son petit commerce dans les rues, comme à l'accoutumée, Lotus d'Or pria sa voisine Wang d'aller lui quérir de la viande et du vin. Elle avait allumé un brasero dans la chambre de son beau-frère dès la première heure.

— Je dois réussir aujourd'hui, s'était-elle affirmé. Pour cette fois, il ne restera pas insensible.

Frissonnante de solitude, elle l'avait longtemps guetté de derrière son rideau. Enfin, tard après midi, elle le vit s'avancer dans la neige, peinant dans un tourbillon de poussière cristalline. Elle écarta le rideau.

— Il fait bien froid, beau-frère, n'est-ce pas?

— Belle-sœur, je vous remercie de votre sollicitude.

Il entra et ôta son chapeau de feutre dont les larges bords l'avaient bien servi. Elle voulut s'en emparer.

— Ne vous donnez pas la peine, belle-sœur, dit-il pour refuser; et il accrocha lui-même le chapeau après en avoir secoué la neige. Il défit ensuite sa ceinture, quitta son surtout ouatiné en treillis vert perroquet et se rendit dans sa chambre. Elle s'attacha à ses pas.

---

22. Première mention de Petite Ying, domestique et souffre-douleur de Lotus d'Or. Dans l'EIF (I, p. 43), c'est Bienvenue, la fille que Wou l'Aîné a eu de sa première femme décédée, qui endosse ce rôle, ce qui ne fait que rendre plus abjecte la cruauté de sa marâtre. Dans notre édition, cette parenté n'est révélée qu'au chapitre IV (p. 79) quand Lotus d'Or interdit à Petite Ying de s'occuper de Wou l'aîné souffrant.

— Je vous ai attendu vainement toute la matinée. Pourquoi n'êtes-vous pas rentré déjeuner ?

— Un ami m'a convié pour manger. Il voulait aussi que nous nous mettions à boire, mais je me suis excusé.

— Je comprends. Mettez-vous à l'aise près du feu, beau-frère.

— Ah, que c'est agréable !

Il se débarrassa de ses grosses chaussures bien graissées, changea de bas et glissa ses pieds dans des pantoufles chaudes. Puis il approcha du brasero une banquette où il s'assit.

Pendant ce temps, Petite Ying, sur l'ordre de sa maîtresse, poussait la barre de la porte d'entrée et verrouillait aussi la porte de derrière.

Lotus d'Or avait dressé la table chez son beau-frère et la couvrait d'un grand nombre de plats chauds. Il interrompit ses préparatifs :

— Où est donc mon frère ?

— A ses affaires en ville. Nous pouvons très bien commencer sans lui.

— Je vous propose que nous l'attendions. Il sera toujours temps de manger.

— Oh, inutile de nous gêner pour lui.

Petite Ying était déjà là, pour poser sur la table une cruche de vin chaud. Lotus d'Or prit une deuxième banquette et s'installa également près du feu. Elle emplit par deux fois le gobelet de son beau-frère en l'encourageant :

— Videz-le, je vous en prie.

La courtoisie le força d'accepter ; puis il lui rendit la politesse. Elle but et posa devant lui un troisième gobelet plein. Sa robe s'était soudain déplacée, de manière à laisser voir la naissance de sa gorge polie ; ses cheveux légèrement relevés s'étaient défaits et lui tombaient un peu sur la nuque. Son visage s'anima d'un sourire espiègle.

— On raconte, beau-frère, que vous entretenez une chanteuse dans une maison proche du Yamen. Est-ce exact ?

— Ne prêtez pas l'oreille aux on-dit. Je ne suis pas de cette race.

— Qui sait ? Vos actes ne ressemblent peut-être pas à vos paroles.

— Faites-moi le plaisir de vous renseigner auprès de mon frère.

— Oh, celui-là ! Que saurait-il ? Il traverse la vie comme en rêve, à moitié ivre. S'il avait un brin d'astuce, en serait-il réduit à vendre des pâtés ?

— Buvez, beau-frère, ajouta-t-elle en lui octroyant plusieurs autres pleins gobelets.

Pour sa part, elle en avait avalé trois. Un désir printanier s'élevait en elle comme une flamme. Ses discours se faisaient de plus en plus clairs. Mais Wou Soung se possédait encore aux neuf dixièmes, malgré tout le vin qu'il avait absorbé, et il n'avait pas la moindre intention de profiter bassement de l'occasion : il baissait la tête et se taisait.

Elle se leva pour aller préparer d'autre vin à la cuisine. Pendant sa longue absence, il s'occupa à tisonner la braise. Elle reparut enfin. Tenant d'une main la cruche de vin fumant, elle posa l'autre sur son épaule. Il sentit ses doigts le presser doucement.

— Si légèrement vêtu, beau-frère ? N'avez-vous pas froid ?

— Assez d'effronterie, belle-sœur ! Je suis un honnête garçon, solidement planté sur ses deux jambes entre le ciel et la terre, avec toutes ses dents et tous ses cheveux ! Je ne suis pas homme à fouler aux pieds la bienséance, ni à faire fi des lois élémentaires qui régissent les rapports humains. Il faut que ces histoires finissent ! Si vous continuez à ployer comme un brin d'herbe au moindre souffle, il est possible que mes yeux continuent à vous considérer comme ma belle-sœur, mais peut-être pas mes poings.

Elle avala la semonce en rougissant violemment. Puis elle appela la servante et lui ordonna de débarrasser la table.

— Ce n'était qu'une plaisanterie, finit-elle par dire en balbutiant. Est-ce que je pouvais imaginer que vous la prendriez au sérieux ? Vous n'êtes guère subtil ?

Et elle lui tourna le dos pour disparaître dans la cuisine.

A la quatrième heure de l'après-midi, au plus fort de la tempête, Wou Ta rentra chez lui, son fardeau sur l'épaule. Surpris de lui voir les yeux rouges, il questionna sa femme :

— Tu t'es disputée ?

— Par ta faute, gringalet ! Je suis en butte aux insultes du premier venu.

— Qui donc oserait t'insulter ?

— Qui donc, sinon ce malappris de Wou Soung ? Bonne comme je suis, lorsque je l'ai vu rentrer par cette tempête, je lui ai offert quelque chose de chaud à manger et à boire. Dès qu'il a compris qu'il n'était pas surveillé, il s'est permis de m'adresser des paroles malhonnêtes. Je ne l'accuse pas sans preuve, Petite Ying en témoignera [23].

— Tiens, tiens ; je ne l'en aurais pas cru capable. Il a toujours été l'honnêteté en personne. Mais je te supplie de ne pas crier si fort : les voisins se moqueraient de nous s'ils t'entendaient.

Il la quitta pour aller trouver son frère.

---

23. Il est difficile de ne pas voir ici une belle analogie avec l'épisode de la résistance de Joseph à la femme de Putiphar (Genèse 39, 7-20), que, par dépit, celle-ci retourne à son avantage en invoquant une tentative de viol. On trouvera des informations utiles à la compréhension des relations matrimoniales et de ses protocoles en Chine pré-moderne in Jacques Gernet, *Le Monde chinois. 1*, [De l'âge de bronze au Moyen Âge], Paris, Pocket, 2006.

— Tu n'as pas envie de prendre quelque chose avec moi ?

Le cadet, perdu dans de sombres réflexions, ne répondit pas. Au bout d'un moment, il se leva et sortit de la maison, toujours sans dire un mot.

— Où vas-tu ? cria l'autre.

Mais Wou Soung, raidi et muet, continua de marcher droit devant lui. Wou Ta retourna chez sa femme.

— Je l'ai questionné mais il ne m'a pas répondu. Il a regardé fixement devant lui, puis il est parti en direction du Yamen.

Elle éclata : — Misérable reptile, plus mou qu'une crêpe ! Ce n'est pas difficile de le comprendre : il a honte, le bougre, il n'a pas le cœur de te regarder dans les yeux et c'est pourquoi il s'en va. Il enverra chercher ses hardes, c'est certain, et il ne voudra plus habiter chez nous. Tant mieux ! Je t'interdis d'insister pour qu'il reste.

Au bout d'un certain temps, comme les époux venaient de se remettre à causer de choses insignifiantes, Wou Soung reparut. Il était accompagné d'un soldat qui portait une perche sur l'épaule. Sans mot dire, il alla droit à sa chambre, fit enlever ses affaires et ressortit toujours sans prononcer une parole.

— Eh bien, mon frère, s'écria l'aîné, pourquoi déménages-tu ?

— Épargne-moi les explications, dit-il en ajoutant, en guise de réponse, cette phrase obscure : Tu irais t'imaginer que je te fais de la concurrence déloyale. Il acheva : Laisse-moi m'en aller en paix, cela vaudra mieux.

Wou Ta n'insista pas et le laissa partir, pendant que sa femme chuchotait :

— Bien sûr ! Les parents sont toujours les pires des débiteurs, l'expérience l'a suffisamment prouvé. Et celui-ci, au lieu d'aider un peu son frère aîné et sa belle-sœur, comme on pourrait s'y attendre puisqu'il est promu capitaine des Gardes, il ira jusqu'à nous calomnier. C'est un navet ! Joli à regarder, sans plus. Je rends grâce de son départ à la Terre et au Ciel. Au moins nous ne verrons plus cet affreux personnage.

Wou Ta ne trouva rien pour combattre ces arguments ; mais dans son for intérieur, il n'était pas satisfait du jugement de sa femme.

Wou Soung était retourné à son auberge près du Yamen. Son aîné s'était bien proposé de l'y aller voir, mais il n'osa plus s'exécuter après l'interdiction formelle que lui en avait faite sa femme.

Environ quinze jours plus tard, le sous-préfet fit appeler Wou Soung. Le mandarin désirait faire transporter à la capitale de l'Est un important trésor en or et en argent, qu'il avait amassé pendant les deux ans où il avait exercé ses fonctions dans la ville, pour le confier aux bons soins d'un sien parent, le commandant du Palais Tchou. Plus tard, une fois accomplis ses trois ans de service, ce trésor devait lui donner l'accès des courtisans les plus haut placés et lui faciliter l'obtention d'une audience. Pour surveiller ces précieux bagages et pour les convoyer en toute sûreté jusqu'à leur destination [24], il lui fallait un homme à toute épreuve, fort et réfléchi ; c'est alors qu'il s'était rappelé le capitaine des Gardes Wou Soung.

— Tu es l'homme qu'il me faut, lui dit-il, aussi ne me fais pas le chagrin de refuser cette mission. Tu peux compter sur une lourde récompense à ton retour.

Wou Soung se mit à sa disposition en le remerciant avec modestie. Le mandarin l'honora de trois gobelets de vin et le congédia en lui faisant présent de dix onces d'argent.

Le même jour, Wou Soung se rendit chez son frère, accompagné d'un homme qui portait une cruche de vin et diverses victuailles. Il s'assit sur ses talons sur le pas de la porte et ne le franchit que lorsque son aîné rentra de la ville.

Un reste de tendresse pour son beau-frère sommeillait toujours au cœur de Lotus d'Or. Lorsqu'elle le vit arriver, chargé de vin et d'autres excellentes choses, elle se dit : « Après tout, il faut bien croire que je ne lui suis pas indifférente ; comment expliquer autrement son retour ? »

Elle disparut prestement dans sa chambre, pour rejoindre son beau-frère un instant plus tard, poudrée de frais, bien coiffée et vêtue d'une robe de couleur vive.

— Cher beau-frère, seul un malentendu a pu vous tenir aussi longtemps éloigné de notre seuil. Je m'en suis fait de graves soucis. Je n'en suis que plus agréablement surprise de votre visite. Mais pourquoi tant de frais ? Je n'y vois pas de raison particulière.

— Je suis strictement venu pour dire un mot à mon frère, répondit-il sèchement.

Tous trois montèrent et se mirent à table. Wou Soung plaça son frère et sa belle-sœur au haut bout et s'assit sur une petite banquette en face d'eux. On entendait la voix rauque de son ordonnance qui faisait du tapage à la cuisine avant de monter pour servir. Pendant le repas, Lotus d'Or ne put

---

24. Le mécanisme du pot-de-vin versé aux introducteurs et proches de l'empereur est décrit au chapitre XV, lorsque Hsi Men tente d'échapper à la prescription consécutive à la disgrâce de l'un de ses protecteurs. L'EIF (I, p. 49) précise : « Or, le sous-préfet, depuis plus de deux ans qu'il occupait sa charge, avait détourné quantité d'or et d'argent qu'il souhaitait mettre à l'abri auprès de ses parents de la capitale orientale par le truchement d'un homme de totale confiance. Il en aurait besoin auprès de ses supérieurs au moment d'être reçu en audience à la cour, les trois années de sa charge accomplies. » Voir Peter Lorge, *War, politics and society in early modern China* (900-1795), London ; New York, Routledge, 2005. Pour les conditions de transport des biens en Chine pré-moderne, voir Didier Gazagnadou, *La Poste à relais : la diffusion d'une technique de pouvoir à travers l'Eurasie : Chine-Islam-Europe*, Paris, Kimé, 1994.

s'empêcher de porter souvent un regard plein d'attente sur son beau-frère ; mais celui-ci semblait ne penser qu'à manger et à boire. Enfin, se tournant vers son frère, il déclara solennellement :

— Je pars demain, sur l'ordre du sous-préfet, pour un voyage commandé à la capitale de l'Est. Il me sera impossible d'être de retour avant deux mois. Toi, mon frère, tu es de nature bien débonnaire et assez molle ; je crains que, pendant mon absence, on ne se remette à se moquer de toi, à te blesser. N'entre dans aucune discussion, attends mon retour pour que je m'occupe de l'affaire. D'ailleurs, si j'étais toi, dès demain, je ne me chargerais plus que de cinq couches de pâtés, au lieu de dix comme tu fais d'habitude. Ne te presse pas de sortir et reste en ville le moins longtemps possible. Retiens-toi d'aller boire avec des amis. Une fois rentré, baisse le rideau et boucle tôt la porte. Comme cela, tu t'éviteras bien des ennuis. Et là-dessus, buvons !

L'aîné vida le gobelet que lui tendait son frère. — Tu as raison, lui dit-il, je te promets de suivre tes conseils.

Wou Soung tendit un second gobelet à sa belle-sœur.

— Vous êtes douée d'une grande finesse, belle-sœur, aussi je vous passerai les grands discours. Voyez mon frère : c'est un bon diable, tout plein d'innocence et de confiance en vous. Donc, belle-sœur, vaquez aux soins du ménage, afin que votre époux n'ait aucun sujet de mauvaise humeur.

Pendant ce sermon, une vague de pourpre, partant des tempes, s'était épandue sur tout le visage de celle qu'il visait. Pointant le doigt sur son mari, elle éclata :

— Imbécile ! Qu'as-tu bien pu aller colporter sur mon compte, pour que j'en sois réduite à souffrir des insultes pareilles ? T'imagines-tu que je vaille moins que vous autres hommes, pour l'unique raison que je ne porte pas le turban viril [25] ? Je suis une honnête maîtresse de maison, obéissante comme le gong au maillet qui le frappe.

Wou Soung parut s'amuser de cette explosion d'un tempérament fougueux.

— Vous vous sentez donc responsable de la paix dans votre maison ? Alors tout est pour le mieux. Sans doute faudra-t-il que vous le preniez à cœur. Vos paroles, en tout cas, resteront gravées dans ma mémoire. Et là-dessus, belle-sœur, buvons !

Mais, d'un geste indigné, elle renversa le gobelet qu'il lui tendait et elle se rua dans l'escalier. Elle s'arrêta en pleine course pour lui crier :

---

25. Le turban (*Toujin*) porté par les soldats et les ouvriers, est un symbole viril dans la chine médiévale et classique. Voir : EIF, I, p. 1070, n. 2 de la p. 51.

— Vous faites le malin, beau-frère, et vous me paraissez ignorer qu'on doit respecter comme sa mère l'épouse de son frère aîné. D'ailleurs, le jour de mon mariage, j'ignorais même l'existence d'un beau-frère quelconque. Qui me dira ce que vaut cette prétendue parenté ? De toutes façons, il me déplaît que vous vous conduisiez en maître ici et que vous teniez des propos aussi abominablement injustes.

Après avoir fait entendre un gros sanglot, elle reprit sa descente à la course.

Après cette scène dramatique, les deux frères ne se sentirent plus guère le goût de boire et ils prirent bientôt congé l'un de l'autre.

— Mon frère, dit enfin le cadet, je te conseille de quitter tout à fait ton commerce et de ne plus du tout sortir de ta maison. Je t'expédierai par des courriers ce qu'il te faut pour vivre. Mais garde bien ta porte, crois-moi.

Le lendemain, Wou Soung se fit communiquer son itinéraire exact et il partit, bien armé, pour conduire à la capitale de l'Est la caravane de chameaux chargés d'or et d'argent qu'on lui avait confiée.

Wou Ta dut encore subir les imprécations de sa femme pendant trois ou quatre jours. Il se contint, ravala son dépit et la laissa tempêter. Pour le reste, il suivit le conseil de son frère et ne porta plus au marché que la moitié de ses pâtés. Il rentrait de bonne heure dans l'après-midi et, sitôt déposés ses plateaux, verrouillait soigneusement la porte, baissait le rideau et s'installait au salon. Ce fut naturellement un nouveau prétexte à Lotus d'Or pour se mettre en rage.

— Tu perds donc jusqu'à la notion du temps, idiot ! Verrouiller sa porte pendant que le soleil luit au ciel ? A-t-on jamais vu cela ? Les voisins vont rire une fois de plus. Ils prétendront qu'on voit chez nous des revenants en plein jour. Voilà ce que c'est, que d'écouter ton oiseau de frère. Il est tout juste capable de pondre des œufs vides, mais n'en piaille qu'avec plus de force et plus d'impertinence.

— Laisse rire les gens. Mon frère a raison : c'est le moyen de nous éviter des ennuis plus graves.

On s'en tint donc au nouvel emploi du temps. Et petit à petit, malgré bon nombre d'autres scènes aussi violentes, le dépit de Lotus d'Or se calma. Elle se résigna. Elle adopta même la tactique de verrouiller la porte de ses propres mains et de baisser le rideau sitôt son mari rentré. Il ne fut pas peu satisfait de noter ce changement. Toutefois, à y mieux réfléchir, il se sentit pris d'un léger soupçon.

A la fin du douzième mois, Yang, le principe de la clarté, avait retrouvé son empire : c'était l'époque des pruniers en fleurs [26].

Par une radieuse matinée de printemps, Lotus d'Or, vêtue d'une robe éblouissante de fraîcheur et de propreté, avait tout juste attendu le départ de son mari pour s'installer sous la tente devant sa porte.

Une vieille expérience nous enseigne que les rencontres que prévoit le destin sont souvent le fait de petits incidents hasardeux ; et voici : la jeune femme était précisément en train de pousser la fourche d'appui sous le rideau de bambou qui fermait sa porte, lorsqu'un coup de vent intempestif arracha la perche de sa main et lui fit effleurer la tête d'un promeneur qui passait.

Tout ensemble amusée et effrayée, Lotus d'Or jaugea l'étranger : le parfait viveur d'environ trente-cinq ans [27], d'imposante stature. Il portait un léger vêtement de soie verte et, sur la tête, un élégant chapeau à glands, orné de fléchettes d'or dont les anneaux articulés faisaient entendre en remuant un léger grelottement. Sa taille était entourée d'une ceinture d'or ornée de jade, ses chaussettes couleur d'eau étaient impeccables et ses souliers avaient de très minces semelles. Il portait à la main un éventail de Se-tchouan moucheté d'or. Bref : c'était un vrai Tchang Chong, un nouveau Pan An, si parfait cavalier enfin, qu'une femme n'en pouvait désirer de plus élégant [28]. Et voilà l'homme qui se tenait sous la tente et que Lotus d'Or examinait d'un regard plein de curiosité.

Au moment où la fourche d'appui l'avait frappé, il s'était arrêté, prêt à se mettre en colère. Mais en tournant la tête, il avait eu la surprise de se trouver face à face avec une séduisante beauté : ses cheveux noirs splendides s'amassent en chignon sur sa tête, coulent jusqu'sur les tempes en rouleaux qui se détachent sur son teint comme des corbeaux sur la neige ; l'arc des sourcils bleus d'être noirs s'élève comme la faucille de la nouvelle lune, deux yeux en amande éclatent d'un regard clair et frais, un souffle parfumé s'exhale des lèvres rouges comme des cerises, le petit nez s'avance comme une jaspe rose, les joues rosées se tendent dans une courbe douce ; visage

---

26. L'EIF (I, p. 54) évoque le fleurissement des « pruniers à la fin du douzième mois ». Nous sommes donc en février, mois terminal de l'année chinoise, qui finit en février et débute le 1er mars, comme l'année romaine.

27. Hsi Men est ici vieilli de dix ans par rapport à l'EIF (I, p. 54) : « il devait avoir vingt-cinq à vingt-six ans et avait tout l'air d'un viveur ».

28. Tchang Chong ou Zhang dans l'EIF (I, p. 54) est le personnage principal de l'*Histoire du pavillon occidental (Xixiang Ji)*, célèbre pièce du répertoire du théâtre chinois composée par Wang Shifu à la fin du XIIIe siècle. Pan An, poète de la Chine ancienne, est l'équivalent chinois d'Adonis. Voir EIF, I, p. 1072, n. 7 et 8 de la p. 54. La contribution de la Chine ancienne à l'art équestre est célèbre, notamment en raison de l'invention du collier d'épaule (IVe siècle).

sans défaut, pareil à une coupe d'argent poli ; la taille enfin, svelte et souple comme la tige d'une fleur.— Ah ! qui se lasserait jamais de contempler des charmes pareils !

A ce spectacle inattendu, le courroux de l'étranger s'enfuit incontinent, à tire d'aile jusqu'au lointain pays des Javanais [29]. La sévérité de son visage fit place à un doux sourire. De son côté, la jeune femme, qui sentait bien sa maladresse, croisa ses mains devant lui en guise de salut et, s'inclinant profondément, lui dit :

— Un coup de vent m'a fait lâcher prise et la perche s'en est allée frapper le seigneur. Que le seigneur veuille bien me pardonner.

Son interlocuteur commença par remettre en place son turban puis, s'inclinant presque jusqu'à terre, lui répondit :

— Ce n'est rien. Que madame se tranquillise.

La mère Wang, qui tenait la maison de thé voisine, avait observé cette scène. Elle s'approcha, dans l'intention de se mêler à la conversation, en arborant un large sourire amusé.

— Il faut convenir que le seigneur en a pris un bon coup en passant.

— C'était de ma faute, assura l'étranger en souriant poliment. Que madame me le pardonne !

— Ah, en vérité le seigneur n'a pas lieu de s'excuser, objecta Lotus d'Or.

— Que si, que si ! répliqua-t-il sur le ton de la soumission la plus profonde et en s'appliquant à donner à sa voix un timbre harmonieux et chantant. Mais en même temps ses deux yeux maraudeurs, habitués depuis des années à guetter avec avidité les premiers frémissements des herbes et des fleurs au souffle de la passion, restaient rivés au corps de la belle. Finalement, sans manquer de tourner sept fois la tête en arrière [30], il s'en alla de son pas nonchalant en agitant son éventail.

Lotus d'Or avait été aussi fortement impressionnée par l'apparition de l'élégant étranger, par sa prestance et par la culture que révélait son langage. Se serait-il retourné sept fois s'il n'avait pas pris feu ? Ah qu'elle sache seule-

---

29. Cette évocation est absente du passage tel qu'il figure dans l'EIF (I, p. 56). Elle est peut-être inspirée du fait que les ancêtres des Javanais (vers 3000 avant J.-C.) sont originaires des plaines alluviales du littoral de la Chine du Sud. En 1292, le débarquement d'un corps expéditionnaire sino-mongol à Java entraîne la fondation du royaume de Majapahit, qui contrôle un territoire s'étendant de l'Est au centre de Java. Le commerce entre les deux zones s'intensifie aux xive - xve siècles, l'amiral chinois Zheng He faisant plusieurs fois escale à dans les ports de Java. Voir Anthony Reid, *Southeast Asia in the Age of commerce 1450-1680*, Yale University Press, 1993.

30. Dans le bouddhisme, le chiffre 7 renvoie aux sept emblèmes de Bouddha et aux sept cieux bouddhiques. De ce symbolisme sacré – mais aussi d'une appétence particulière pour le chiffre – témoignent en Chine les sept sages taoïstes de la forêt de bambous (*Zhu Lin Qi Xian*), les sept lampes allumées autour du nouveau-né pendant 7 jours et 7 nuits, et les fêtes populaires célébrées un septième jour. Il est l'un des chiffres symboliques qui revient le plus souvent dans notre roman.

ment son nom et connaisse sa demeure ! Elle ne put s'empêcher de le suivre des yeux jusqu'au moment où il disparut à son regard. Et ce n'est qu'à ce moment qu'elle enleva la natte, qu'elle ferma la porte et rentra chez elle.

Honorable lecteur, qui était donc cet étranger, selon vous ? Eh bien, qui d'autre ? sinon le chef de cette bande de vauriens qui aimaient folâtrer avec le vent, plaisanter avec les rayons de la lune ; qui d'autre sinon l'homme qui les menait à la cueillette des miraculeuses fleurs bleues, à la découverte des parfums magiques : notre marchand de drogues, le très honorable Hsi Men [31].

Déprimé par le décès de sa souffreteuse Troisième concubine qu'il venait d'enterrer [32], il était sorti ce jour-là pour chercher quelque distraction. Et voilà qu'il avait trouvé cette aventure imprévue sous la natte d'entrée d'une maison étrangère. Il en avait abandonné son projet de visite à son ami Ying et il était rentré chez lui pour se livrer à ses pensées. Comment faire pour capturer l'oiseau ?

Subitement lui vint une idée : la mère Wang, la propriétaire de la maison de thé voisine, devait être capable de mener l'affaire à bien. Il ne regarderait pas à quelques onces d'argent. Sans s'accorder de prendre son repas de midi, il courut chez la mère Wang et s'installa sur un tabouret sous la tente.

— Eh, eh, fit la digne personne en plaisantant avec un fin sourire, notre seigneur avait un ton bien doucereux tout à l'heure.

— Honorable mère adoptive [33], approchez-vous, il faut que je vous pose une question. L'oiselet d'à côté... est la femme de qui ?

— Eh ! C'est la sœur cadette du Seigneur des Enfers, du Maréchal des Cinq Chemins [34]. Qu'est-ce que vous lui voulez ?

— Trêve de plaisanterie ! Parlons raisonnablement, voulez-vous ?

---

31. La présentation d'Hsi Men fait l'objet d'un copieux paragraphe dans l'EIF (I, p. 58-59) qui insiste sur certains de ses caractères principaux de « riche dégénéré » : sa qualité de marchand d'herbes médicinales (aucune allusion n'est faite à l'opium résiduel en Chine jusqu'au XVIIIe siècle), son monopole sur le trafic d'influences dans les affaires judiciaires, sa qualité d'« expert en tous jeux : cartes, échecs ou double-six », sa précoce dissipation et son goût inextinguible des femmes, qui s'accompagnent d'un proxénétisme reconnaissant. En ce qui concerne son activité la plus officielle, la pharmacopée, elle connaît un essor certain dans la Chine médiévale et moderne, en lien direct – comme c'est le cas dans l'Italie contemporaine – avec le crédit. Voir Éric Trombert *Le crédit à Dunhuang : vie matérielle et société en Chine médiévale*, Paris, Collège de France, Institut des hautes études chinoises, 1995.

32. L'original chinois ne fait pas mention de ce décès dans le passage correspondant (EIF, I, p. 58).

33. Lévy traduit *Ganniang* par « Belle-Maman » (p. 59), mais précise que le mot chinois signifie mot à mot « mère sèche » et désigne par extension la mère adoptive mais aussi la patronne de lupanar, dans la mesure où celle-ci « était souvent la mère réelle des filles qui la faisaient vivre, le métier étant héréditaire dans les familles de chanteuses et de musiciens » (p. 1073, n. 4 de la p. 59). Jacques Dars le traduit par « Marraine » (éd. d'*Au bord de l'eau*, Paris, Gallimard, 1979) et notre édition emploie aussi « Nourrice » dans la bouche de Lotus d'Or (p. 55).

34. Traduction littérale du texte original chinois (*Wudao jiangjun*) qui évoque une divinité de la mort et des calamités.

— Comment? Vous ne la connaissez pas? Son vieux, c'est l'homme qui tient la gargote près du Yamen.

— Vous voulez dire le marchand de dattes, Yu San?

— Non. S'il s'agissait de lui, le couple ne serait pas mal assorti. Devinez encore, seigneur.

— Entendez-vous le marchand de soupe, Li San?

— Oh non! Il ne lui irait pas mal non plus. Encore un effort!

— Voyons : il y aurait encore le petit Liou Siao, qui a une épaule plus basse que l'autre.

— Vous n'y êtes pas, D'ailleurs celui-ci ferait encore un partenaire passable. Continuez!

— Honorable mère adoptive, je ne trouve pas.

— Haha! Dans ce cas, je vais vous le dire : c'est le marchand de pâtés, Wou Ta.

— Quoi? Le Bonhomme Trois-Pouces, l'Écorce de l'Arbre-nain?

— En personne!

Hsi Men fut secoué de fou-rire. Mais au bout d'un moment il reprit amèrement :

— N'est-ce pas pitié de voir ce délicieux morceau d'agneau rôti dans une sale gueule de chien?

— Eh oui! soupira la vieille, on voit cela souvent : ce sont les pires crétins qui montent les meilleurs chevaux et qui couchent avec les plus belles femmes. Le Vieux de la Lune [35] aime bien ces couples disparates.

— Bien, bien, fit-il en se ravisant gaiement. Vous vous entendriez à marier jusqu'à des montagnes. Auriez-vous du plaisir à vous entremettre pour moi? Si vous concluez l'affaire, la récompense sera lourde.

— Le seigneur daigne plaisanter? Et si votre épouse venait à l'apprendre? Elle aurait tôt fait de me tirer les oreilles.

— Soyez sans crainte. Ma Première est une bonne nature, très raisonnable. Je ne vous cache pas que, d'entre toutes les concubines de ma maison, aucune ne me plaît vraiment. Peut-être connaissez-vous quelque chose qui puisse me convenir? Dans ce cas, n'hésitez pas. Je n'aurais rien contre une divorcée.

— J'ai en effet, depuis peu de temps, quelque chose d'approprié..., cependant je ne sais pas....

— Parlez plus clairement, vous m'intéressez beaucoup.

---

35. Vieux-sous-la-Lune pour l'EIF (*Yuexia laoren*), il préside aux mariages se conformant au registre des unions prédestinées, qu'il lie d'un invisible fil rouge. La légende figure dans le recueil *Taiping guangji* (977). Voir EIF, I, p. 1070 n. 1 de la p. 49 et 1074 n. 1 de la p. 60.

— Eh bien voilà : en ce qui concerne ses qualités extérieures elle est plus que parfaite. Seulement, elle est un peu avancée en âge.

— Il arrive qu'on ne dédaigne pas une beauté un peu mûre. Quel âge a-t-elle ? Je n'en suis pas à quelques années près.

— Elle est née sous le signe du sanglier dans la soixantième année du soixantième cycle : elle aura donc quatre-vingt-treize ans le jour de l'An [36].

— Voyez la vieille farceuse, dit Hsi Men en pouffant de rire ; toujours à inventer des blagues !

La vieille l'encouragea : — Buvons à notre entente !

— D'accord. Et mettez beaucoup de sucre.

Il était tard dans la soirée lorsque Hsi Men quitta enfin son poste d'observation pour se préparer à rentrer.

— Mère adoptive, je serai votre débiteur jusqu'à demain ; veuillez me porter en compte ce que j'ai pris. Vous voulez bien ?

— Mais oui, mais oui. Revenez bientôt honorer ma maison.

Rentré chez lui, Hsi Men ne se sentit de goût ni pour manger ni pour dormir, tant ses pensées restaient attachées à la belle inconnue. Mme Lune, son épouse, mit cette nervosité sur le compte de la mort de la Troisième et n'y prêta guère attention [37].

Le lendemain matin, la mère Wang avait à peine fini d'ouvrir sa boutique qu'elle vit, qui ? — faire les cent pas non loin de la maison ? — M. Hsi Men.

— Holà, mère adoptive, deux tasses de thé ! cria le visiteur matinal.

— Ah mon seigneur, quelle joie ! Il y avait longtemps que je n'avais pas eu l'honneur..., s'écria-t-elle en le saluant ironiquement.

Il sortit une pièce d'argent poli de sa poche et la lui tendit [38].

— Prenez cela, mère adoptive, en acompte sur ce que j'ai consommé.

---

36. L'original chinois diffère ici (« Elle est née l'année *dinghai*, celle du cochon ») et précise que l'âge est invraisemblable, l'année *dinghai* tombant en 1047 alors que l'action est censée se dérouler en 1113 ; la femme en question devrait donc avoir 66 ans et non 93. Pour la structure astrologique chinoise déterminant les signes, voir EIF, I, p. 1074, n. 3 de la p. 61.

37. La mention de cette disparition de la Troisième femme, évoquée à trois reprises dans notre version, n'apparaît pas dans l'original chinois. À son retour chez lui (I, p. 63), ce sont les « pensées [qui] tournaient autour de la femme qu'il avait découverte » qui préoccupent le séducteur. D'ailleurs Mme Lune n'est pas mentionnée pour cet épisode. En faisant mourir Tcho Tiou, alors que dans la version originale elle est seulement souffrante (I, p. 85-86), et en rendant souffreteuse celle (non nommée) qui lui succède, les traducteurs européens semblent s'être ingéniés à conférer au rang de Troisième un caractère morbide ; rappelons toutefois que Tcho Tiou-Zhuo disparaît sans explication de l'original chinois.

38. La monnaie d'argent n'a pas cours dans la Chine du XIIe siècle et n'est introduite par les devises étrangères qu'à la fin du XVIe siècle. Il s'agit ici non d'un anachronisme des éditeurs de cette époque, mais de ceux du XXe siècle, comme l'indique la formulation correcte de l'EIF (I, p. 65) : « Il tâta un morceau d'une once d'argent qu'il avait sur lui et le tendit à la vieille... ».

Elle prit l'argent en pensant : « J'accepte. On lui en soutirera d'autre, à ce gars. En attendant, cela me permettra de payer mon loyer demain. » Puis elle poursuivit à haute voix :

— Je gage que vous avez quelque chose sur le cœur.

— Comment l'avez-vous deviné ?

— Ce n'était pas bien difficile.

Chapitre troisième

— Honorable mère adoptive, dix bonnes onces d'argent pour vous, si vous faites l'affaire, dit Hsi Men pour insister encore.

— Écoutez-moi, mon seigneur. Une aventure amoureuse n'est pas une chose simple. Car qu'est-ce que cela signifie de nos jours, une aventure amoureuse ? Tout bonnement : de l'amour volé [39]. Et pour y parvenir, six conditions sont requises : la prestance, l'argent, la verdeur, la douce fermeté d'une aiguille emballée dans du coton, beaucoup de loisir et en fin de compte un quelque chose qui ait la vigueur de celui d'un âne.

— Pour être franc, je pourrai satisfaire à ces six conditions. Premièrement : sur la question de mon physique, je n'ose pas aller me comparer à Pan An, mais, ma foi, il y a tout de même de quoi faire « hé hé ! ». Pour le second point : j'ai largement de quoi vivre. Pour le troisième : je peux encore me considérer comme de la jeune génération. Pour la douceur : je me laisserais battre quatre cents fois par une femme avant de lui montrer le poing. Du temps, j'en ai plus de reste qu'il n'en faut pour flâner ; sinon, viendrais-je vous voir aussi souvent ? Enfin de la sixième chose : depuis ma plus tendre jeunesse, j'ai pris l'habitude de me sentir chez moi dans toutes les maisons publiques et je m'y suis éduqué un aimable monstre.

— Alors tout ira bien. Cependant il existe encore une difficulté qui fait échouer souvent ce genre d'affaires.

— Ce serait quoi, selon vous ?

— Ne prenez pas ma franchise en mauvaise part. Mais il arrive souvent qu'on manque une aventure amoureuse par crainte d'avoir à débourser quelque petite somme accessoire. Or je vous sais économe. Vous ne dépensez pas votre argent à tort et à travers, voilà la difficulté.

— Ne vous inquiétez pas. Je me conformerai à vos désirs sur tous les points.

— Si vous tenez à parvenir à vos fins, prenez mon avis : Vous préluderez par l'achat de deux pièces de grosse soie, l'une bleue, l'autre blanche, à quoi vous ajouterez une pièce de soie blanche surfine et dix onces d'ouate de la meilleure qualité. Vous ferez déposer le tout chez moi. A ce moment,

---

39. Moralisation très nette de l'original chinois ; l'EIF indique (I, p. 67) : « Rien n'est plus difficile que le lustrage, de forniquer, comme l'on dit communément aujourd'hui » et précise que *aiguang*, déjà incompréhensible au lecteur chinois moyen du XVIIᵉ siècle dans son sens de « différer l'instant », est à rapprocher de sa variante *yaguang* « faire briller, polir, astiquer » et par extension « frotter deux corps nus ». En revanche, *touqing* (« voler l'amour ») est fidèlement traduit, même s'il induit sémantiquement l'idée d'aventure illicite qu'essaie de restituer le « forniquer » de l'EIF. Voir Jacques Dars, *op. cit.*, p. 1163 et EIF, I, p. 1076, n. 2 et 3 de la p. 67.

j'irai la prier de me prêter son calendrier, sous prétexte de choisir un jour où commander le tailleur. Si elle ne me propose pas d'elle-même de faire ce travail, il nous faudra renoncer à notre projet. Si au contraire elle opine qu'un tailleur serait inutile, parce qu'elle se fera une joie de se mettre à mon service, alors nous aurons gagné un dixième de la partie. Nous en gagnerons un autre si elle accepte de venir coudre chez moi. Maintenant, je lui offre à boire et à manger en l'engageant à se servir copieusement. Au cas où elle refuse et prend congé sans avoir accepté les rafraîchissements, nous sommes obligés de renoncer à notre projet. Si elle se sert au contraire, sans perdre un mot de mes recommandations, nous aurons gagné la partie aux trois dixièmes. Il ne faut pas que vous soyez présent la première fois. Ce n'est que la troisième, vers une heure après-midi, que vous pourrez faire votre apparition. Habillez-vous du mieux que vous pourrez et annoncez-vous par une toux discrète. Prétendez que vous désirez une tasse de thé et affirmez que vous ne m'avez pas vue depuis longtemps. Je vous prierai d'entrer. Si la belle se lève, résiste à mes persuasions et s'en va, nous devrons renoncer à notre projet. Mais qu'elle ne bouge pas, et nous aurons gagné la partie aux quatre dixièmes. Arrivés à ce point, je vous présenterai comme le bienfaiteur qui m'a fait cadeau de ces soieries et je vanterai vos qualités innombrables. Pour vous, vous louerez son art et son habileté. Si elle ne peut prendre sur elle de vous répondre, il nous faut renoncer à notre projet. Si au contraire elle se met à causer avec vous, nous aurons gagné la moitié de la partie. Après quoi j'évoquerai l'heureux hasard d'une rencontre entre les deux êtres qui ont rendu possible la réalisation du chef-d'œuvre, entre celui qui a fourni la matière et celle qui a exécuté le travail. Je soulignerai les raisons que j'ai de me vanter à bon droit de mon génie pour réunir les montagnes et je préciserai que l'occasion vous est donnée tout naturellement d'offrir un peu de vin à Madame. Vous acquiescerez et vous me confierez de l'argent pour en acheter. Si, à ce moment-là, elle insiste pour s'en aller à tout prix, il faudra que nous renoncions à l'affaire. Si elle reste au contraire, la partie sera gagnée aux six dixièmes. Alors je prendrai votre argent et, en sortant, je la prierai de demeurer tranquillement à sa place et de tenir compagnie au seigneur. Si elle s'y oppose et fait mine de s'en aller, nous devrons renoncer à notre projet. Mais si elle reste assise, la partie prendra un cours de plus en plus favorable et vous l'aurez gagnée aux sept dixièmes. A mon retour, je dresserai la table de mon mieux et je lui dirai : « Quittez votre travail et venez prendre un gobelet de vin. Ce Monsieur serait désolé d'avoir dépensé son argent pour rien. » Si elle refuse de s'attabler avec vous et montre qu'elle veut partir, l'affaire est perdue. Si au contraire elle fait quelques manières, mais reste assise, les perspectives seront bonnes et vous aurez gagné la partie aux quatre cinquièmes. Une fois la conversation bien en train, dès que la belle paraîtra légèrement animée par le vin, je prétendrai que le vin est épuisé et j'irai en chercher de nouveau, munie par vos soins d'une nouvelle somme d'argent. En quittant la chambre, je vous enfermerai tout simplement. Si elle se met à crier de peur, vous aurez manqué l'affaire. Mais si elle ne s'oppose pas à ce que je verrouille la porte, vous aurez gagné aux neuf dixièmes. Il ne s'agit plus maintenant que du dernier ; mais il comporte encore passablement de difficultés. Lorsque vous serez seuls, il faudra que vous vous la rendiez favorable au moyen des mots les plus suaves ; et n'hésitez pas à vous servir aussi du langage des mains et des pieds. L'issue ne dépendra que de vous. Que votre manche, par mégarde, fasse tomber de la table une paire de baguettes ; vous ferez semblant de vouloir les ramasser et vous lui toucherez le pied hardiment en vous baissant sous la table. Si elle est saisie d'indignation et se met à faire du tapage, j'arriverai pour vous tirer d'embarras. Il va de soi qu'il faudrait alors considérer l'affaire comme presque manquée. Si au contraire elle se laisse faire, vous aurez gagné, aux dix dixièmes, la partie tout entière [40]. Mais saurez-vous m'en être reconnaissant par la suite ?

Hsi Men lui prodigua des éloges enthousiastes.

— Voilà qui est merveilleusement combiné, mère adoptive ! Vous en mériteriez presque une place d'honneur dans la « Salle de Ceux qui flottent sur les nuages [41] ».

— Allons donc ! Surtout, ne rognez pas sur les dix onces d'argent que vous m'avez promises.

— Comptez sur moi, je suis homme de parole, confirma Hsi Men en partant.

Sur le chemin de chez lui, il fit l'emplette des trois pièces de soie convenues et de la meilleure ouate couleur d'eau qu'il put trouver. Il fit emballer le tout dans une couverture par son petit valet Tai A qui l'alla porter aussitôt chez la mère Wang. Celle-ci, enchantée, prit livraison du cadeau et s'en fut chez sa voisine en empruntant une petite porte sur le derrière de la maison.

— Voilà quelques jours que Madame n'a plus honoré de sa présence mon humble cabane, dit-elle pour saluer Lotus d'Or.

---

40. Le plan de séduction orchestré en dix étapes conditionnant proportionnellement sa réussite est un chef-d'œuvre de rhétorique à mettre en relation avec le prestige de l'oralité littéraire dans la Chine médiévale. Voir *Rhetoric and the discourses of power in court culture : China, Europe, and Japan*, sous la direction de David R. Knechtges et Eugene Vance, Seattle, University of Washington Press, 2005.

41. L'original chinois indique : *Lingyan ge*, le « pavillon des Nuées-Altières » selon l'EIF, qui précise qu'il a été édifié sous le règne de Li Shimin-Taizong (627-650), fils du fondateur de la dynastie des Tang (618-907). S'y trouvaient les portraits des vingt-quatre serviteurs les plus méritants de l'État. Voir EIF, I, p. 1077, n. 1 de la p. 71.

— Je ne me sens pas bien depuis quelque temps et j'étais peu disposée à sortir.

— Auriez-vous un calendrier, par hasard ? La vieille que je suis voudrait choisir un jour pour faire exécuter quelques travaux de couture.

— Qu'avez-vous donc à coudre, mère adoptive ?

— Oh, la vieille est bien tracassée par dix maux et neuf misères ! Il est temps de penser à la mort. Et justement un de mes bons vieux clients, un homme riche à qui j'ai rendu quelques services, en soignant quelque malade de sa maisonnée, en lui procurant une servante ou en lui trouvant une nouvelle concubine – bref : justement ce riche monsieur, plein de sollicitude, m'a fait le présent d'un assortiment complet de tissus pour un vêtement mortuaire. Je l'ai chez moi depuis un an, sans jamais avoir pu trouver le temps d'exécuter le travail.

— J'ignore, bonne mère adoptive, si j'ai la capacité de travailler à votre goût ; mais si vous ne méprisez pas mes talents, j'aurais le temps de les exercer pour vous dans les jours qui viennent.

— Ah ! si vous consentiez à me prêter vos doigts précieux, je pourrais mourir tranquille ! J'entends louer votre habileté depuis toujours, mais je n'osais pas vous importuner de ma requête.

— Et pourquoi donc ? D'ailleurs c'est dit : je suis d'accord et l'affaire est conclue. Emportez donc mon calendrier et allez trouver quelqu'un qui vous choisira le jour qui convient.

— Pas de feinte, chère petite dame ! Est-il vraiment besoin d'aller faire lire le calendrier par un étranger, quand on vous sait ferrée sur toutes les sortes de poésies, avec ou sans rime, de nos cent poètes ?

— J'ai tout oublié, dit Lotus d'Or en plaisantant.

— C'est un mauvais prétexte, répliqua la mère Wang en lui mettant le calendrier dans la main.

— Demain et après-demain sont des journées néfastes [42], déclara Lotus d'Or après consultation. Mais la troisième journée est un jour de chance.

La mère Wang lui arracha impatiemment des mains le calendrier et le raccrocha au mur.

— Je me demande pourquoi nous aurions besoin d'un jour de chance. Il suffit que vous me prêtiez la main, pour allumer sur ma tête une bonne étoile.

---

42. C'est le calendrier romain qui est divisé en jours fastes (*fasti*, 235 jours) et néfastes (109), auxquels s'ajoutent 10 jours neutres. L'EIF traduit le passage sans connotation occidentale : « Demain est mauvais. Après-demain n'est pas bon. On ne pourra commencer que le jour suivant. » (I, p. 75)

— Et d'ailleurs, dit Lotus d'Or songeuse, puisqu'il s'agit d'un vêtement mortuaire, une journée triste sera plus indiquée.

La mère Wang l'approuva chaleureusement.

— Pourvu que vous m'aidiez, tous les jours me seront bons, fastes ou néfastes. Je peux donc vous attendre demain dans mon pauvre et froid logis ?

— Ne préférez-vous pas venir chez moi ?

— J'aurais plaisir à vous voir travailler. De plus, je n'ai personne qui surveille ma maison en mon absence.

— C'est juste. A demain donc, après déjeuner.

Lotus d'Or tint parole. Le lendemain, dès que son mari fut parti, elle se rendit chez sa voisine qui lui offrit tout de suite du thé extrêmement fort, parfumé d'une infusion de noix et de graines de pin. Lotus d'Or prit les mesures, coupa l'étoffe et se mit à coudre. La vieille Wang ne la quittait pas des yeux et ne ménageait pas les cris d'admiration. Elle avait atteint ses soixante-dix ans, disait-elle, sans jamais avoir acquis tant de goût ni tant d'habileté. Vers midi, on fit une pause pour la collation, puis le travail reprit et se poursuivit bon train jusqu'au soir.

L'après-midi du jour suivant, les deux femmes étaient à leurs travaux de couture dans la chambre de la mère Wang, lorsqu'elles entendirent à l'extérieur un toussotement et une voix qui criait :

— Holà, mère Wang ! Il y a longtemps que je ne vous ai vue.

— Qui est-ce ?

— C'est moi, répondit la voix.

Il va de soi que ce n'était personne d'autre que Hsi Men. Il avait attendu ce jour avec impatience et il arrivait maintenant, comme convenu, le plus élégamment vêtu, cinq onces d'argent dans la poche et son éventail de Se tchouan tacheté d'or à la main. La mère Wang se précipita à sa rencontre.

— Tiens, c'est vous ! Entrez, je vous prie. Vous arrivez à point pour contempler un beau spectacle.

Et elle introduisit Hsi Men en le tirant par la manche.

— Chère petite dame, je vous présente la personne qui m'a fait présent du tissu : l'honorable M. Hsi Men.

Comme il entrait, son regard se fixa sur la vision de ce visage printanier, somptueusement surmonté d'un nuage de cheveux bleu-noir alcyon. Elle portait une tunique de soie rose pêche, fendue sur son fourreau de coton blanc, et des pantalons de satin bleu.

Quand il s'avança, elle ne quitta pas son ouvrage et baissa simplement un peu la tête. Il fit une profonde révérence qui le plia en deux et il prononça d'une voix mélodieuse sa formule de salut. Elle posa son travail et répondit doucement : « Dix mille vœux de bonheur »[43].

La mère Wang se mit à bavarder :

— Figurez-vous, seigneur, que jusqu'à présent je n'avais pas trouvé le temps de façonner l'étoffe que vous m'avez donnée il y a un an. C'est aux doigts serviables de cette dame, ma voisine, que je dois de voir achever enfin cette entreprise. Et comme ils savent coudre ! Chaque point exactement pareil à l'autre ! Approchez, seigneur, voyez par vous-même.

— C'est parfait ! absolument divin !

— Ne vous moquez pas de moi, dit Lotus d'Or en accompagnant sa prière d'un sourire, mais en tenant toujours la tête baissée.

— Puis-je me permettre de demander sur quelle maison cette dame règne ? dit Hsi Men en feignant l'ignorance.

— Devinez !

— Je n'en ai pas la moindre idée.

— Je vous le dirai donc, mais commencez par vous asseoir, dit la mère Wang en lui offrant un siège en face de Lotus d'Or. Ne vous souvenez-vous pas que vous avez passé l'autre jour sous la tente de certaine maison et que vous y avez attrapé un bon petit coup ?

— Vous entendez le jour où j'ai été frappé par une perche d'appui ? Ah ! si je pouvais savoir à qui cette maison appartient !

La vieille se tourna vers Lotus d'Or : — Connaissez-vous ce monsieur ?

— Non, bien sûr.

— C'est M. Hsi Men, un des hommes les plus riches de notre canton. Il a l'honneur d'entretenir des relations personnelles avec Son Excellence le Mandarin cantonal. Sa fortune se monte à des dizaines de milliers de dix mille cordelettes de mille sapèques. La Grande Ourse n'aurait pas assez de force pour emporter tout son argent au ciel. Il possède le grand magasin de drogues près du Yamen ; et tant de riz, qu'il le laisse pourrir dans ses greniers. Dans sa maison, tout ce qui est jaune, c'est de l'or ; tout de qui est blanc, de l'argent ; tout ce qui est rond, des perles ; tout ce qui brille, des pierres précieuses. On y voit des cornes de rhinocéros et des défenses d'éléphant. Sa première épouse, née Wou, est fille du commandant de la ville, c'est une femme capable et intelligente. C'est moi qui, jadis, ai servi d'intermédiaire pour ce mariage.

---

43. Sichuan dans l'EIF (I, p. 54 et 78), où l'accessoire apparaît dès la première rencontre. Il s'agirait de la province à l'ouest de la Chine centrale, ayant donné son nom à un éventail pliant d'origine récente pour l'époque supposée du roman (XIIe - XIIIe siècles). En regard de l'EIF (I, p. 78), la salutation un peu caricaturale (mais bien dans l'image de la Chine que se fait l'Europe des années 1940) synthétise l'évocation d'une délicate liturgie sociale de la présentation silencieuse des respects : « À la vue de Ximen Qing, elle baissa la tête. Celui-ci se précipita devant elle pour s'incliner. Elle lâcha alors son ouvrage pour lui rendre son salut. »

— Mais dites-moi, M. Hsi Men, pourquoi vous n'êtes pas venu me voir depuis si longtemps.

— Les fiançailles de ma fille m'ont pris beaucoup de temps...

En homme averti, Hsi Men prit bonne note que Lotus d'Or lui était favorable pour plusieurs dixièmes et il eut du regret de ne pas pouvoir la posséder sur-le-champ. Il jugea cependant plus prudent de patienter et de laisser courir le programme de la vieille. Elle en arrivait au point de pouvoir proposer à son hôte, en s'appuyant de raisons détaillées, qu'il veuille bien offrir un petit vin d'honneur. Il joua la surprise.

— Je suis pris au dépourvu, mais il se trouve que j'ai un peu d'argent sur moi.

Il mit la main à sa poche et en sortit une once d'argent brut. Lotus d'Or fit signe à la vieille qu'il ne fallait pas accepter, mais son objection n'avait guère de force, puisqu'elle restait assise à sa place. La vieille n'y prit donc pas garde, s'empara de l'argent et s'en fut pour sortir.

— Chère petite dame, dit-elle en s'en allant, puis-je vous prier de tenir compagnie à ce monsieur ? Je serai de retour à l'instant.

— Pour rien au monde, mère adoptive, répondit Lotus d'Or tout en ne faisant pas mine de vouloir se déranger.

Tous deux demeurèrent donc seuls dans la chambre, sans échanger une parole. Les pupilles de Hsi Men restaient fixées sur la belle, et, de son côté, elle ne pouvait se retenir de lui accorder de temps en temps un regard furtif.

Bientôt la mère Wang revint. Elle avait acheté, dans une rôtisserie, une oie grasse, un canard croustillant, de la viande rôtie et du poisson frit, sans préjudice de toutes sortes de fruits et du plus excellent vin. La table fut vite dressée. La vieille encouragea Lotus d'Or d'un clin d'œil.

— Laissez votre travail et venez boire un gobelet de vin avec nous.

— Oh non ! ce ne serait pas convenable. C'est à vous de tenir compagnie à ce seigneur.

— Erreur, ma chère petite dame. C'est précisément en votre honneur qu'il vient de se laver les mains.

Et sans plus souffrir d'autre objection, elle approcha quelques plats bien garnis de Lotus d'Or.

— Combien de verts printemps compte Madame, actuellement ?

— J'ai vingt-cinq ans [44].

— Vous avez donc le même âge que ma Première.

---

44. L'âge correspond à l'original chinois, ce que confirme le texte de l'EIF (I, p. 84), qui précise toutefois : « J'ai vécu vainement vingt-cinq ans, répondit Lotus-d'Or ; je suis du dragon, née le 9 du premier mois, vers deux heures du matin. » Lévy situe sa naissance en 1100. Voir EIF, I, p. 1 079, n. 2 de la p. 84.

— Vous me faites trop d'honneur! C'est mettre le ciel et la terre sur le même plan, que de prononcer mon nom en même temps que celui de votre épouse principale.

— Mme Lotus d'Or a été parfaitement bien éduquée, dit la mère Wang en les interrompant. Elle n'a pas seulement l'avantage de manier le fil et les aiguilles à la perfection, elle connaît encore nos cent poètes et tous nos philosophes [45], pour ne rien dire de son écriture, de sa science aux échecs et aux dés, de son art de tirer les cartes et d'interpréter les signes, ni de toutes les autres perfections qui la caractérisent.

— Qui d'autre réunirait tant de qualités? se récria Hsi Men admiratif.

— Hum, une pauvre vieille, comme je suis, n'est pas qualifiée pour émettre un jugement; mais trouverait-on, parmi les nombreuses femmes de votre maison, une seule créature qui pourrait être comparée à Mme Lotus d'Or?

— Vous avez raison, je le confesse. C'est difficile à dire en peu de mots, mais, comprenez-moi, j'ai eu beaucoup de malchance, car je n'ai jamais réussi à introduire dans ma maison une femme qui serait exactement comme je la voudrais.

— Même feu Madame la Première, celle qui était née Tchen?

— Hélas! Elle était, certes, de famille modeste, mais que d'intelligence et quelle circonspection! Je pouvais me reposer sur elle en tout. Ah quel malheur, de l'avoir perdue il y a trois ans! Si elle était encore en vie, tout ne serait pas sens dessus dessous chez moi. Il y a là six ou sept bouches qui exigent d'être nourries sans rien accorder aux soins du ménage. Ce qui manque, c'est une véritable maîtresse de maison. Celle qui devrait l'être actuellement est toujours souffrante et néglige ses obligations. C'est ce qui me fait sortir si souvent: chez moi, je n'ai que des ennuis.

— Ne m'en veuillez pas, seigneur, si j'affirme que ni l'ancienne ni la nouvelle Première ne soutiendrait la comparaison avec Mme Lotus d'Or.

— Certainement. Et surtout pas sous l'angle de la gaîté et du charme.

— A propos, pourquoi n'utilisez-vous pas mes services pour vous rapprocher de la petite femme de la rue de l'Est?

— Ah, la petite Tchang? Elle chante bien mal; et depuis que j'ai appris qu'elle court de droite et de gauche, elle ne m'intéresse plus.

— Et Li Kiao, qui est en maison? Il y a longtemps que vous la fréquentez.

---

45. La réputation de l'ère Song en matière d'excellence académique a fait l'objet de nombreux travaux. Voir John W. Chaffee, *The thorny gates of learning in Sung China : a social history of examinations*, State University of New York Press, 1995. Pour la philosophie chinoise sous les Song, voir *La philosophie chinoise des origines au XVIIe siècle*, sous la dir. de Brice Parain, Paris, Gallimard, 1971.

— J'en ai fait ma Deuxième femme. J'en aurais fait ma Première si elle s'entendait un tout petit peu au train d'une maison.

— Vous vous êtes aussi toujours parfaitement entendu avec la petite Tcho Tiou.

— Taisez-vous, je vous prie. C'était ma Troisième. Elle est tombée malade il y a peu de temps et elle est morte.

La vieille changea brusquement de sujet :

— Voilà qu'il n'y a de nouveau plus de vin, au moment précis où l'on meurt d'envie d'en boire ! Ne m'en veuillez pas d'avoir manqué de prévoyance. Si j'allais en quérir une autre cruche ?

Hsi Men plongea la main dans sa bourse dont il tira les quatre dernières pièces d'argent.

— Tenez, mère adoptive, et dépensez tout. Il nous en faut une bonne provision.

La vieille se confondit en remerciements. Elle sortit, sans oublier de jeter un regard inquisiteur sur la belle. Les trois grandes coupes qui avaient abreuvé ses lèvres n'avaient pas manqué leur effet. Un désir printanier s'était emparé d'elle. La tête baissée, immobile et muette, elle avait attentivement suivi la conversation, sans perdre aucune allusion.

Chapitre quatrième

La mère Wang se tourna vers la jeune femme en lui souriant aimablement.

— Je vais à la rue de l'Est, près du Yamen : on y trouve d'excellent petit vin. J'en aurai pour un bon moment. Ayez la gentillesse de tenir compagnie à ce seigneur. Il reste un peu de vin dans la cruche, servez-le quand les coupes seront vides.

— Ne vous dérangez pas, je vous prie, j'ai assez bu.

— Allons donc ! Vous n'êtes plus des étrangers l'un pour l'autre. Qu'est-ce qui vous empêche de vider une coupe ensemble ? Il ne faut pas être si timide.

— Vraiment, cela suffit, dit encore Lotus d'Or sans toutefois quitter sa place.

La mère Wang poussa la porte et la cala de l'extérieur en l'attachant au linteau par des cordes. Puis elle alla s'asseoir sur la chaussée et se mit à filer le plus tranquillement du monde.

Le couple était enfermé dans la chambre. Lotus d'Or avait légèrement écarté son siège et se contentait de lever parfois les paupières pour laisser filtrer un regard furtif. Hsi Men la fixait toujours de ses yeux humides.

— J'ai oublié l'honorable nom de votre famille.

— C'est : Wou.

— Oui, oui : Wou, fit-il, distrait. Ce nom est rare dans notre canton. Il y a bien le marchand de pâtés, Wou Ta, celui qu'on surnomme le Bonhomme Trois Pouces ; serait-il de vos parents ?

— C'est mon mari, murmura-t-elle en baissant la tête pour cacher sa rougeur [46].

Il resta muet un certain temps, comme égaré. Puis il poursuivit en s'écriant avec force :

— Quelle injustice !

— Que vous a-t-on fait ? demanda-t-elle ingénument, mais avec un sourire amusé.

— C'est à vous que je pensais, pas à moi !

Soudain, il se débarrassa de sa tunique de soie verte, en prétextant la chaleur ; puis il la pria de la poser sur le lit de la mère Wang.

---

46. Dans l'original chinois et l'EIF (I, p. 80), la révélation du nom du mari est faite au chapitre II, avant que l'entremetteuse ne reparte acheter du vin. Ximen Qing et la mère Wang font son éloge de rude ouvrier au bon caractère, ce à quoi Lotus d'Or répond : « Vous vous moquez [...], mon mari est un bon à rien. »

— Pourquoi n'y allez-vous pas vous-même ? dit-elle en lui tournant le dos, mais sans cesser de mâchonner sa manche.

— Bon, tant pis !

Il allongea le bras par-dessus la table pour lancer la tunique sur le lit, en ayant soin de frôler une des baguettes pour la balayer de la table. Et, ô Providence ! la baguette roula juste sous la jupe de Lotus d'Or. Hsi Men alors resservit à boire et à manger, et fit comme s'il découvrait qu'une baguette manquait.

— C'est cela ? demanda-t-elle en riant et en indiquant la baguette qu'elle venait de couvrir de son petit pied.

— En effet, la voilà ! fit-il, tout étonné. Mais au lieu de la ramasser, il pressa doucement la pantoufle coloriée de broderies.

Elle éclata de rire et dit :

— Qu'est-ce qui vous prend ? Je vais appeler !

Il tomba à genoux. — Gracieuse dame, ayez pitié du pauvre homme que je suis, dit-il en soupirant tandis que sa main caressante remontait le long de sa cuisse.

— Vilain polisson ! criait-elle en se débattant. Et elle ajouta en brandissant sa main aux doigts bien écartés : Je vais vous donner un coup de poing[47].

— Ah, gracieuse dame, vous me tueriez, que ce serait un délice !

Et sans lui donner le temps de répliquer, il la prit dans ses bras pour aller la déposer sur le lit de la mère Wang. Il lui ôta sa ceinture et la dévêtit. Et ainsi ils partagèrent les mêmes joies sur le même coussin.

Souvenez-vous, honorable lecteur, que c'était un faible vieillard, Tchang le vieux sac à sous, qui avait eu la primeur de Lotus d'Or. Alors, ce faible vieillard avec sa goutte au nez, sa terne sauce de farine de fèves — quel plaisir vouliez-vous qu'il lui donnât ? Ensuite de quoi elle avait épousé le Bonhomme Trois Pouces. Faites donc l'effort de vous imaginer la force qu'il pouvait avoir ! Or, maintenant qu'elle trouvait en Hsi Men un homme rompu depuis longtemps au jeu de la lune et des vents[48], avec un outil haut et vigoureux, est-ce qu'il n'était pas fatal qu'elle en éprouvât de la satisfaction ?

---

47. Dans l'EIF, la résistance de Lotus d'Or est à la fois plus érotique et plus orientale, même si l'impératif de traduction de l'esprit a introduit une idiomatique typique de l'époque contemporaine : « De la tenue Monsieur ! Tu en as envie, j'y ai pensé aussi ! Est-ce que tu veux vraiment me mettre le grappin dessus ? » (I, p. 88)

48. L'EIF évoque le « jeu des nuages et de la pluie » (I, p. 90), auquel renvoie la métaphore un peu abrupte due aux éditeurs qui suit : « Le nuage avait crevé. »

Le nuage avait crevé. Ils étaient tous deux en train d'arranger leurs vêtements lorsque la mère Wang fit soudain irruption dans la chambre.

— Eh bien, voilà du joli ! Et elle ajouta pour Lotus d'Or qui se tenait bien penaude : — Je vous avais priée de venir faire de la couture, et non l'amour. Le mieux qui me reste à faire, c'est d'aller de ce pas raconter la chose à votre mari, car je ne veux pas qu'il l'apprenne par d'autres et m'en fasse des reproches.

Elle fit mine de s'en aller. Mais Lotus d'Or, les joues rouges de honte, la retint vivement par la jupe et l'implora doucement :

— Mère adoptive, soyez indulgente.

— Je veux bien, mais à une condition : dorénavant vous vous tiendrez à la disposition de M. Hsi Men à toute heure. Tôt le matin ou tard le soir, il faudra que vous veniez dès que je vous appellerai. C'est la condition de mon silence. Autrement, je dirai tout à votre mari.

Le lendemain, elle touchait ses dix pièces d'argent que Hsi Men lui porta en personne. On sait depuis longtemps que l'argent rend accommodant : les yeux de la mère Wang étincelèrent de joie dès qu'ils perçurent l'éclat du précieux métal. Elle ne se borna pas à remercier Hsi Men avec volubilité mais lui proposa même d'aller quérir sur-le-champ sa belle voisine.

Hsi Men crut voir une apparition céleste lorsqu'elle entra. Les deux amants furent bientôt tendrement installés joue contre joue et cuisse contre cuisse.

— Dites-moi si monsieur votre mari a fait une observation hier, s'enquit la mère Wang qui servait du thé et du vin avant de s'en aller.

— Il m'a demandé, répondit Lotus d'Or, si nous avions terminé le vêtement mortuaire. J'ai dit que oui, mais que j'aurais encore à travailler aux bas et aux pantoufles que vous porterez à votre dernier voyage.

De son côté, Hsi Men prenait tout son temps pour examiner sa maîtresse en détail. Il la trouvait plus séduisante encore et elle lui paraissait d'une beauté surhumaine, telle une Fée de la Lune[49].

Dans son ravissement, il la pressa contre lui. Le bas de sa jupe s'écarta sur de charmants petits pieds chaussés de mignonnes pantoufles de satin noir corbeau. Hsi Men souleva la jupe un peu plus et il ressentit aussitôt un picotement de sa chair qui annonçait l'éveil de ses sens. Ils burent amoureusement dans la même coupe.

— Quel âge avez-vous, questionna Lotus d'Or négligemment.

---

49. Pour le même passage, l'EIF indique (I, p. 93) : « Le vin donnait un éclat rosé à son visage poudré ; avec ses deux chignons qui s'allongeaient comme dans une peinture, on aurait dit une fée, plus belle que Chang'e, déesse de la lune. » Pour Chang'e ou Heng'e, femme de l'archer légendaire Hou-yi, voir EIF, I, p. 1083 n. 5 p. 93.

— Trente-cinq ans. Mon anniversaire tombe le vingt-huit du septième mois[50].

Il tira de sa manche une petite boîte en argent, dorée à l'intérieur et emplie d'une fine pâte parfumée de thé et d'olives. Il en mit sur la pointe de sa langue, l'offrit aux lèvres de Lotus d'Or et ils se pressèrent l'un contre l'autre avec de grands soupirs et de profonds gémissements.

La vieille les laissa à leurs ébats amoureux.

Le couple éprouvait une agitation croissante. Soudain, dressé au centre de son corps, le membre de Hsi Men apparut. Formé depuis longtemps à l'école de toutes les maisons de joie, c'était un outil entraîné et éprouvé, long et fort, ferme et dur, bref : un honnête et excellent outil[51]. Muette, Lotus d'Or y glissa sa main délicate. Alors, pendant qu'elle se débarrassait de ses vêtements, Hsi Men tâta son sexe d'une main tremblante. Presque sans poils, il était lisse, rond et tendre comme de la pâte à faire le pain qui fermente avant la cuisson ; comme une délicieuse pâte de fruit aussi, qui déborderait légèrement le gâteau ; un objet merveilleux enfin, tout offert aux convoitises d'un cœur d'homme.

Un vieux dicton enseigne que le bruit d'une bonne action ne franchit guère le seuil de la maison, mais que celui d'un forfait résonne aussitôt à mille lieues à la ronde. Il faut savoir qu'un garçon de quinze ans, de la famille Kiao, vivait dans le canton. On le surnommait généralement « Petit frère Yun », car il était originaire de la préfecture de Yun Tchou[52]. Ce gamin bien éveillé et très malin était seul au monde, si l'on néglige un vieux père hors d'âge, et il gagnait sa vie en vendant du fruit frais dans les nombreuses gargotes des environs du Yamen. Le riche Hsi Men le protégeait et lui allouait de temps en temps quelques sapèques supplémentaires.

Un jour donc, le jeune garçon en question, un panier de poires sous le bras, arpentait les rues à la recherche de son protecteur. Il rencontra un bavard qui voulut bien le renseigner.

— Si tu cherches Hsi Men, je peux te dire où il est.

---

50. Comme nous l'avons vu précédemment, Hsi Men est vieilli d'une dizaine d'années dans notre édition ; à la question posée par Lotus d'Or, il répond dans l'EIF (I, p. 94) « qu'il était du tigre, avait vingt-sept ans et était né vers minuit le 28 de la septième lune. » Une connaissance approfondie du calendrier chinois incite les exégètes à placer sa naissance vers 1096 et non 1098.

51. L'EIF donne des précisions qui rendent compte aussi bien de la décontraction de l'érotisme chinois que de la pudeur des éditeurs de 1949 : « Il avait commencé très tôt à fréquenter les ruelles et venelles et à y entretenir des liaisons. Aussi avait-il été amené à porter à la base de son outil un anneau de soutien d'argent battu, bouilli dans une décoction d'herbes médicinales. Sa chose en était d'autant plus longue et grosse, sortant toute empourprée, roide et dure, d'une barbe hirsute et noire. » Voir EIF, I, p. 95.

52. Yunzhou dans l'EIF (I, p. 96). Il s'agit d'une localité du Shandong, située à 200 kilomètres au sud de Claire-Rivière, qui, à l'époque des Song, dépend de la juridiction de la préfecture de Dongping (actuel Yuncheng).

— Où donc ? Dis-le moi, mon vieil oncle.

— Une fois de plus avec sa Mme Lotus d'Or. Il la rencontre tous les jours dans la maison de thé de la mère Wang, rue de la Pierre Purpurine. Il suffit que tu y ailles, mon petit, et tu l'y trouveras certainement.

Petit frère Yun le remercia et se rendit incontinent à la maison de thé, son panier sous le bras. La mère Wang était assise à sa porte, en train de faire des pelotes de fil. Yun posa son panier.

— Je vous salue humblement, mère adoptive, dit-il en la regardant droit dans les yeux.

— Qu'est-ce que tu viens chercher ici ?

— Hé, certain grand seigneur, qui me fera gagner quelques sous pour mon vieux père.

— De quel grand seigneur parles-tu ?

— Voyons, mère adoptive, vous plaisantez ? Je veux dire M. Hsi Men, bien sûr, répliqua le gamin en s'avançant délibérément vers la porte d'entrée.

— Hé là, mon petit singe, cria la mère Wang en le retenant, tu n'as pas tes entrées dans cette maison !

— Je voulais seulement lui dire un petit mot.

— Halte-là, jeune vaurien ! grogna la vieille irritée. Il n'y a pas de Hsi Men à qui parler, ici.

— Mère adoptive, ne vous empiffrez pas toute seule ; laissez-moi quelques pauvres miettes ! Est-ce que je fais du mal après tout ?

— Et tu as encore le toupet de me le demander ?

Du coup, Petit frère Yun perdit patience : — Tu as la légèreté d'un sabot de cheval, l'amabilité d'un écuelle de bois où on épluche les légumes, et la même imperméabilité ! Si tu y tiens beaucoup, je peux aller tout raconter, il suffit que tu le dises. Seulement, j'ai peur que notre frère le marchand de pâtés ne se mette dans une rage bleue.

La vieille éclata, furieuse :

— Vilain petit singe ! est-ce que tu n'es venu ici que pour nous empester ?

— Si je suis un petit singe, c'est que tu n'es qu'une vieille vache têtue !

Comme une furie, la vieille sauta sur lui et lui donna deux grands coups.

— Aïe, tu me fais mal ! cria le petit gars.

— Espèce de oustiti couvé par une voleuse ! si tu te mets à crier, je vais t'administrer une formidable paire de claques.

— Ignoble vieux serpent ! qu'est-ce que je t'ai fait ?

En guise de réponse, la vieille le battit comme plâtre et le poussa dans la rue. Elle jeta le panier de poires derrière lui, si bien que le contenu s'en alla rouler par terre dans tous les sens. Pauvre petit singe écorché, qu'avait-il à faire, sinon ramasser les fruits éparpillés, se sauver et se passer sa rage en hurlant et pleurant ?

— Vieille vipère hargneuse ! siffla-t-il en esquissant un geste de menace. Le mari le saura, il viendra enfoncer ta porte et toi, tu ne gagneras plus un sou !

Ainsi grogna le pauvre petit singe, puis il prit son panier et s'en alla.

Chapitre cinquième

Après avoir essuyé cette grêle de coups, Petit frère Yun était parti en courant, son panier de poires sous le bras, à la recherche du Bonhomme Trois Pouces. Il n'avait pas passé deux rues, qu'il le croisa.

— Il y a longtemps qu'on ne s'est pas vus, lui dit-il. Mais comme vous êtes devenu gras !

— Il ne me semble pas que je le sois plus qu'avant.

— A propos, j'ai voulu acheter du grain l'autre jour et je n'en ai trouvé nulle part. On m'a dit que j'en trouverais chez vous.

— Pourquoi chez moi ? Je n'élève pas de volailles.

— Pas possible ! C'est donc vous le chapon mal assuré sur ses pattes, qu'on engraisse et qu'on fourre dans la marmite sans qu'il résiste ?

— Tu te moques de moi, petit bandit ? Tu n'as pas de raison de m'appeler chapon engraissé, du moment que ma femme n'a pas de relations clandestines avec qui que ce soit [53].

— Et moi, je vous affirme qu'elle fréquente clandestinement d'autres hommes.

Wou Ta s'engouffra avec le gamin dans une taverne proche. Après s'être largement régalé en buvant et mangeant, Petit frère Yun se décida :

— Sentez-vous les bosses que j'ai sur la tête ? demanda-t-il en se baissant.

— Diable ! Où as-tu pris cela ?

— C'est cette vieille salope de mère Wang, cria le petit ; et il se mit à raconter l'incident.

— Il était nécessaire de vous énerver un peu, dit-il en terminant, sans quoi vous ne m'auriez pas questionné en détail.

— Mais est-ce que tout cela est bien vrai ?

— Puisque je vous le dis, face de cul ! Ils attendent tout juste votre départ pour se précipiter chez la mère Wang et commencer la fête. Je ne vous en conte pas.

— Petit frère, dit Wou Ta songeur, je ne peux pas te cacher que ma femme, en effet, est allée tous ces derniers jours chez la mère Wang pour l'aider à confectionner son trousseau mortuaire. J'ai bien noté qu'elle avait le visage rouge quand elle rentrait. Et puis autre chose encore : elle est devenue très méchante à l'égard de la petite Ying, elle la frappe, la gronde du matin au soir et souvent ne lui donne rien à manger. Elle est aussi très

---

53. Comme l'a montré J. Dars (éd. citée d'*Au bord de l'eau*), la métaphore aviaire renvoie au gavage des oies et canards effectué au détriment de leur activité sexuelle ; le texte chinois emprunte à l'argot de Hangzhou, où l'on pensait que la cane se devait de fréquenter plusieurs mâles pour assurer sa bonne fécondation. Voir EIF, I, p. 1084-1085, n. 1 à 6 de la p. 100.

distraite depuis quelque temps et elle me fait grise mine. J'en avais même conçu quelques soupçons. Tu me les confirmes. Qu'en penses-tu ? Faut-il décharger mes pâtés chez moi et aller surprendre ce couple infâme ?

— Pour votre âge, vous avez bien peu de jugeotte. Est-ce que vous vous imaginez que la vieille chienne va se laisser intimider par qui que ce soit ? Vous serez bien reçu ! Dès que vous vous serez montré, elle préviendra le couple par un signe convenu et elle fera filer votre femme par la petite porte de derrière. Après quoi vous aurez affaire à Hsi Men qui vous fera tâter de ses poings. Sans compter qu'il a de l'argent et de l'influence : il retournera l'incident contre vous et portera plainte. Vous aurez un procès, personne ne prendra votre parti et vous y risquerez jusqu'à votre vie.

— Somme toute, tu as raison. Mais comment étancher ma bile ?

— Croyez-vous que je sois vidé de celle que la vieille m'a fait faire ? J'ai mon plan : Vous allez rentrer ce soir comme tous les autres jours, sans faire de scène, sans dire un mot de trop. Demain, vous préparerez moins de pâtés que d'habitude. Je vous attendrai à l'entrée de la première ruelle. Ne vous éloignez pas trop. Dès que j'aurai vu Hsi Men disparaître chez la vieille, je vous ferai signe. Vous vous mettrez aux aguets tout près de la maison. Moi, j'entrerai pour mettre la vieille en rage : elle voudra encore me battre. Je lancerai mon panier de poires au beau milieu de la rue ; et alors, vous vous précipiterez dans la maison de thé en hurlant. De mon côté, je retiendrai la vieille. Qu'en dites-vous ?

— C'est parfait. Je suis ton obligé, petit frère ; prends ces deux ligatures de sapèques pour ta récompense. C'est donc bien entendu : rendez-vous demain à l'angle de la rue de la Pierre Purpurine.

Le lendemain matin, Wou Ta sortit avec sa charge, comme les autres jours, mais il n'emportait que trois couches de pâtés. Sa femme, qui ne pensait guère qu'à son amant, n'avait pas remarqué qu'il avait préparé moins de marchandise. Elle tint à peine jusqu'à son départ pour se précipiter chez la mère Wang par le chemin dont elle avait pris l'habitude.

Comme il avait été convenu, Wou Ta trouva Petit frère Yun en embuscade au coin de la rue de la Pierre Purpurine.

— Alors quoi ?

— C'est encore trop tôt, faites un petit tour ; mais ne vous éloignez pas. Notre homme ne sera pas long à venir.

Wou Ta s'envola comme un nuage pour vendre quelques pâtés en profitant du répit. Il revint bientôt.

— Le moment est venu, lui dit Petit frère Yun. A l'instant où mon panier volera dans la rue, ce sera votre tour.

Il marcha droit sur la maison de thé. Il prit un air arrogant pour se camper devant la mère Wang et lui crier :

— Vieille salope ! où as-tu pris le toupet de me battre hier ?

La vieille, qui était bien incapable de changer de naturel, lui répliqua sur le même ton :

— Macaque ! Qu'est-ce que j'ai de commun avec toi ? Tu continues à m'injurier ?

Folle de rage, elle se rua sur lui. Le petit singe lança prestement son panier dans la rue et, tout en criant : « Frappe, frappe donc ! », l'attrapait par la ceinture et lui donnait de grands coups de tête dans le ventre, qui la faisaient chanceler. Elle serait tombée si le mur de sa maison ne l'avait pas soutenue.

Pendant que le gamin la pressait de toutes ses forces, le Bonhomme Trois Pouces retroussait sa tunique et se ruait comme un ouragan dans la maison. Immobilisée par le petit singe, la vieille était bien empêchée d'en barrer le chemin ; elle dut se contenter de hurler aussi fort qu'elle put : « C'est Wou Ta qui arrive ! »

Son cri parvint jusqu'à la chambre où le couple se désenlaça précipitamment. Voyant qu'elle n'avait plus le temps de se sauver, Lotus d'Or se jeta sur la porte de tout son poids. Hsi Men, dans un premier mouvement de frayeur, se glissa sous le lit.

— C'est du propre ! criait Wou Ta en s'efforçant d'enfoncer la porte.

Lotus d'Or, que l'effort essoufflait, se tourna vers son amant :

— D'ordinaire, souffla-t-elle à mi-voix, tu es bavard comme une pie pour vanter la force de tes poings, et maintenant que le moment est venu de les employer, tu trembles devant un tigre de papier mâché !

Si ces paroles devaient encourager Hsi Men à se ruer sur le mari pour frayer passage à la femme, elles atteignirent leur but. Hsi Men, qui sentit son honneur en jeu sortit de dessous le lit.

— J'avais momentanément perdu la tête, dit-il en s'excusant. Je vais te montrer de quoi je suis capable.

Il ouvrit brusquement la porte.

— Hors d'ici tout de suite ! cria-t-il d'une voix de tonnerre.

Et comme le Bonhomme Trois Pouces essayait de se jeter sur lui, il lui décocha un grand coup de pied à l'estomac, qui fit rouler le gringalet à terre. Puis il se sauva le plus vite qu'il put. Petit frère Yun vit que les choses se gâtaient et il s'enfuit également. Les voisins n'avaient pas osé se mêler à l'affaire, par respect pour la personne de Hsi Men.

La mère Wang se mit en devoir de relever Wou Ta. Voyant le sang qui coulait de sa bouche et la pâleur cireuse de son visage, elle se fit apporter un bol d'eau par Lotus d'Or et elle en aspergea le visage de l'homme évanoui. Il reprit connaissance et put se faire traîner par les deux femmes jusque dans la maison voisine. Elles prirent le chemin de la petite porte, montèrent l'escalier et le déposèrent sur son lit.

Comme il ne se passait rien d'extraordinaire le lendemain matin, les deux amants se retrouvèrent comme de coutume. Ils pouvaient espérer maintenant que Wou Ta mourrait tout simplement. Le pauvre homme resta couché pendant cinq jours sans pouvoir se lever. Il avait beau demander de la soupe chaude ou de l'eau fraîche, ses appels à sa femme restaient sans écho. Elle faisait la sourde. Il fut obligé, par contre, de la voir se parer, se faire belle avant de sortir, puis rentrer avec les joues roses. Elle avait formellement interdit à la petite Ying d'approcher Wou Ta, la mettant sévèrement en garde :

— Ne t'avise pas de lui parler ou de lui donner quelque chose. Sinon, gare à toi, petite misérable !

La fillette, qui était la propre enfant de Wou Ta, née d'un premier mariage, n'osait donc pas porter une cuillerée de soupe ni une goutte d'eau fraîche à son père qui s'était déjà plusieurs fois évanoui d'épuisement. Un jour enfin, le malade appela Lotus d'Or à son chevet :

— Tu as une liaison, tu ne peux pas le nier, puisque je vous ai surpris moi-même l'autre jour. C'est toi qui as poussé ton amant à me donner le coup de pied à l'estomac qui me laisse, par ta faute, suspendu entre la vie et la mort. Bon, amusez-vous bien, vous êtes trop forts pour moi et, tout compte fait, cela m'est égal de mourir. Mais pense à mon frère ! Tu connais sa nature ! Il reviendra tôt ou tard, et alors.... Ainsi donc, tu as le choix : témoigne enfin d'un peu de compassion, favorise ma guérison, et je ne lui soufflerai pas un mot de cette affaire lorsqu'il rentrera ; ou bien alors tu t'enferres dans ta dureté, et il saura tout.

Lotus d'Or ne répondit pas et s'en fut dans la maison voisine pour consulter la mère Wang.

Hsi Men, qui était présent, ressentit le nom de Wou Soung comme un seau d'eau froide sur la nuque.

— Mille diables ! s'écria-t-il, j'avais oublié l'égorgeur de tigres du King yang, mais je t'aime depuis trop longtemps et je te suis trop attaché pour renoncer. Que faire ? Mille diables !

— Voyez-vous cela ! fit sèchement la vieille. Cela prétend commander le navire, et cela tremble de tous ses membres. Le simple matelot que je suis n'a qu'un devoir, c'est d'obéir aux ordres, je n'ai donc pas lieu d'avoir peur.

— Bon, bon, admettons que je ne suis bon à rien. En tout cas je n'ai pas la moindre idée de la direction à donner au navire. Donnez-nous donc un conseil.

— J'en ai bien un, mais il dépend d'un détail. Voulez-vous vous considérer comme un couple à « concession perpétuelle » ou à « bail temporaire » ?

— Que voulez-vous dire ?

— Supposons que vous vous sépariez momentanément, que vous assuriez la guérison de Wou Ta, en obtenant qu'il tienne sa langue au retour de son frère, et que vous attendiez patiemment qu'il reparte en mission pour reprendre vos relations, j'appellerais cela un couple à « bail temporaire ». Si vous voulez vivre, au contraire, en « concession perpétuelle », c'est-à-dire en vous voyant chaque jour et en assumant sans crainte les conséquences de votre liaison, alors j'aurais un plan excellent. Il est vrai qu'il n'est pas facile à exposer.

— Chère mère adoptive, vous avez pour nous la sollicitude d'une mère poule pour ses poussins. Il est entendu que nous voulons être un couple à concession perpétuelle.

— Dans ce cas, il ne faut qu'une bagatelle, une petite chose que le ciel fait pousser. Mais, seigneur, je ne peux pas me la procurer ailleurs que chez vous. Écoutez-moi bien : notre bonhomme est gravement malade, profitez de son état. Dans votre magasin de drogues, vous avez de l'arsenic, donnez-en une certaine quantité à Mme Lotus d'Or [54]. Il suffira d'en mélanger un peu à une potion calmante pour qu'il en soit fait du gringalet. Si l'on incinère soigneusement la dépouille, plus de traces ! Après quoi son frère pourra rentrer tant qu'il voudra. Est-ce que, par hasard, ce brave petit beau-frère aurait le droit de se mêler de vos projets conjugaux ? Il n'a même pas celui de s'en formaliser dans son for intérieur ! Vous attendrez les six mois de deuil qu'il convient de laisser passer, et il n'y aura plus le moindre obstacle à votre mariage. Alors vous pourrez vous appartenir jusqu'à la mort. Qu'en dites-vous ?

— C'est parfait, mère adoptive.

---

54. L'empoisonnement à l'arsenic est connu depuis l'Antiquité. Les symptômes comprennent de violentes douleurs abdominales, des nausées et une salivation excessive, des vomissements et une sensation de constriction de la gorge, une sensation aiguë de soif, une raucité de la voix et des difficultés de la parole, une atteinte de l'appareil urinaire avec de violentes douleurs (brûlures, convulsions et crampes). Du point de vue des symptômes externes, notre récit fait un constat comparable à celui de la médecine moderne : vomissures verdâtres ou jaunâtres, parfois striées de sang, une diarrhée, du ténesme et des excoriations de l'anus, des sueurs froides, des lividités des extrémités, des traits tirés, des yeux rouges et brillants, qui préludent au délire et à la mort. Voir S. Kind et M. Overman, *Science Against Crime*, New York, Doubleday and Company, 1972.

Peu après, Hsi Men apporta l'arsenic à la vieille. Elle s'adressa à Lotus d'Or :

— Suivez-moi bien : votre mari vous a demandé aujourd'hui de travailler à sa guérison ; faites semblant d'avoir été touchée par ses paroles et témoignez-lui beaucoup d'affection. S'il demande une potion pour calmer ses maux d'estomac, ajoutez-y une dose d'arsenic. Attendez qu'il frissonne de fièvre pour lui en administrer davantage. Lorsque le poison commencera d'agir sérieusement, ses boyaux crèveront et il hurlera de douleur ; prenez garde que personne ne l'entende et, pour cela, le mieux est de le couvrir d'une bonne couverture que vous attacherez solidement. La drogue provoquera plus tard un saignement des sept orifices du corps, puis une crampe qui lui fera se mordre les lèvres. Tenez prêtes une bouilloire d'eau chaude et une serviette. Dès que la fin sera survenue, essuyez soigneusement toutes les traces de sang au moyen de la serviette trempée dans l'eau chaude. Une fois que nous lui aurons fait passer la porte de la maison dans son cercueil et que nous l'aurons fait incinérer, il n'y aura plus de danger.

— Je veux bien, mais si ma main faiblit ? si elle refuse de me servir ?

— Vous frapperez au mur et je viendrai vous seconder.

— Faites consciencieusement votre ouvrage, dit Hsi Men aux deux femmes. Je reviendrai demain au cinquième roulement de tambour[55].

Il prit congé et Lotus d'Or, de son côté, rentra chez elle. Elle cachait dans sa manche l'arsenic que la vieille avait finement pulvérisé entre ses doigts.

Lotus d'Or monta au chevet de son mari. Le souffle du malade était ténu comme un fil, son œil exprimait la résignation à la mort. La jeune femme s'assit sur le bord du lit et s'efforça de sangloter.

— Pourquoi pleures-tu ? questionna-t-il surpris.

— J'ai péché dans un moment d'égarement, dit-elle en essuyant de fausses larmes, et je me suis laissée prendre aux filets de cet individu. Qui pouvait imaginer que cette brute t'enverrait un coup de pied à l'estomac ? On vient bien de m'apprendre qu'il existe un remède contre tes douleurs et j'ai failli l'acheter, mais je ne savais pas si tu n'aurais pas de méfiance et si peut-être tu refuserais d'en prendre.

---

55. La Tour du Tambour servait à donner l'heure aux habitants. Les roulements de tambour résonnaient toutes les deux heures divisant la journée chinoise en douze périodes selon les signes de l'horoscope chinois. À 19 heures, les tambours étaient frappés 13 fois. Après avoir mis l'horloge en route de cette façon, chaque intervalle de deux heures est marqué par un seul son de tambour. Les fonctionnaires et les militaires axaient leur vie autour de ces signaux de temps. Au son du troisième coup de tambour (1 heure et non minuit comme il est dit dans les paragraphes qui suivent), les fonctionnaires se levaient et au quatrième son (3 heures) ils se rassemblaient. Au Palais impérial de Pékin, l'annonce du cinquième coup de tambour (5 heures) indiquait aux fonctionnaires le temps de se mettre à genoux sur la Mer des Dalles devant le Hall de l'Harmonie Suprême pour attendre les instructions de l'Empereur.

— Je te fais confiance. Consens seulement à m'aider, et nous passerons l'éponge sur toute l'affaire. Mon frère n'en saura rien. Dépêche-toi donc de te procurer ce remède.

Lotus d'Or prit quelques pièces de cuivre et courut trouver la mère Wang pour lui faire acheter la potion.

A la nuit, Lotus d'Or alluma la lampe de la cuisine, mit de l'eau sur le feu et prépara la serviette. Puis elle attendit, pleine d'impatience, le passage des heures que le guet annonçait. Le troisième roulement de tambour, enfin, indiqua minuit. Elle se leva pour mettre l'arsenic pulvérisé dans un gobelet, emplit un bol d'eau chaude et monta chez son mari.

— Où as-tu mis le médicament?

— Ici, sous le matelas, près du traversin. Prépare-le moi bien vite.

Elle prit le remède à l'endroit indiqué, le versa dans le gobelet et ajouta de l'eau chaude, se servant ensuite d'une épingle de tête qu'elle venait de retirer de sa chevelure, pour remuer soigneusement le contenu du gobelet. Soutenant de la main gauche la tête du malade, elle le fit boire.

— C'est bien mauvais, dit-il à la première gorgée.

— Ce n'est pas le goût qui compte, mais l'effet, dit-elle pour le rassurer.

Comme il ouvrait la bouche pour la seconde gorgée, elle lui versa d'un trait tout le contenu du gobelet dans la gorge. Puis elle le laissa retomber sur son oreiller et s'éloigna rapidement du lit.

— Femme, femme! dit-il en gémissant très fort au bout d'un moment, cela fait horriblement mal, c'est insupportable!

Elle s'approcha vivement du malade pour le rouler solidement entre deux couvertures, prenant soin de lui couvrir entièrement la tête.

— J'étouffe! cria-t-il d'une voix que l'épaisseur des couvertures affaiblissait jusqu'au souffle.

— C'est pour que tu transpires, le médecin l'a formellement ordonné.

Il fit encore une tentative pour parler. Lotus d'Or craignit qu'il ne se débarrassât de ses entraves ; vite décidée, elle sauta sur le lit, se mit à califourchon sur la poitrine du mourant et serra de toutes ses forces les bords des couvertures sur sa tête. Il y eut encore deux cris étouffés, un râle – et plus rien ne bougea. Lotus d'Or souleva légèrement les couvertures : les dents du mort s'étaient enfoncées dans ses lèvres et du sang coulait des sept orifices de son corps. La femme fut prise d'épouvante. Elle ne fit qu'un bond jusqu'au mur mitoyen, pour appeler la mère Wang en frappant comme elles avaient convenu. La vieille témoigna bientôt qu'elle avait entendu, en s'annonçant à la porte par un léger toussotement. Lotus d'Or dévala l'escalier pour lui ouvrir.

— Fini ? chuchota la vieille.

— Fini, lui répondit Lotus d'Or dans un murmure. Mais je me sens très faible.

— Je vais vous aider.

Elles se rendirent à la cuisine pour y prendre le seau d'eau chaude et la serviette qu'elles montèrent à l'étage. La vieille retroussa ses manches et commença par essuyer le sang qui tachait les lèvres du mort et les alentours de sa bouche ; puis elle nettoya les sept orifices de son corps. Après quoi, toutes deux descendirent doucement le cadavre, qu'elles avaient vêtu, jusque dans le vestibule où elles le déposèrent sur un vieux battant de porte. Elles lui lissèrent encore les cheveux, le coiffèrent d'un bonnet et lui passèrent sa tunique, ses bas et ses souliers ; elles couvrirent son visage d'un voile de crêpe blanc et jetèrent un drap propre sur le corps. Elles remontèrent enfin, pour mettre de l'ordre dans la chambre.

Laissée seule, Lotus d'Or se blottit au pied de la dépouille de son mari et, pour donner le change, elle entonna sa complainte, selon l'usage qui sied aux veuves.

Honorable lecteur, il existe trois sortes de plainte funèbre pour les veuves : ou bien l'on pleure et l'on hurle en même temps, c'est alors une lamentation qu'on peut nommer générale ; ou bien l'on se contente de pleurer, c'est alors une lamentation humide ; enfin l'on peut ne pas verser de larmes, ni pousser le moindre cri, ce sera la lamentation sèche. Lotus d'Or choisit la dernière pour passer le reste de la nuit auprès du cadavre [56].

Au cinquième roulement de tambour, comme l'aube pointait à peine, Hsi Men se présenta chez la mère Wang. Il écouta son récit détaillé et donna

---

56. Cette typologie ironique de la complainte funèbre est quasi-identique dans l'original chinois et dans l'EIF (I, p. 113). Relativement aux rites funéraires décrits plus bas, il faut noter que les éditeurs français de 1949 disposaient du texte pionnier de Marcel Mauss, « Rites funéraires en Chine », publié dans *L'Année sociologique* (n° 2, 1899, p. 221-226, repr. in M. Mauss, *Œuvres. 2. Représentations collectives et diversité des civilisations*, Paris, Minuit, 1969, p. 607-611). Mauss précise que l'imaginaire du rite en appelle au thème – qui fonctionne ici au titre de l'antiphrase – du sacrifice de la veuve, d'origine hindoue : « le suicide de la femme sur la tombe de son mari ou sa pendaison publique sont glorifiés par une multitude de légendes, réglés par les lois et honorés par les empereurs et le peuple. Quand il n'y avait pas suicide, la veuve (ou la fiancée) devait rester veuve toute sa vie ; tout au moins, le mariage lui est interdit avant vingt-sept mois. En tout cas, un nouveau mariage la déconsidère. Souvent, par atténuation de ce sacrifice, la femme va habiter sur le tombeau de son mari. Pour la même raison, et par suite d'une vigoureuse réaction des moralistes contre ces dilapidations excessives, les objets ou êtres sacrifiés ont été, dans bien des cas, remplacés par des simulacres de toutes sortes ; cependant ces rites survivent avec une remarquable intégrité dans les classes moyennes ». Voir aussi Zhou Shaoming, *Funeral rituals in eastern Shandong, China : an anthropological study*, Lewiston & Queenston, Edwin Mellen press, 2009 et la somme plus ancienne mais essentielle de Johann Jacob Maria de Groot, *The religious system of China : its ancient forms, evolution, history and present aspect, manners, customs and social institutions connected therewith*, Leyden, E.J. Brill, 1892.

de l'argent à la vieille pour le cercueil et les frais d'incinération. Puis il fit chercher sa maîtresse.

— Le voilà bien mort, lui dit-elle. Je suppose que je peux compter que tu m'aideras à ne pas me faire prendre ?

— Ne te fais donc pas de soucis inutiles.

— Si tu allais me trahir ?

— Dans ce cas, je veux subir le sort de Wou Ta !

La vieille les interrompit : — Il n'y a qu'un souci majeur pour le moment : lorsque nous mettrons le corps en bière, nous aurons peut-être affaire, pour le constat de décès, à un inspecteur difficile qui voudra examiner les choses à fond. Notre contrôleur cantonal, M. Hou Kiou est un homme intelligent et compréhensif[57] ; je veux espérer qu'il acceptera de surveiller la cérémonie.

— J'en fais mon affaire, dit Hsi Men en riant. Je l'entreprendrai personnellement, ce bon Hou Kiou, et j'ai la certitude qu'il honorera mes souhaits.

— Allez-y tout de suite. Nous n'avons pas de temps à perdre.

---

57. Dans l'EIF (I, p. 113) ce personnage est nommé He le Neuvième et donné pour « chef de groupe » (*tuantou*), titre qui peut renvoyer à la direction du corps des préposés aux autopsies aussi bien qu'au responsable de la police chargé des autopsies. Voir EIF, I, p. 1087, n. 3 de la p. 113.

Chapitre sixième

Lorsqu'il fit grand jour, la mère Wang sortit pour acheter un cercueil, de l'encens, des cierges et quelques objets de carton, comme des souliers argentés, qu'il est accoutumé de brûler aux enterrements. En revenant, elle alluma la lampe mortuaire au chevet de Wou Ta.

Les voisins accoururent pour contempler la dépouille et se repaître du spectacle qu'offrait la jeune veuve accroupie dont le beau visage affichait un deuil muet.

— De quoi est-il mort ? s'enquéraient les voisins.

— D'une crise d'estomac, expliquait la veuve. C'est allé de mal en pis durant plusieurs jours et il est mort hier à l'heure du troisième roulement de tambour. Ah ! quel malheur sur ma maison ! Et elle se donnait beaucoup de peine pour sangloter amèrement.

Les voisins avaient bien leur petite idée sur l'affaire, mais ils ne l'embarrassèrent pas de trop de questions et lui prodiguèrent toutes sortes de consolations.

— On ne réveille pas les morts, disaient-ils. La vie exige son tribut. Il ne faut pas s'exagérer ses peines, c'est fatigant par ces chaleurs !

Lotus d'Or feignit une reconnaissance émue et la foule finit par se disperser.

La mère Wang n'avait pas perdu son temps. Elle avait fait dresser le catafalque, acheté et disposé tout ce qu'il fallait, était allée prier le contrôleur Hou Kiou d'assister à la mise en bière, et finalement avait fait mander deux bonzes du couvent de la Récompense Miséricordieuse, pour qu'ils viennent veiller le mort et prier pour son âme.

Vers la onzième heure de matinée, le contrôleur Hou Kiou prit le chemin de la maison mortuaire, après avoir envoyé devant lui deux croque-morts. En débouchant d'une ruelle sur la rue de la Pierre Purpurine, il croisa inopinément Hsi Men.

— Où allez-vous donc, cher ami ?

— Tout droit à la maison du marchand de pâtés, le défunt Wou Ta, que nous mettons en bière aujourd'hui, répondit le contrôleur.

— Accordez-moi une minute : j'ai quelque chose à vous dire.

Ils tournèrent un coin de rue et allèrent s'installer dans un cabinet particulier au premier étage d'un petit cabaret. Hsi Men fit d'excessives politesses pour octroyer la place d'honneur à son hôte et il commanda le meilleur vin chaud avec quelques plats de légumes. Hou Kiou, que tant d'affabilité ne surprenait pas peu, se dit à part lui : « C'est inquiétant. Il ne m'a jamais offert à boire. Cela cache quelque chose. »

Ils burent et mangèrent en silence assez longtemps. Puis Hsi Men tira de sa manche un lingot d'argent qui avait l'éclat de la neige, le posa sur la table et dit :

— Mon cher ami, ayez la bonté de ne pas dédaigner cette pauvre offrande.

Le contrôleur eut un geste de refus.

— Comment l'aurais-je méritée, dit-il, indigne que je suis ? Il ne m'est jamais arrivé de rendre seulement la moitié d'un petit service à mon seigneur, et j'accepterais en cadeau dix onces d'argent ? Évidemment, si mon seigneur à quelque ordre à me donner....

— Nous somme d'accord. Empochez sans scrupules !

— Mais, de quoi s'agit-il ?

— Ce n'est rien d'extraordinaire, juste une petite douceur pour la peine que vous allez prendre dans cette maison. A propos, faites-moi le plaisir de veiller personnellement à la mise en bière et surtout de faire bien attention à ce que le cadavre reste couvert.

— Ce n'est que cela ! Je m'étonnais de ce que vous alliez me demander. Et ce splendide cadeau pour si peu de chose !

— Si vous n'acceptez pas cette bagatelle, je le prendrai comme un refus de me rendre service.

Comme il connaissait l'influence de Hsi Men auprès des autorités, Hou Kiou le respectait considérablement ; il prit l'argent.

— Eh bien, cher ami, dit Hsi Men en sortant avec le contrôleur, je compte sur vous. De la discrétion avant tout ! Je saurai vous prouver ma reconnaissance par la suite.

Il prit congé. L'autre, une fois seul, fit son calcul : « Il y a anguille sous roche, cela ne fait pas de doute ; mais cela ne me regarde pas. L'argent vient à point nommé, et, jusqu'au retour du frère, j'aurai le temps d'aviser. » Ses méditations l'accompagnèrent jusqu'à la maison mortuaire. On l'attendait : les deux croque-morts dehors, et dedans, la mère Wang qui se sentait le ventre en feu.

Les dix onces d'argent pesaient si fort dans sa manche, qu'il se dirigea vers le cadavre avec une indifférence parfaite. Le greffier se mit à lire un psaume et déploya le « Drapeau des Mille Automnes »[58]. Après quoi, Hou Kiou souleva le voile de crêpe blanc pour examiner le mort de près. Il vit

---

58. En dépit de leur air d'authenticité orientale, le « Drapeau des Mille Automnes », les « clous de Longévité » et le « Lieu du Cheminement terrestre » ne figurent pas dans l'EIF aux passages correspondants (I, p. 118-119). Pour un état de la question récent et complet, voir John Lagerwey, *Religion et société en Chine ancienne et médiévale*, Paris, éd. du Cerf, Institut Ricci, 2009.

les ongles bleu-vert, les lèvres brun foncé et les yeux exorbités ; si bien qu'il était difficile de ne pas s'apercevoir qu'il s'agissait bien évidemment d'un meurtre.

La mise en bière fut expédiée des sept mains et des huit pieds et l'on eut bientôt cloué le cercueil avec des « Clous de Longévité ». La vieille Wang s'affairait de toutes parts et éperonnait son monde. Elle n'eut garde de manquer d'offrir une ligature de sapèques de cuivre à Hou Kiou.

Le lendemain, les bonzes du couvent de la Récompense Miséricordieuse célébrèrent la cérémonie funéraire. Le troisième jour enfin, à l'heure du cinquième roulement de tambour, un groupe de croque-morts vint emporter le cercueil pour l'emmener en dehors de l'enceinte. Quelques voisins suivirent le cortège que menait la veuve, tout de blanc vêtue et portée dans un palanquin. Tout le long du trajet, elle joua parfaitement la veuve affligée qui pleure son aide et son soutien. Quand on fut parvenu au « Lieu du Cheminement terrestre », on déposa le cercueil sur un grand bûcher auquel on mit le feu.

Rentrée chez elle, Lotus d'Or érigea au premier étage un petit monument, composé d'une petite plaque où se lisait l'épitaphe : « Ame de mon époux défunt : Wou Ta » et d'une veilleuse sur un piédestal. Elle ajouta des petits drapeaux mortuaires dorés, sans oublier l'argent mortuaire en papier doré et argenté.

Le jour même, elle eut un rendez-vous avec son amant. Ils renvoyèrent la mère Wang et se livrèrent à leur plaisir sans contrainte, « verticalement et horizontalement », sans plus sentir le moindre arrière-goût de fruit défendu. Ils étaient maîtres dans la maison, libres d'assouvir à cœur joie leur passion et libres aussi de se reposer à volonté de leurs assouvissements.

Au commencement, Hsi Men faisait le détour par la maison de thé, par crainte des voisins ; mais il ne se gêna bientôt plus et il entra tout droit, se faisant même accompagner parfois par son petit valet. Les relations des deux amants se faisaient de plus en plus étroites, si bien qu'il arrivait à Hsi Men de ne pas rentrer chez lui de cinq jours, offensant grandement les gens de sa propre maison, qui s'en sentaient négligés et bafoués.

Deux mois d'amour tendre les amenèrent au cinquième jour du cinquième mois, date de la jolie fête des « Barques aux Dragons »[59].

---

59. L'EIF (I, p. 120) propose une traduction plus proche de l'original chinois : « S'approchait le jour de la fête du double cinq, quand le yang, principe mâle, est à son zénith. » Il s'agit du solstice d'été, 5 du cinquième mois (*Duanyang*), marqué en Chine du sud par des courses de bateaux-dragons, d'où la variante de notre version. Voir EIF, I, p. 1090, n. 3 de la p. 120.

Pour cette occasion, Hsi Men était allé visiter le marché du temple des Cinq Montagnes Sacrées[60]. Au retour, il passa chez la mère Wang pour s'informer de sa maîtresse.

— Sa mère est précisément en train de lui rendre visite. Je crains qu'elle ne soit pas libre de sitôt, j'y vais voir.

Elle trouva les deux femmes devant des coupes de vin. Lotus d'Or l'invita cordialement à boire avec elles.

— Venez donc, mère adoptive, que nous buvions à votre future postérité.

La conversation se poursuivit de la sorte. La mère Wang s'abreuvait copieusement et son visage en devenait écarlate. Elle finit par être prise de scrupules à l'égard de Hsi Men, qui l'attendait toujours, et elle prit brusquement congé en faisant un clin d'œil significatif à Lotus d'Or.

Celle-ci pressa sa mère de partir et elle prépara tout ce qu'il fallait pour recevoir son amant, sans oublier l'encens parfumé. Comme il n'était pas venu depuis plusieurs jours, elle l'accueillit avec un peu d'irritation :

— Abominable infidèle ! Aurais-tu déjà répudié ton esclave dévouée ? Je suis sûre que tu es allé chercher d'autres douceurs. Non ?

— Les affaires, ma chère, les affaires ! Mais, pour aujourd'hui, je me suis libéré et je t'ai rapporté de jolies choses du marché du Temple.

Il fit signe au jeune serviteur Tai A d'apporter son sac et il en tira des parures de perles et de plumes d'alcyon en émail, avec plusieurs pièces d'étoffes pour confectionner des robes.

Lotus d'Or reçut joyeusement les présents, pria son hôte de s'asseoir et ordonna brutalement à la petite Ying de les servir. Elle pensait avoir suffisamment intimidé la fillette, par ses cris et ses coups, pour n'avoir plus à se gêner devant elle.

Serrés l'un contre l'autre, cuisse contre cuisse, ils mangèrent de bon appétit et burent à la même coupe.

L'ambiance était aimable et le couple s'animait. Tout amoureux, Hsi Men souleva délicatement le pied de la belle pour en ôter une mignonne pantoufle de satin brodé ; il l'emplit de vin et y but.

Après avoir verrouillé la porte, ils quittèrent leurs vêtements et allèrent vers le lit s'abandonner à leur entrain d'amoureux. Leur turbulence les rendait pareils à un couple folâtre de jeunes phénix, ou à de gais poissons qui frétillent dans l'eau. Lotus d'Or s'avérait maîtresse de tous les secrets du lit et elle osait, dans son raffinement, plus que n'importe quelle courtisane de

---

60. Possible erreur de traduction. L'EIF parle d'une visite au temple du Pic de l'Est, le chinois *Yue Miao* pouvant désigner aussi le temple du général victorieux des barbares du Nord Yue Fei (1104-1142), à l'appui d'un léger anachronisme. Voir EIF, I, p. 1090, n. 4 de la p. 120.

profession. Pour lui, il jouait de la lance avec force et dans toutes les règles de l'art. Ils étaient tous deux à la fleur de l'âge, lui à l'apogée de sa puissance virile, elle à celui de ses charmes.

Chapitre septième

Un mois s'était écoulé sans que Hsi Men se fût montré chez Lotus d'Or. Pendant ce temps, il avait épousé, pour remplacer la défunte petite Tcho Tiou, sa Troisième, une riche veuve âgée de trente ans, Mong Yu Loh ; et par-dessus le marché, il avait accordé le rang de Quatrième à la femme de chambre Sun Hsué O [61].

Lotus d'Or, délaissée, se tenait tout le long du jour adossée au linteau de sa porte, le regard perdu au loin.

Un jour, au moment des grandes chaleurs du début d'août, Lotus d'Or s'était fait préparer un bain par la petite Ying et elle attendait, sur un tabouret, simplement vêtue d'une courte chemise de mousseline légère. Allait-il donc enfin paraître aujourd'hui ? Elle avait préparé de croustillants petits croissants fourrés, à tout hasard. « Bandit, ingrat ! » murmurait-elle de temps en temps. Incapable de faire quoi que ce soit de raisonnable et à bout d'ennui, elle ôta ses petites pantoufles de satin pour essayer d'y lire la bonne aventure. Saurait-elle s'il pensait encore à leur amour ?

Elle s'amusa quelque temps à scruter le destin, puis elle se sentit lasse, se jeta sur son lit et s'endormit. Elle se réveilla deux heures plus tard, de fort méchante humeur. Comme la petite Ying lui annonçait que le bain était prêt, elle s'avisa soudain qu'il fallait vérifier, de ses doigts délicats, le nombre des croissants fourrés.

— J'en avais préparé trente et je n'en vois que vingt-neuf, cria-t-elle d'un ton menaçant. Où est le trentième ?

— Je ne sais pas. Ma maîtresse s'est peut-être trompée.

— C'est exclu : je les ai recomptés deux ou trois fois. Ils étaient destinés au seigneur, comment as-tu osé en toucher un ? Petite garce, esclave gourmande ! Ta gloutonnerie finira par te faire mourir de constipation ! Quoi

---

61. À l'égard des rangs des épouses de Hsi Men, l'original chinois est obscur. On a vu plus haut qu'il identifie la souffreteuse Tcho Tiou comme Troisième épouse. Mais à Mong Yu Loh (« grande belle-sœur » Meng) dite Tour-de-Jade, que Hsi Men épouse au chapitre VII, est aussi donné le rang de Troisième épouse (voir EIF, I, p. 147). À la suivante Sun Hsué O (Belle-de-Neige dans l'EIF), élevée elle aussi le rang d'épouse (*Ibid.*, p. 170), devrait donc revenir le cinquième rang. Mais l'original chinois, dont rend fidèlement compte l'EIF, lui donne le quatrième – sans doute parce que des raisons poétiques et symboliques obligeait auteurs et éditeurs anciens à identifier Lotus d'Or au chiffre 5. Afin d'harmoniser les apparentes incohérences dues en fait à un double décompte (celui des épouses dans lequel Lotus occupe en toute logique le n° 6) et celui des chambres (elle occupe la cinquième), les éditions européennes du début du xxᵉ siècle font mourir Tcho Tiou. Le début du chapitre VIII de la présente édition établit la numérotation suivante : 1° Dame Lune ; 2° Li Kiao dite Charmante née Li dans l'EIF ; 3° Mong Yu Loh dite Tour-de-Jade dans l'EIF ; 4° Sun Hsué O (Belle-de-Neige) ; 5° Lotus d'Or – auxquelles s'ajoutera bientôt Ping dite Vase (Fiole).

qu'on te donne, grand plat, petit plat, tu engloutis tout. Mais patience, je t'apprendrai à m'obéir.

Elle fit tourner la fillette comme une toupie, la dépouilla de ses vêtements en un clin d'œil et fit claquer trente fois le fouet sur son dos nu.

Après un dernier coup de fouet, elle releva la chemise de la fillette et lui ordonna de se lever pour venir la rafraîchir en l'éventant. Mais elle l'interrompit bientôt dans son travail pour lui dire encore :

— Approche ton visage ! je veux y voir la marque de mes ongles.

Docile, la petite Ying tendit la face où se dessinèrent brutalement deux stries sanglantes. Enfin calmée, Lotus d'Or la renvoya. Après quoi elle alla vers son miroir pour se poudrer en toute tranquillité. Puis elle sortit pour s'installer, comme de coutume, sous la tente de la porte d'entrée.

Fut-ce faveur du sort ? Elle aperçut le jeune page de Hsi Men, le petit Tai A, qui passait à cheval devant la maison, un sac de voyage sous le bras.

— Holà, où vas-tu ? lui cria-t-elle.

Le garçon n'était pas niais ; comme son maître l'avait emmené souvent lorsqu'il rendait visite à Lotus d'Or et que la dame l'avait souvent comblé de petits cadeaux, il ne ressentait aucune gêne. Il descendit de son cheval et s'approcha sans se presser.

— Je vais porter quelques présents au commandant.

— Que fait donc ton maître ? poursuivit-elle en l'emmenant à l'intérieur de la maison. Pourquoi n'en voit-on pas le plus petit bout d'ombre ? Est-ce que, par hasard, il a trouvé ailleurs un objet qui lui chatouille le cœur ?

— Pas que je sache. Ce sont plutôt les affaires qui l'ont empêché de se rendre libre pour vous voir.

— Cher petit museau huilé, je t'en voudrai toute ma vie si tu ne me donnes pas de précisions.

— Bien, je vais vous le dire. Mais promettez-moi de ne pas me trahir.

— C'est juré.

— Voilà : entre-temps, il a épousé Mme Mong Yu Loh....

Pendant le récit détaillé du jeune garçon, des larmes commencèrent à perler sur les joues parfumées de la belle. Interdit, il interrompit le fil de son histoire.

— Vous n'avez pas les idées assez larges sur ce genre de sujet, reprit-il. Je le savais et c'est pourquoi je ne voulais rien dire.

Elle s'appuya contre la porte et dit, après un profond soupir :

— Tu ne peux pas savoir, petit Tai A, combien nous nous aimions. Pourquoi m'a-t-il si brusquement quittée ?

— N'en faites pas une tragédie, répondit Tai A dans l'idée de la consoler.

Ses autres femmes ne se formalisent jamais. Mon maître aura son anniversaire sous peu, il viendra sûrement ce jour-là. Écrivez-lui, je lui transmettrai le message.

— Oh oui ! Tu seras récompensé d'une belle paire de chaussures que je ferai moi-même. Je vais donc l'attendre le jour de son anniversaire. Mais s'il ne venait pas, gare à toi, mon petit museau huilé !

Elle lui fit servir par la petite Ying du thé et une assiettée de croissants fourrés, pendant qu'elle montait à sa chambre. Elle choisit une banderole de papier décoré de fleurs, prit un pinceau dont elle tortilla légèrement la pointe en doux poils d'agneau et se mit à composer un poème qu'elle eut terminé en un clin d'œil. Elle plia la feuille de papier en forme de lettre qu'elle cacheta avant de la remettre au petit Tai A.

— Veille sur cette lettre comme une poule sur son œuf ! J'attends ton maître dans ma maison, sans faute, le jour de son anniversaire. M'as-tu bien entendue ?

Le petit Tai A promit de s'acquitter de la commission. Puis il sauta sur son cheval et partit au trot.

Tous les jours qui suivirent, Lotus d'Or resta tendue dans une attente aussi vaine que si elle avait jeté une pierre dans l'océan. Le septième mois marchait vers sa fin. Plus l'anniversaire de l'aimé approchait, et plus elle trouvait le temps long, une journée lui semblant comme trois automnes, et une nuit sans sommeil comme la moitié d'un été. Pas de nouvelles, pas le moindre signe ! La déception lui arrachait des larmes et la faisait grincer des dents.

Sur quoi la mère Wang s'était rendue à la plus proche des rues peuplées de maisons de ce genre, celle qui débouche dans la rue de l'Est près du Yamen. Là elle l'avait rencontré, monté sur son cheval et accompagné de deux serviteurs. Encore sous l'effet des libations de la veille, il chancelait sur sa selle et regardait droit devant lui du regard vague de ses deux petits yeux d'ivrogne.

— Ha, mon bon seigneur, vous feriez bien de boire un peu moins, cria la vieille en saisissant le cheval au mors pour l'arrêter.

Ils s'acheminèrent ensemble, tout en continuant de causer. Rue de la Pierre Purpurine, la vieille se précipita et pénétra en trombe dans la chambre de la jeune femme.

— Félicitez-vous et remerciez-moi, cria-t-elle d'une haleine. Je n'ai pas mis une heure pour vous l'amener !

Lotus d'Or ne s'était pas encore remise du choc que lui avait causé la surprise, qu'il se présenta en balançant son éventail. Son ivresse ne paraissait pas tout à fait dissipée.

— C'est un honneur rare, dit-elle sur le ton du reproche. Comme je ne voyais même plus votre ombre, je m'étais imaginé que vous m'aviez mise au rebut. Il suffit, bien sûr, qu'on tienne à la « nouvelle » comme la colle à la laque, pour qu'on n'ait plus de temps à donner à la pauvre esclave !

— Ne prêtez donc pas l'oreille à des racontars imbéciles ! Une « nouvelle » ? Bah ! Je me préoccupais du mariage de ma fille, c'est ce qui m'a retenu de venir.

— Tu ne réussiras pas à me le faire croire, dit-elle en faisant la moue. Jure-moi, sur ton corps d'étalon blanc, que tu m'es toujours fidèle et que tu n'es pas amoureux d'une autre femme.

— Je le jure. Et si je mens, que j'en rougisse sous des ulcères qui auront la grandeur d'une assiette ! qu'une jaunisse me terrasse pendant cinq ans ! et qu'un pou de la grosseur d'une jatte me morde le derrière !

— Ah gredin, tu t'en moquerais bien ! s'écria-t-elle en lui arrachant son beau béret à franges tout neuf et en le piétinant.

La mère Wang effrayée le ramassa et le posa soigneusement sur la table.

— Chère petite dame, dit-elle pour essayer de calmer Lotus d'Or, c'est moi qu'il faut incriminer, pour ne pas avoir sollicité plus tôt le seigneur ; voilà le point de vue juste !

La colère empêchait l'autre de l'entendre. Subitement, elle arracha une épingle d'or de la chevelure de Hsi Men. Il va de soi que l'agrafe était un cadeau de la nouvelle épouse Mong Yu Loh, comme l'indiquaient les deux signes de son nom : Yu Loh ou Chambre de Jade. Mais Lotus d'Or le prit comme venant d'une chanteuse quelconque. Elle fourra l'épingle dans sa manche et prit à partie son amant :

— Incorrigible ! Où est l'épingle que je t'ai donnée ?

— Voilà : je l'ai perdue l'autre jour... en tombant de cheval après m'être enivré. Mon béret est tombé dans la boue, mon toupet s'est défait et l'épingle a glissé.

A ce moment, Lotus d'Or avisa l'éventail de Se tchouan, taillé dans de l'ivoire rouge et moucheté d'or, que Hsi Men tenait à la main. Elle le lui arracha et courut l'examiner au grand jour. Elle remarqua que des traces de dents en marquaient le bord. Très experte en matière d'amour, elle conçut aussitôt le soupçon qu'une femme le lui avait donné. Sans se perdre en paroles, elle le brisa incontinent. Hsi Men, qui s'était efforcé vainement de récupérer l'objet, s'expliqua en pleurnichant :

— Mais voyons, ce n'était qu'un souvenir de mon cher ami défunt, Pou Tchi Tao. Je l'épargnais soigneusement, je ne m'en servais que depuis peu de jours, et voilà que tu le démolis !

Lotus d'Or continua longtemps d'exhaler sa mauvaise humeur. La petite Ying enfin vint présenter le plateau du thé, sur l'ordre de sa maîtresse ; elle le posa sur la table et fit une révérence à Hsi Men. La mère Wang jugea que le moment était venu de disparaître ; elle prit congé en grommelant :

— Vous vous êtes suffisamment égosillés, n'allez pas manquer l'essentiel !

Pendant que la petite Ying dressait la table, Lotus d'Or alla quérir dans le bahut les présents d'anniversaire qu'elle destinait à son amant. Elle étala devant lui, sur un plateau : une paire de chaussures en satin noir, deux sachets de parfum qui s'attachaient avec des cordonnets, une paire de genouillères en satin rouge foncé, ornées d'un dessin qui représentait des pins, des bambous et des feuilles d'acanthe – trois bons compagnons qui ne craignent pas les pires froids de l'hiver – un coupon de satin vert pour doublure, souple comme de l'huile du Chan si, une ceinture de cordon de soie rouge natté, une autre de soie rose, et finalement une large fléchette pour les cheveux, dont la tête figurait une double fleur de lotus.

Très touché, Hsi Men la prit dans ses bras pour l'embrasser. Il passa tout le reste de la journée avec elle, et encore toute la nuit suivante. Passionnément abandonnés, les deux amants fêtèrent leur réunion par des étreintes sans mesure.

Il est bien connu qu'un excès de bonheur finit généralement dans les contrariétés. Le lendemain matin, à une heure où les amants étaient loin d'être levés, un messager à cheval s'arrêta devant la maison du défunt Wou Ta. Il venait de la part de Wou Soung. Ce dernier avait accompli sa mission à la capitale de l'Est : il avait délivré la lettre du mandarin cantonal, avec les précieux biens que portait la caravane, au Commandant du palais Tchou ; puis il s'était remis en route pour ramener la lettre de reçu. Il avait entrepris son voyage dans le courant du quatrième mois ; l'été s'était écoulé et c'était presque l'automne qui voyait son retour. Des tempêtes fréquentes l'avaient considérablement ralenti, si bien qu'il avait passé trois mois sur les routes. Ces délais n'avaient fait qu'entretenir une sourde inquiétude qu'il nourrissait, dormant ou veillant, au sujet de son frère. Il s'était donc décidé à faire prendre les devants à un messager chargé d'annoncer son retour au mandarin cantonal et de porter une lettre à Wou Ta. C'était ce messager qui, parvenu au terme de son voyage, trouva fermée la maison de l'aîné des Wou. Comme il allait frapper, la vieille Wang sortit par hasard de chez elle et lui demanda ce qu'il voulait.

— Je suis porteur d'une lettre du capitaine des Gardes, Wou Soung, pour son frère.

— Il n'est pas chez lui. Toute la maisonnée est au cimetière. Donnez-moi la lettre, je la lui ferai parvenir aussi bien que vous.

Le messager lui confia la missive, salua et partit au trot de sa monture. La vieille courut chez Lotus d'Or.

— Debout, debout, jeunes gens ! cria-t-elle. Wou cadet vient d'envoyer un messager avec une lettre pour son frère aîné. J'ai renvoyé l'homme en gardant la lettre. Mais Wou Soung ne tardera sans doute plus : nous n'avons pas de temps à perdre. La situation exige une décision rapide.

On aurait raconté à Hsi Men n'importe quoi d'autre à ce moment, qu'il l'eût à peine écouté. Mais la communication de la mère Wang lui fit un effet prodigieux, comme si on lui avait fendu le crâne en huit morceaux, ou qu'on l'ait fait brusquement culbuter dans un tonneau de neige fondue. Lotus d'Or et lui furent debout et habillés en un clin d'œil. Ils passèrent dans la chambre voisine pour prendre connaissance de la lettre. Wou Soung y disait qu'il comptait être de retour à la mi-automne au plus tard. Tout tremblants, ils se tournèrent éperdument vers la vieille pour en tirer un conseil.

— Tout cela est très simple, dit la mère Wang pour les rassurer.

Vu que les cent jours de deuil réglementaire seront bientôt accomplis, voilà tout ce qui reste à faire à notre chère petite dame : il faut qu'elle commande quelques bonzes pour célébrer la cérémonie habituelle et brûler solennellement la plaquette votive, puis qu'elle se fasse emmener en palanquin comme épouse du seigneur Hsi Men, tout cela avant le retour de Wou Soung. Le bougre alors se trouvera devant le fait accompli, et je me charge de lui tenir tête sur le reste. En attendant, vous serez unis pour la vie ! Eh bien, dites-moi si mon projet n'est pas magnifique !

— Magnifique assurément et nous l'exécuterons de point en point, dit Hsi Men avec ardeur.

Les deux amants rassurés se jetèrent sur le déjeuner.

Vint le sixième jour du huitième mois, le dernier des cent réglementaires après la mort de Wou Ta. Muni de plusieurs onces d'argent brut, Hsi Men se présenta chez Lotus d'Or, suivi bientôt par six bonzes du Couvent de la Récompense Divine. Il leur fallait passer toute la journée à lire des prières pour l'âme du défunt, puis, le soir, brûler solennellement la plaquette votive. Le Grand-prêtre était déjà venu de bon matin, chargé de livres pieux ; il avait aménagé un lieu consacré aux prières, suspendu au mur une image de Bouddha, puis préparé les plats propitiatoires avec l'aide de la mère Wang. Pendant ce temps, Hsi Men et Mme Lotus d'Or se divertissaient dans leur lit.

Une fois l'assemblée des bonzes au complet, on entendit bientôt le bourdonnement des massues qui chassent les esprits, le bruit sourd des tambourins, le grelottement des clochettes et le murmure des litanies. Lotus d'Or restait couchée près de son amant, à mille lieues de toute pensée pieuse ou vertueuse, et l'idée de se lever ne lui était pas encore venue à midi. Cependant le rite exigeait qu'elle vînt en personne à l'oratoire, comme la plus proche parente du défunt, pour enflammer les bâtons d'encens, parapher les formules de prières, prêter serment de loyauté et faire ses dévotions devant l'image de Bouddha. Elle finit tout de même par se lever, et, après avoir fait sa toilette et s'être coiffée, elle fit son apparition dans l'oratoire, vêtue d'une robe de deuil simple et de bon goût. Elle s'inclina gracieusement devant l'image sainte. Lorsque les saints frères la virent, leur dévotion et leur recueillement les quittèrent d'un coup. Ils étaient si peu armés contre tant de charmes, qu'ils en perdirent contenance, brusquement ramollis comme des fromages, et qu'ils furent pris, les uns comme les autres, d'une frénésie d'étalon et d'une lubricité de singe.

Lotus d'Or brûla les bâtons d'encens, dessina ses paraphes et fit ses révérences devant Bouddha ; après quoi elle se retira au plus vite dans sa chambre, rejoignit Hsi Men au lit et reprit avec lui les jeux délicieux qu'elle avait dû interrompre. Inutile d'ajouter qu'elle se régala de vin et de viandes fortement parfumées, contrairement à toutes les prescriptions d'abstinence.

La mère Wang avait reçu mission d'empêcher à tout prix les têtes-chauves de déranger encore la veuve. Mais les têtes-chauves étaient encore pleins de la vision de ce beau visage. Ils étaient rentrés au couvent pour prendre leur frugal repas de midi. Il se trouva que l'un d'eux devança les autres au retour à la maison mortuaire. La pièce où officiaient les prêtres n'était séparée de la chambre de la jeune veuve que par une mince cloison. Celui qui était en avance se lavait les mains dans un baquet placé contre la paroi, lorsqu'il entendit des murmures et des halètements suspects, des soupirs et des gémissements, des grognements et des cris étouffés – bref : tous les bruits qui caractérisent la copulation. Il se garda de bouger et, tout en feignant de se laver les mains, prêta une oreille attentive. Il perçut clairement qu'une voix féminine soupirait et prononçait quelques paroles entrecoupées :

— Ta-ta ! attention, tu me fais mal... Ils vont revenir et nous entendre... Laisse-moi ! Vite : enlève-toi !...

Puis une voix masculine : — N'aie pas peur... Mais ouvre vite le couvercle du poêle : il faut encore que je brûle celui-ci.

Ah ! s'ils avaient pu deviner qu'une tête chauve entendait leur dialogue sans en perdre un mot !

Lorsque toute la congrégation se trouva de nouveau réunie, en même temps que recommençait le ronron rituel, le bruit se mit à circuler d'une oreille à l'autre que Mme Lotus d'Or s'amusait avec un homme dans la pièce voisine. Les bonshommes en furent pris d'une excitation extrême et ils commencèrent à s'agiter follement des pieds et des mains.

Mais la cérémonie tirait vers sa fin. A l'approche du soir, on sortit sur le pas de la porte la plaquette votive et les présents mortuaires destinés au feu. Mme Lotus d'Or, coquettement recoiffée et parée d'une jolie robe de couleurs gaies, suivit la cérémonie de derrière son rideau. Tendrement appuyée sur l'épaule de Hsi Men, elle assista au brûlement de la plaquette et de l'image de Bouddha. La mère Wang s'affairait à répandre le vin du sacrifice et à attiser le feu.

Les hommes chauves louchaient avec des regards de convoitise vers le rideau où se profilaient les silhouettes de la belle et de son amant, étroitement serrées. Les échos de la conversation tendre que l'un d'eux avait entendue en plein jour leur revenaient aux oreilles et leur mettaient le feu aux entrailles. Ils finirent par s'échauffer si bien, qu'ils en tambourinèrent et carillonnèrent comme des possédés. Ils étaient à tel point enragés, que personne ne se baissa pour ramasser la tiare du Grand Bonze, qu'un coup de vent avait emportée en découvrant sa tonsure ronde et polie qu'entourait une bordure de noir. Spectacle ridicule s'il en fut !

— Maître, demanda la mère Wang à l'un des bonzes, pourquoi continuez-vous de tambouriner et d'agiter vos clochettes, puisque tout est incinéré ?

— Il y en a encore un à brûler sous le couvercle du poêle ! lui répondit-il avec exaltation.

Hsi Men saisit aussitôt l'allusion. Il enjoignit à la vieille de payer leurs honoraires aux bonzes et de les faire partir au plus vite. Le Supérieur insista pour remercier la belle bienfaitrice, mais Lotus d'Or se déroba.

— Bien, bien, grommelèrent les moines, laissons-la tranquille. Et ils s'en allèrent en riant.

Chapitre huitième

Le lendemain, Hsi Men envoya un palanquin pour prendre sa bien-aimée, parée de ses plus beaux atours. Le cortège comprenait la mère Wang, le jeune valet Tai A et quatre porteurs de lanternes. Il n'y avait, bien sûr, pas un habitant de la rue de la Pierre Purpurine qui ne connût l'affaire sous son jour véritable ; mais chacun craignait la puissance et l'influence de Hsi Men : qui donc eût osé s'en mêler ?

Hsi Men lui avait fait installer confortablement l'étage inférieur d'un petit pavillon qui se trouvait dans un coin isolé de son parc. On en avait garni le pourtour de plates-bandes et de plantes vertes. Il avait soigné tout spécialement l'aménagement de la chambre à coucher, ce qui ne lui avait pas coûté moins de soixante onces d'argent. On y voyait un grand lit de laque noire, orné de peintures dorées et garni de rideaux de soie rouge à cercles dorés ; une coiffeuse splendide avec des incrustations de fleurs faites de pierres précieuses et d'ivoire ; enfin plusieurs fauteuils douillets, tendus de damas de couleurs vives.

Mme Lune, la Première, avait été servie jusqu'à ce moment par deux femmes de chambre : Prune de Printemps et Flûte de Jade. La première reçut l'ordre de se mettre à la disposition de Lotus d'Or dans son pavillon et de la nommer « maîtresse ». Hsi Men fit encore la dépense de six onces pour lui acheter une fille de cuisine, Aster d'Automne, en même temps qu'il donna à Mme Lune, en compensation, une femme de chambre qui s'appelait Petit Bijou et qui lui coûta encore cinq onces. Lotus d'Or reçut le titre de Cinquième épouse, puisque Hsi Men venait d'augmenter le nombre de ses femmes d'une Troisième et d'une Quatrième.

Le lendemain de son arrivée, Lotus d'Or, soigneusement coiffée et parée de ce qu'elle possédait de plus beau, se rendit à l'appartement de Mme Lune, pour se présenter à toutes les femmes de la maison, jeunes ou vieilles. Mme Lune, trônant à la place d'honneur, examina la nouvelle venue avec beaucoup de curiosité ; elle discerna dès l'abord : de la joie de vivre de la tête aux pieds et de la sensualité des pieds à la tête. Ces deux fluides, qui semblaient baigner toute sa personne, évoquaient l'image d'une perle dans une coupe de cristal. Elle apparaissait comme une branche d'abricots rouges inondée des rayons de la lune [62]. L'observant en silence, Mme Lune se disait :

---

62. L'EIF (I, p. 171) use d'une autre comparaison : « La séduction [de Lotus d'Or] peut se comparer à la perle brillante dans une vasque de cristal, le carme au soleil levant qu'enfermeraient les branches de l'amandier rouge de fleurs. » La comparaison avec l'abricot sauvage à reflets rouges a pu être suggérée aux traducteurs français par le fait qu'il constitue l'un des nombreux legs de la Chine à l'Occident – il est attesté en France au xve siècle –, où il parvient via la route de la soie, quoique la Chine ancienne le

« Chaque fois que mon bonhomme de mari chantait monts et merveilles de la femme de Wou Ta, je restais sceptique ; il a suffi que je la voie une seule fois en personne, pour que je comprenne comment elle affole les hommes ! »

Lotus d'Or, se prosterna devant la Première en faisant quatre fois le ko-téou [63], c'est-à-dire en touchant quatre fois le sol de son front, et en lui présentant les pantoufles de bon accueil, comme le veulent les convenances. Après quoi elle salua, moins cérémonieusement comme il est d'usage entre sœurs, Li Kiao, Mong Yu Loh et Sun Hsué O, dans l'ordre. La cérémonie accomplie, elle s'écarta modestement. Mme Lune lui fit avancer un fauteuil et elle déclara aux femmes de chambre et aux servantes qui se trouvaient là qu'elles auraient dorénavant à respecter leur « Cinquième Maîtresse » dans la personne de Lotus d'Or.

Dès le troisième jour, la nouvelle épouse avait pris l'habitude de se lever de bonne heure et de faire sa visite matinale à Mme Lune. Elle l'aidait, avec beaucoup de gentillesse, dans des travaux manuels de toutes sortes, allant si bien au devant de chacun de ses désirs, y mettant à la fois tant de zèle et de circonspection, que jamais elle n'avait à prendre ses ordres. Au regard des servantes, Lotus d'Or ne parlait jamais de Mme Lune autrement que de la « Grande Maîtresse ». Elle sut bientôt gagner toute sa sympathie par mille petites attentions et par ses manières constamment affectueuses et dévouées, si bien que Mme Lune finit par l'appeler familièrement « Sixième Sœur », en souvenir de sa famille où elle avait été la cadette de six filles. Li Kiao et les deux autres femmes ne voyaient pas d'un bon œil cette amitié croissante et s'en ouvraient entre elles lorsque Mme Lune avait le dos tourné.

Dans le premier tiers du huitième mois, Wou Soung rentra au chef-lieu Tsing ho hsien. Il fit son rapport au mandarin cantonal et lui remit la missive du commandant du Palais Tchou. Le mandarin lui prouva la satisfaction qu'il avait de ses bons offices en lui témoignant beaucoup d'aménité et en le récompensant de dix onces d'argent. Après être rentré chez lui pour se changer des pieds à la tête, Wou Soung partit à la recherche de son frère.

Lorsqu'il arriva à la maison de son frère, Wou Soung souleva la natte et entra.

— Holà, mon frère ? cria-t-il.

Pas de réponse.

---

tienne de l'Arménie du IVe millénaire.

63. Le terme vient du mandarin *kòu tóu*, se cogner la tête [contre le sol] ; il est présent dans l'original chinois mais non comme substantif identifiant une liturgie sociale (ce qu'induit notre traduction), mais comme verbe, ce que l'EIF rend par : « Lotus d'Or commença par se prosterner devant Dame-Lune et lui tendit une paire de chaussons. » (I, p. 171).

Levant la tête, il aperçut la petite Ying qui cousait sur le balcon. Lorsqu'il lui posa des questions, elle ne put répondre, tant cette apparition l'avait saisie, et elle se mit à pleurer. Mais la mère Wang s'était avisée de ce qui se passait et, refoulant sa peur, accourait résolument.

— Où est donc mon frère, et pourquoi ma belle-sœur a-t-elle quitté sa maison ?

La vieille se mit à mentir : Le vingtième jour du quatrième mois, il a eu une première crise de maux d'estomac. Puis il a traîné huit ou neuf jours en absorbant toutes sortes de remèdes ; mais rien n'y a fait, ni les exorcismes ni les soins, et il a fini par mourir.

— Où l'a-t-on enterré ?

— Il n'y avait plus une sapèque de cuivre dans la maison, la pauvre femme était gênée comme un crabe sans pattes, où vouliez-vous qu'elle prît l'argent pour acheter une concession ? Grâce à l'aide généreuse d'un voisin très riche, qui avait eu de bonnes relations avec votre frère, elle a pu faire au moins l'achat du cercueil. Elle l'a gardé trois jours dans la maison, comme il se doit ; mais elle a bien dû, après cela, le faire transporter en dehors de ville pour le faire incinérer.

— Et ma belle-sœur, où est-elle ?

— Pauvre petite femme ! Elle s'est trouvée brusquement sans soutien. Alors, après avoir péniblement laissé passer les cent jours de deuil, elle s'est remariée, sur le conseil de sa mère, avec un monsieur de la capitale. Elle a emporté tout ce qu'elle possédait, sauf cette jeune servante qu'elle a confiée à mes soins. Je n'attendais que votre retour pour la transmettre aux vôtres. Comme cela, j'en aurai fini avec cette affaire.

Wou Soung poussa un profond soupir. Il laissa la vieille et rentra chez lui. Il mit ses plus vieux vêtements et envoya un de ses gens lui acheter du tissu grossier pour s'en faire un habit de deuil, des chaussettes de coton, un chapeau spécial et plusieurs objets de sacrifice, des fruits, des sucreries, des bâtons d'encens, des figurines de papier et de l'argent mortuaire. Le tout fut expédié à la maison de son frère. Il s'y rendit lui-même, muni d'une nouvelle plaquette votive. Il la disposa en oratoire avec les mets sacrificatoires et quelques coupes de bon vin, en offrandes, puis il hissa un drapeau mortuaire en papier de couleur et enflamma l'encens. Le soir, vers la dixième heure, il se prosterna solennellement devant la plaquette. Le bâton d'encens à la main, il invoqua l'esprit du défunt en ces termes :

— Mon frère, ton âme n'est sûrement pas encore bien éloignée de ces lieux. De ton vivant, tu étais faible et dépourvu de volonté. Je ne m'explique pas encore la raison de ta mort. Si quelqu'un t'a fait du tort, fais-le savoir à ton frère cadet, par le moyen d'un rêve, pour qu'il puisse te venger et laver cet affront.

Il avait fait préparer pour la nuit des nattes de couchage pour ses soldats dans la cour, une autre dans la maison pour la fillette. Pour lui, il s'était réservé de coucher devant la table qui portait la plaquette votive. L'agitation le tint éveillé jusqu'à minuit, se tournant en soupirant d'un côté puis de l'autre. Les gardes ronflaient depuis longtemps.

Comme il méditait, il sentit un courant d'air froid qui venait de dessous la table. Le souffle glacé fit dresser les cheveux sur la tête de Wou Soung. Il crut distinguer vaguement une forme humaine qui sortait de dessous la table, et il lui sembla entendre une voix qui murmurait : « Frère, on m'a fait du tort ! »

— Très étrange ! se dit-il en s'efforçant de rassembler ses pensées. On dirait un rêve et pourtant je suis sûr de n'avoir pas rêvé.

Dans la rue, il tenta de s'informer auprès de gens de toutes sortes, afin de découvrir la raison de la mort de son frère et le nom du nouveau mari de sa belle-sœur. Les voisins étaient parfaitement au courant ; mais comme ils craignaient d'indisposer le riche et puissant Hsi Men, ils gardaient leur secret pour eux.

— Renseignez-vous donc auprès de la mère Wang, disaient-ils. Questionnez le marchand de poires, le Petit Frère Yun ; ou bien le contrôleur cantonal, Hou Kiou ; ils sauront vous raconter tout en détail.

Wou Soung n'en tirait rien de plus. Il se mit en quête du Petit Frère Yun. Le petit singe se trouva bientôt sur son chemin, tenant à la main son panier d'osier.

— Bonjour, Petit Frère Yun ! cria Wou Soung en le saluant gentiment.

Le jeune garçon avait déjà compris ce qu'on lui voulait, aussi répondit-il très vivement :

— Monsieur le Capitaine, vous tombez mal. Je ne suis pas libre de faire ce qui me plaît. J'ai la charge d'un vieux père de soixante ans. Ne comptez pas trop sur moi à votre procès.

— Viens avec moi, Petit Frère, lui dit tranquillement Wou Soung.

Il l'emmena dans un cabaret proche, commanda deux repas copieux et commença son discours :

— Je constate que ton jeune âge ne t'empêche pas de savoir quelle sollicitude il est bon qu'un brave garçon témoigne à son vieux père. Je ne veux pas te donner beaucoup, mais voici déjà un petit cadeau de cinq onces d'argent brut qui pourra le soulager un peu. Je t'en donnerai dix autres lorsque nous aurons terminé notre affaire : cela te fera un petit capital pour ton commerce. Et maintenant, parle !

— Eh bien, je vais vous dire ce que je sais, mais je souhaite que vous n'en soyez pas trop remué.

Il fit un récit détaillé des événements qui s'étaient déroulés dans la maison de thé, de son altercation avec la mère Wang jusqu'à la mort du Bonhomme Trois Pouces, consécutive au coup de pied dans l'estomac que lui avait décoché Hsi Men.

— Et qui est le nouvel époux de ma belle-sœur ?

— Hsi Men l'a fait chercher dans un palanquin de noces.

— Tu n'as pas menti ?

— Je le répéterai devant les autorités.

— C'est bon. Viens au Yamen demain matin, j'ai besoin de ton témoignage. A propos, où loge ce Hou Kiou dont on m'a parlé ?

— Cette fois, vous êtes vraiment en retard : dès qu'on a su votre retour, il est parti en voyage en se gardant bien de dire où il allait.

Ils finirent leur repas et Wou Soung rendit la liberté au jeune garçon.

Le lendemain matin, il pria maître Tchen de lui rédiger une plainte en bonne et due forme, puis, muni de cette pièce, il se rendit au Yamen. Petit Frère Yun l'y attendait comme il avait été convenu.

Wou Soung pénétra dans la salle où le mandarin cantonal rendait publiquement la justice. Il s'agenouilla dès l'entrée et cria d'une voix forte : « Justice ! », sur quoi le mandarin l'invita à faire sa déposition. Wou Soung lui tendit le document et résuma le chef de son accusation en peu de mots : selon lui, Hou Kiou était justiciable pour faits de corruption et de dissimulation ; la mère Wang pour avoir servi d'entremetteuse et pour avoir provoqué au meurtre ; Hsi Men pour adultère et pour assassinat. Il se référait au témoignage du Petit Frère Yun.

Le mandarin se trouva fort embarrassé, eu égard aux relations que lui et ses subalternes entretenaient avec Hsi Men. Il se retira pour délibérer et il se trouva que tous les fonctionnaires le déconseillèrent unanimement de poursuivre. En rentrant dans la salle, il déclara :

— Le Capitaine des gardes Wou Soung devrait mieux connaître la loi. Comment peut-il vouloir instruire un procès en adultère, du moment que l'un des deux époux n'existe plus ? Et d'ailleurs, il est impossible d'instruire une cause de meurtre si l'examen du cadavre est impossible. La déposition verbale d'un jeune garçon est insuffisante pour l'administration des preuves. Il serait donc injuste et inconsidéré de s'en contenter pour engager la procédure. Le capitaine a agi inconsidérément et il est donc nécessaire qu'il reconsidère la chose en toute tranquillité.

Wou Soung, qui était bien décidé à ne pas céder, exigea l'arrestation de Hsi Men, de Lotus d'Or et de la mère Wang, pour qu'on les confronte en justice. Il se déclarait prêt à subir tous les châtiments s'il s'avérait qu'il les avait indûment accusés.

— Je n'en pourrai décider qu'après mûre réflexion, lui répondit le mandarin. Je ferai droit à ta requête si je le peux. En attendant, tu peux te lever et t'en aller.

Congédié de la sorte, Wou Soung rentra à son auberge, en emmenant le jeune garçon afin de disposer à toute heure de son témoin.

Hsi Men fut fort effrayé, lorsqu'il apprit les démarches de Wou Soung, et il comprit vite qu'il fallait agir sans délai. Il dépêcha donc sans tarder au Yamen ses deux serviteurs de confiance Lai Pao et Lai Wang, qu'il munit de fortes sommes d'argent. Dans la soirée, il se trouvait assuré de la complaisance du mandarin et de ses subordonnés.

Le lendemain, Wou Soung se rendit au Yamen. Il était plein de confiance et fut extrêmement surpris de se voir rendre son placet.

— Ne prête donc pas l'oreille à tous ces racontars, lui dit le mandarin sur un ton d'exhortation paternel. Tu ne vas tout de même pas te brouiller avec M. Hsi Men! L'affaire est trop peu claire pour que j'y aventure mon autorité. Et dis-toi bien que les bavardages sont encore bien plus sujets à caution lorsqu'ils sont tardifs.

— Selon l'avis de Votre Seigneurie, rétorqua Wou Soung piqué, le tort que l'on a fait à mon frère doit donc rester impuni? Je ne cesserai jamais de crier que mon accusation est fondée.

Il prit la brusque résolution d'aller trouver Hsi Men, pour lui infliger un châtiment de sa main. Il se dirigea vers le magasin de drogues. Il entra en trombe et se rua vers l'intendant :

— Ton maître est-il chez lui?

— Non, monsieur le Capitaine des gardes. Mais qu'avez-vous?

— Si tu tiens à la vie, réponds-moi! Où se trouve cette crapule de Hsi Men en ce moment précis? Et depuis quand ma belle-sœur est-elle dans sa maison? Parleras-tu?

— De grâce, monsieur le Capitaine des gardes, ne vous mettez pas en colère! Je ne suis que son employé, à deux onces par mois! Puis-je savoir ce qui se passe derrière les rideaux des alcôves? Tout ce que j'en puis dire, c'est qu'il vient de sortir pour aller boire un verre avec un de ses amis dans le grand cabaret de la rue des Lions. C'est la vérité pure. Quel intérêt aurais-je à vous mentir?

Wou Soung desserra sa prise et il se hâta vers la rue des Lions, pendant que Fou restait paralysé de terreur.

Hsi Men était en train de boire avec un certain Li, secrétaire au Yamen. La rumeur publique donnait ce dernier comme un mouchard qui se faisait payer de droite et de gauche les renseignements qu'il donnait, de manière à toucher double profit à chaque coup. C'est ce qui lui avait valu d'être appelé le courtier Li.

Le matin même, sitôt qu'il avait appris que le mandarin rejetait la plainte de Wou Soung, il avait couru chez Hsi Men pour lui annoncer la bonne nouvelle. Il en avait obtenu sur-le-champ une récompense de cinq onces d'argent et une invitation à boire.

Tandis qu'ils sacrifiaient gaiement à la boisson, Hsi Men jetant un regard dans la rue, aperçut Wou Soung qui s'approchait du cabaret comme un ouragan. N'augurant rien de bon de la rencontre, il prit immédiatement le parti de fuir au plus vite. Mais la sortie était déjà barrée et il n'eut que le temps de disparaître dans une pièce dérobée, en donnant pour prétexte à son compagnon qu'il avait un besoin à satisfaire.

— Hsi Men est-il ici, cria Wou Soung en pénétrant dans la gargote.

— Il est au premier avec un de ses amis.

Wou Soung retroussa sa tunique pour monter l'escalier quatre à quatre. A l'étage, il trouva le comparse attablé avec deux chanteuses très fardées ; mais pas de Hsi Men. D'abord déconcerté, il reconnut soudain le courtier Li. Il eut tôt fait de comprendre : c'était l'homme qui avait appris à Hsi Men que le mandarin avait rejeté la plainte. La fureur le submergea et il se rua sur le fonctionnaire.

— Ha, mauvais bougre, où as-tu caché Hsi Men ?

Le malheureux en fut tellement saisi qu'il en perdit l'usage de la parole et se mit à trembler de tous ses membres. Son mutisme ne fit qu'accroître la fureur de Wou Soung qui renversa la table d'un coup de pied. Les assiettes, les plats et les coupes roulèrent à terre dans un fracas de vaisselle brisée. Les deux filles s'évanouirent. Li, qui comprenait parfaitement l'horreur de sa situation, tenta de s'enfuir ; mais Wou Soung le tenait déjà de bonne prise.

— Halte-là, vilain bougre, où vas-tu donc ? Tu te tais ? Bon, mon poing va te rendre la parole !

Li sentit son visage s'écraser sous le coup et il gémit de douleur.

— M. Hsi Men est allé se soulager. Est-ce que vos affaires me regardent ? Laissez-moi tranquille !

Wou Soung était hors de lui ; il ouvrit la fenêtre d'une poussée et projeta, de son bras de fer, le malheureux dans le vide.

— Tu voulais t'en aller, cria-t-il ; eh bien, va-t'en !

Le corps de Li s'aplatit dans la rue avec un bruit sourd, pendant que Wou Soung se ruait dans les autres chambres de l'étage à la recherche de Hsi Men.

Celui-ci, de sa cachette, avait entendu le vacarme. Son courage s'était fendu en deux. Il avait sauté sur le toit et de là dans la rue. Wou Soung, ne le trouvant pas, crut que Li lui avait menti. Il dévala l'escalier et trouva le pauvre homme étalé de tout son long, raide et muet. Il le bourra de deux coups de pieds qui achevèrent de lui faire rendre le dernier souffle.

Les voisins étaient accourus.

— Mais c'est Li, le secrétaire au Yamen, s'exclamaient-ils. Qu'est-ce qu'il vous a fait ? Pourquoi l'avez-vous tué ?

— C'était Hsi Men que je visais ! répondit Wou Soung. Il lui tenait compagnie et c'est lui qui a payé.

Les inspecteurs arrivaient. Comme il y avait meurtre, ils étaient obligés d'intervenir. Cependant ils n'osèrent pas mettre la main sur le Capitaine des gardes et se contentèrent de le garder à vue. Ils le prièrent de les suivre au Yamen et ils l'emmenèrent en même temps que les deux chanteuses.

Chapitre neuvième

En se sauvant par la fenêtre, Hsi Men avait atterri dans la cour de la maison voisine qui appartenait à un médecin du nom de Fou. Hsi Men longea le mur en se courbant prudemment. Une servante, qui était en train de disposer son derrière imposant pour la satisfaction d'un besoin naturel, l'aperçut et cria : « Au voleur ! »

— Tiens, c'est vous ! dit le vieillard en riant lorsqu'il le reconnut. Vous pouvez vous estimer heureux d'avoir échappé à Wou Soung : il a assommé votre convive ! On l'a conduit au Yamen et il n'est pas douteux que cette histoire lui coûtera la tête. Pour vous, l'incident est clos et vous pouvez rentrer chez vous sans crainte.

Hsi Men enchanté le remercia de cette bonne nouvelle et prit le chemin de chez lui, la tête haute et le pas nonchalant, pour raconter l'affaire à Lotus d'Or.

Comme ils se croyaient tous deux hors de danger, ils furent pris d'un accès de joie folle et se mirent à battre des mains pour fêter leur succès. Cependant, Hsi Men suivit le conseil de Lotus d'Or et il dépêcha son homme de confiance, Lai Wang, auprès du mandarin cantonal, pour lui faire le présent somptueux de cinquante onces d'argent en espèces et d'un service à vin complet en or et en argent. Les plus importants d'entre les fonctionnaires furent également gratifiés de sommes considérables. Aucun d'eux ne refusa.

Comme on lui amenait Wou Soung, le mandarin haussa le ton et se mit à le menacer :

— Manant ! hier, tu accusais de braves et paisibles citoyens. J'ai témoigné de beaucoup d'indulgence, à plusieurs reprises, et voilà que tu m'en remercies en offensant la loi et en assassinant un homme en plein jour !

Sur un signe du mandarin, trois ou quatre hommes foncèrent sur Wou Soung, le couchèrent à plat ventre par terre et le travaillèrent à grands coups de canne de bambou. Lorsqu'il en eut reçu son compte, Wou Soung se releva et rappela, avec quelque reproche dans la voix, les services qu'il avait rendus au mandarin. Vaines paroles : il dut souffrir cinquante coups de canne de plus, à quoi s'ajouta le supplice des poucettes [64]. On lui passa encore un lourd carcan et on le jeta en prison.

Le personnel de cet établissement était tout entier pour Wou Soung, de même que deux fonctionnaires du Yamen, car ils le considéraient comme

---

64. Dans l'EIF, le magistrat ordonne : « Qu'on lui applique le serre-doigts ! » et précise que l'instrument (*Za*) se composait de cinq pièces rondes en bois d'une vingtaine de centièmes que l'on insérait entre les doigts pour les comprimer. Voir EIF, I, p. 1 109, n. 1 de la p. 187.

un brave et honnête homme et comme un vieil et fidèle ami. Ils lui eussent volontiers porté secours, mais l'argent de Hsi Men leur avait collé les lèvres, comme aux autres.

Il fallut quelques jours pour qu'ils décidassent de rédiger un faux procès-verbal en faveur de leur ami prisonnier qui ne cessait de réclamer justice. Ils espéraient par là améliorer son sort sans compromettre le redoutable Hsi Men. L'inspecteur de la prison s'adjoignit quelques témoins du voisinage pour examiner le cadavre du secrétaire Li. On décela des tuméfactions sur le front, sur le côté gauche du torse, au creux de l'estomac et au bas-ventre. On consigna que Wou Soung, à la suite d'une violente dispute avec le défunt, l'avait blessé à coups de poings et de pieds. Le rapport fut expédié au préfet de Toung ping fou. Puis on transféra au chef-lieu Wou Soung et les témoins, soit le cabaretier Wang Louan et les deux chanteuses.

Le préfet, M. Tchen, originaire de la province du Honan [65], était réputé pour l'esprit d'équité dans lequel il exerçait ses fonctions. Il se mit sans tarder à l'étude du cas de Wou Soung. Il fit amener les témoins et l'accusé et lut en leur présence le rapport qu'avaient signé le sous-préfet de Tsing ho hsien et quatre de ses subordonnés, ainsi que l'aveu falsifié qui l'accompagnait. Il vit qu'on prétendait que Wou Soung avait réclamé une vieille créance de trois mille sapèques, qu'il avait commis le meurtre en état d'ivresse, et qu'il n'était nulle part question de Hsi Men.

— Pour quelle raison as-tu tué cet homme ? demanda-t-il à Wou Soung.

— Comme je voyais que je ne pouvais me faire rendre justice par le tribunal cantonal, j'ai résolu de venger mon frère de ma main. J'ai tué Li par suite d'une erreur que je déplore ; mais je souffrirai volontiers la mort pour l'amour de mon frère.

— Cela suffit, dit le préfet, je comprends tout maintenant. Et il commença par faire compter vingt coups de bâton au secrétaire cantonal Kien Lao qui se trouvait là après avoir été l'un des cinq à signer le rapport.

— Joli fonctionnaire, ton sous-préfet ! dit-il d'un ton sarcastique. Il convertit la justice en marchandise !

Après l'audition des témoins, il corrigea de son propre pinceau l'aveu falsifié, puis, se tournant vers ses subordonnés, leur dit :

---

65. L'EIF (I, p. 187) précise : « Le préfet était un certain Chen Wenzhao, "Éclat-de-la-Culture", un mandarin des plus intègres, originaire du Hénan », mais, hormis le fait qu'il exerce sa juridiction en la préfecture de Paix-à-l'Est, nous ne disposons d'aucun complément d'information sur cette figure de juge intègre, rare dans le roman, pas plus que sur la nécessité (symbolique ?) de le faire venir du Hénan, province située au centre de la Chine du Nord et dont le nom signifie « au sud du fleuve Jaune ».

— Cet homme a voulu venger son frère et il a tué Li par erreur : c'est un brave et honnête garçon qu'il ne faut, sous aucun prétexte, mettre sur le même pied qu'un vulgaire assassin.

On échangea, sur son ordre, le lourd carcan contre un plus léger, comme il est prévu pour les délits mineurs. Les témoins furent renvoyés chez eux. L'affaire fut réexpédiée au sous-préfet de Tsing ho hsien pour une nouvelle instruction. Il recevait l'ordre d'interroger publiquement Hsi Men, Lotus d'Or, la mère Wang, le Petit Frère Yun et Hou Kiou ; de remonter jusqu'aux sources en n'épargnant personne et de rédiger ensuite un nouveau rapport.

Hsi Men avait appris par ses informateurs la nouvelle tournure que prenaient les événements. La peur lui ramollit les membres. Il savait qu'il ne pouvait se permettre de tenter de corrompre ce préfet-là ; il fallait procéder obliquement.

Lai Wang, son serviteur cent fois éprouvé, fut dépêché à cheval à la capitale de l'Est, pour remettre une pétition au maréchal Yang qui était ami de Hsi Men [66]. Sur quoi le maréchal en question devait s'employer auprès du chancelier Tsai, gouverneur des princes impériaux. Tsai enfin devait intervenir en faveur du sous-préfet de Tsing ho hsien, dont la carrière paraissait maintenant bien compromise.

Tsai, en effet, expédia une note secrète au préfet Tchen, le priant de renoncer à l'interrogatoire de Hsi Men et des autres personnes mêlées à l'affaire. Comme Tchen était l'obligé de Tsai, car c'est à sa recommandation qu'il devait son poste de préfet, et qu'à ce fait était venue s'ajouter la réflexion que le maréchal Yang avait ses entrées à la cour et qu'il avait l'oreille du Fils du Ciel, il se ravisa quelque peu. Il fit donc publier un jugement suivant lequel Wou Soung n'expierait pas son crime de sa mort, qu'il serait puni de quarante coups de bâton sur le dos, d'une marque au fer rouge et finalement de l'exil dans un poste militaire sur la frontière, à la distance d'au moins deux mille lis [67]. La procédure en cours contre tous les autres

---

66. L'EIF traduit : « le commandant en chef Yang » ; selon Lévy, *Yang Tidu* ferait allusion ici à « l'eunuque Yang Jian, habile à deviner la pensée de son maître, l'empereur Huizong qui régna de 1101 à 1126 ». Voir EIF, I, p. 1 079, n. 2 de la p. 81. La mise en déroute des velléités justicières de Chen Wenzhao est décrite minutieusement dans l'original chinois, ce dont rend compte l'EIF : Yang « intervint auprès du grand précepteur Cai, membre du conseil privé de l'Empereur, à son tour inquiet de l'atteinte à la réputation du sous-préfet Li » ; ce dernier ordonne au juge Chen de ne pas inquiéter Hsi Men et celui-ci doit obtempérer, en raison de « son appartenance à la faction du grand précepteur » et de l'influence de Yang ; « La double intervention lui fit tout abandonner. » (I, p. 190-191).

67. Entre 1 000 et 1 152 km. Ancienne unité de longueur chinoise, la valeur du li est de 576 mètres sous la dynastie Qin (IIIe siècle av. J.-C.) et actuellement de 500 mètres. La Grande Muraille, surnommée en chinois « La longue muraille de dix mille li » (*wan li changcheng*), compte en fait 11 632 li dans sa valeur Qin, soit 6 700 km. Voir : Robert Temple, *Le génie de la Chine : 3 000 ans de découvertes et d'inventions*, Arles, 2007.

personnages fut suspendue.

Hsi Men se sentit allégé, comme s'il avait été délivré d'une forte constipation, lorsqu'il apprit que son terrible adversaire était déporté sur les frontières. Il fallait fêter l'événement! On nettoya le Pavillon des Nénuphars au fond du parc, on ratissa les allées; on embellit l'intérieur du pavillon par des paravents et des tapisseries de jolies couleurs. On engagea une troupe de musiciens, des chanteuses et des danseuses pour divertir les invités. Les cinq femmes, entourées de toute leur domesticité, participèrent à la fête au Pavillon des Nénuphars.

Au cours du festin, le jeune valet Tai A introduisit deux charmants enfants, garçon et fille, qui portaient chacun une boîte à la main.

— La maison du voisin Houa envoie des fleurs pour les dames!

Les deux enfants se prosternèrent devant Mme Lune et Hsi Men, puis ils s'écartèrent avec modestie.

— Recommandez-moi à votre maîtresse, leur dit Mme Lune et transmettez-lui mes remerciements de toutes sortes. Puis elle poursuivit en s'adressant à Hsi Men : Mme Houa est vraiment trop aimable [68]. Elle m'a fait souvent bénéficier d'attentions de ce genre, et je ne les lui ai jamais rendues.

— Mon ami Houa l'a épousée voici deux ans à peine. Il ne cesse pas de vanter l'excellence de son caractère. Et d'ailleurs elle le prouve, sinon comment tolérerait-elle deux si jeunes et si jolies domestiques dans sa maison?

— Je ne l'ai rencontrée qu'une seule fois, poursuivit Mme Lune. C'était à l'enterrement du vieux Grand-eunuque Houa. Si je me souviens bien, elle est un peu boulotte et ronde de figure, mais ses sourcils sont bien dessinés. Elle est d'ailleurs agréable et sympathique. Je lui donne vingt-cinq ans au plus.

— Il faut que tu saches qu'elle a été la concubine du Général d'Empire Liang de Ta ming fou. Elle a apporté une jolie dot à son mari actuel.

— Il est nécessaire que nous lui rendions sa politesse dès que nous en aurons l'occasion.

Honorable lecteur, cette Mme Houa était née Li. Comme, par hasard, ses parents avaient reçu en cadeau, le jour de sa naissance, un vase décoré de poissons, cela lui avait valu le surnom de « Sœur Ping », qui signifie : « Vase ». Comme nous l'avons dit, elle avait été la concubine du Grand

---

68. Mme Houa est l'épouse de Sun Tien Houa, 4e compagnon de débauche (Sun Tianhua surnommé « Bouche-Cousue » dans l'EIF, I, p. 196). Elle est la future sixième épouse de Hsi Men, sous le surnom de « Sœur Ping » ou « Vase » dans notre édition, l'EIF précisant qu'elle « avait reçu le petit nom de Fiole parce qu'on lui avait fait cadeau d'une paire de fioles en forme de poisson à l'occasion de sa naissance le 15 du premier mois » (*Ibid.*).

Secrétaire Liang, qui se trouvait avoir pour beau-père le chancelier Tsai. L'épouse principale de Liang était de nature extrêmement jalouse : plus d'une concubine et plus d'une jolie servante avaient été tuées sur son ordre et clandestinement enterrée dans le coin le plus reculé de son parc. C'est ce qui avait déterminé Liang à loger sa favorite tout près de lui, dans une aile de sa bibliothèque, et à commettre à son service une servante sûre. Une nuit du premier mois de la troisième année du « Règne de l'Harmonie », alors que M. Liang se trouvait chez son épouse principale au Pavillon des Nuages bleu alcyon, il fut assassiné avec toute sa famille. Li et sa servante furent seules à pouvoir s'échapper à la faveur du désarroi général. Li se réfugia dans sa propre famille qui habitait la capitale de l'Est, en sauvant par la même occasion une centaine de grosses perles occidentales et une couple de turquoises bleu sombre pesant deux onces. Par la suite, le Grand-eunuque la fit entrer dans sa maison, comme femme principale de son neveu Houa qui était encore célibataire. Lorsque Houa le vieux fut promu Commissaire de la Défense, il emmena les jeunes mariés ; il les garda auprès de lui lorsqu'il prit sa retraite dans sa ville natale, qui était précisément notre Tsing ho hsien. A sa mort, son neveu hérita de son énorme fortune.

Notre honorable lecteur se souviendra peut-être que ce neveu, Houa Tsé Hsou, appartenait à la bande des neuf amis qui s'étaient réunis avec Hsi Men au temple de l'Empereur de Jade pour former une ligue fraternelle. Hsi Men rencontrait quotidiennement Ying Po Koué, Hsié Hsi Ta, ou n'importe quel autre membre de la confrérie, pour organiser des orgies collectives dans quelque cabaret ou maison de joie. Comme, à l'exception de Hsi Men, les huit autres membres de l'association étaient tous de très pauvres diables, ils encourageaient de leur mieux le riche Houa à mener joyeuse vie et à dépenser sans compter son argent. Aussi arrivait-il fréquemment qu'il ne rentrait pas chez lui de trois ou cinq nuits.

La fête dura jusqu'au soir au Pavillon des Nénuphars. Lorsque les invités se furent dispersés, Hsi Men se sentit attiré vers la chambre de sa favorite. Il était légèrement ivre et le vin avait éveillé en lui des velléités amoureuses.

Lotus d'Or prépara la couche et alluma les bougies d'encens. Ils s'entre-dévêtirent avant de se glisser sous les tentures de soie. Hsi Men ne se sentait pas de goût pour le jeu ordinaire des nuages et de la pluie ; mais il savait que Lotus d'Or était experte au jeu de la flûte. Elle se mit donc à califourchon sur son corps, formant un cercle doré de ses mains délicatement jointes. La tenant d'une prise ferme, elle prit la flûte dans sa bouche et, d'un mouvement de haut en bas bien rythmé, la fit entrer, sortir et rentrer. Inondé de bien-être, Hsi Men subissait béatement la caresse de ces lèvres si douces et habiles, et plus le jeu durait et plus il en éprouvait de plaisir.

Il se reprit brusquement pour demander du thé et Prune de Printemps entra au premier son de son appel. Lotus d'Or, gênée, tira vivement le rideau du lit.

— Pourquoi te gênes-tu devant elle? demanda Hsi Men en souriant. Mme Houa n'éprouve pas le moindre sentiment de honte, si son mari fréquente l'aînée de ses femmes de chambre. Cette jeune personne, d'ailleurs, a très exactement l'âge de notre Prune de Printemps[69]. L'autre, plus jeune, tu l'as vue aujourd'hui : c'est elle qui portait les fleurs. Ce sont de belles petites, toutes les deux! Quel bonhomme, ce Houa! Qui aurait cru qu'il s'attaquait à des fillettes si jeunes?

— Ah coquin! dit Lotus d'Or en le regardant calmement. N'ayons pas de querelle. Tu désires Prune de Printemps, naturellement! Eh bien, prends-la! Pourquoi ces détours? A quoi bon parler de la montagne, quand tu ne penses qu'au moulin qui est derrière? Ce n'est pas la peine de me donner d'autres femmes en exemple. Je n'exige rien, rien du tout. Demain, je céderai ma place à la petite.

— Comme tu sais bien m'être agréable, mon enfant, dit Hsi Men enchanté et attendri. Il est impossible de ne pas t'aimer.

La conversation s'acheva en pleine harmonie. Lorsque le jeu de la flûte eut cessé, ils s'endormirent l'un près de l'autre, tête contre tête et cuisse contre cuisse.

Lotus d'Or tint parole. Elle passa toute la journée du lendemain en compagnie de Mme Lune, si bien que Hsi Men put posséder la petite Tchoun Mei en toute tranquillité.

De ce jour, Tchoun Mei jouit de la faveur spéciale de sa maîtresse. Elle ne fut plus jamais affectée aux gros travaux comme de manipuler les lourdes casseroles à la cuisine ou de nettoyer la rouille du poêle. Tout son service consistait à faire le lit et à servir le thé. Tout ce qu'elle pouvait désirer, robe ou bijou, Lotus d'Or le lui donnait. Elle lui enseignait aussi l'art de se faire les pieds petits en les bandant[70]. Tchoun Mei, en plus de son aspect

---

69. Tchoun Mei, appelée à jouer un rôle important auprès de Lotus d'Or, est identifiée comme Fleur-de-Prunier dans l'EIF (I, p. 198) ; sa possession par Hsi Men, avalisée par Lotus-d'Or, marque son entrée en scène. C'est donc sur Aster d'Automne, traduit en Chrysanthème dans l'EIF, que se reportent les pulsions sadiques de Lotus d'Or.

70. L'EIF n'est pas ici plus explicite : « Elle lui banda les pieds mignonnement. » Ce laconisme est surprenant, étant donné l'importance esthétique, érotique et culturelle du bandage des pieds dans la Chine médiévale, mais aussi eu égard au fait que la figure principale du roman tire son nom de la taille jugée idéale du pied de femme chinoise : 7,5 cm ou *lotus d'or*. Le bandage commençait à l'âge de cinq ou six ans, voire plus tôt. Après des bains ramollissants, les orteils, à l'exception du gros orteil, étaient pliés contre la plante du pied, et la voûte plantaire, courbée, pour réduire sa longueur et donner au pied la forme d'un bouton de lotus. Le pied était placé dans une chaussure pointue, de plus en plus petite

ravissant, possédait encore de l'intelligence et beaucoup d'à propos dans ses réponses ; elle était toujours de bonne humeur et disposée à plaisanter : le contraire en vérité de la lourde et maladroite Aster d'Automne, qui servait la même maîtresse mais que l'on battait souvent.

---

au fil des semaines – occasionnant fractures et infections en nombre. La pratique du pied bandé, qui se déploie à partir du xe siècle et devient une marque de l'ère Song, ne consiste pas à contenir la croissance mais à atrophier le pied féminin. Évocateur de distinction aristocratique (les femmes aux pieds bandés ne peuvent travailler qu'à des tâches domestiques statiques comme l'art de la broderie), ce marquage socio-anatomique et culturel est sublimé dans le personnage de Lotus d'Or, qui renforce son idéalisation par une vélocité tout imaginaire.

Chapitre dixième

Sa situation de favorite incontestée devait, avec le temps, rendre Lotus d'Or capricieuse et despotique. Sa nature soupçonneuse ne lui laissait de repos ni le jour ni la nuit. Sa méfiance, constamment sur le qui-vive, la poussait à espionner, à écouter aux portes et à ausculter les murs. Un jour qu'elle était de mauvaise humeur pour quelque raison mineure, elle s'était emportée contre sa femme de chambre, Prune de Printemps. La petite Tchoun Mei, pas trop patiente pour sa part, s'était précipitée à la cuisine pour y épancher librement sa bile. Mᵐᵉ Sun Hsué O, la voyant marteler furieusement de ses poings les banquettes et les tables, lui fit une observation sur le ton de la plaisanterie :

— Drôle de petite femme, est-ce que tu ne pourrais pas choisir un autre endroit pour aller t'y passer tes crises d'hystérie ?

Prune de Printemps, au comble de l'agacement, lui répondit qu'elle n'accepterait pas des observations aussi insolentes. Mᵐᵉ Sun eut le bon sens de faire comme si elle n'avait pas entendu. Mais la petite n'en courut pas moins chez sa maîtresse, devant qui elle déballa son histoire en exagérant beaucoup l'importance de l'incident.

— Ah maîtresse ! elle a osé prétendre que vous m'avez poussée vous-même dans les bras du seigneur Hsi Men, afin de garder ses bonnes grâces.

Cette allégation très personnelle mit Lotus d'Or fort mal à son aise. Elle était lasse, car elle s'était levée de bon matin pour accompagner Mᵐᵉ Lune à un enterrement. Elle s'allongea pour dormir un peu. Puis elle quitta l'appartement de la Première pour rentrer à son pavillon. En chemin, elle croisa Mong Yu Loh qui l'interpella :

— Eh bien, ma sœur, pourquoi cet air chagrin et fermé ?

— Je me sens un peu fatiguée. Et toi, d'où viens-tu ?

— De la cuisine.

— Et celle qui s'y trouve ne t'a rien dit ?

— Rien qui compte, il me semble.

Lotus d'Or dissimula son mécontentement du mieux qu'elle put et ne dit plus rien. Toutes deux allèrent de compagnie s'installer au pavillon, pour se passer le temps en exécutant quelques travaux à l'aiguille. L'envie les prit ensuite de jouer aux échecs. A peine avaient-elles engagé la partie, que Hsi Men entra. Il contempla avec plaisir les deux jeunes femmes, très soigneusement vêtues, comme toujours, de robes légères.

Lotus d'Or s'excusa bientôt et alla retrouver Hsi Men au pavillon. Elle lui fit préparer un bain chaud et, lorsque le soir fut venu, ils se divertirent encore aussi bien que poissons dans l'eau.

Hsi Men avait donc passé la nuit chez sa favorite. En veine de générosité, il lui promit d'aller le lendemain, tôt après le petit déjeuner, au marché du Temple, pour lui acheter une parure de perles. Mais lorsqu'il donna l'ordre à Prune de Printemps d'aller chercher à la cuisine le plateau du déjeuner, la petite refusa net. Lotus d'Or expliqua la cause de cette attitude :

— Il y a quelqu'un, à la cuisine, qui prétend que j'ai encouragé la petite à se fourrer dans tes bras, et que cela signifierait que mon amour pour toi n'est que de l'hypocrisie. Cette personne pense m'atteindre moi, en insultant les autres. N'y envoie donc pas la petite, mais plutôt Aster d'Automne.

— Qui est la personne ?

— Ce n'est pas la peine de poser des questions. Toutes les casseroles en témoigneront.

Hsi Men transmit son ordre à Aster d'Automne. Il s'écoula un long moment, de quoi déjeuner largement deux fois ; Aster d'Automne ne revenait pas. Voyant Hsi Men très impatienté, Lotus d'Or se décida à dépêcher Prune de Printemps.

— Va voir où s'attarde cette sotte ! Elle doit regarder pousser l'herbe !

Prune de Printemps obéit de mauvaise grâce. Elle trouva sa compagne dans la cuisine, attendant debout.

— Fille désobéissante ! cria-t-elle, notre maîtresse te coupera les pieds ! Pourquoi n'es-tu pas revenue ? M. Hsi Men est très impatient : il veut sortir pour aller au marché du Temple. Je suis venue pour te ramener au plus vite.

— Quelle niaiserie ! dit soudain Sun Hsué O en courroux. Notre maître a commandé exceptionnellement aujourd'hui du pâté de graines de lotus et de la soupe aux carpes ; cette marmite est en fer et la soupe n'y chauffe pas vite ! d'ailleurs les pâtés ne sont pas cuits non plus. Peut-on se jeter sur la nourriture avant cuisson complète ? Cela vous donne des vers dans le ventre !

— Insolente ! cria Tchoun Mei. Crois-tu que je suis venue ici pour mon plaisir ? Je vais tout raconter à M. Hsi Men et il se mettra dans une belle colère !

Elle tira Aster d'Automne par l'oreille et l'entraîna au dehors pendant que l'autre criait :

— C'est plutôt moi qui aurais des raisons de me plaindre de toi, impertinente !

— Que tu te plaignes, que tu ne te plaignes pas, cela m'est parfaitement égal, rétorqua la petite. Mais n'espère pas réussir à semer la discorde dans la maison.

Et furieuse, elle s'élança vers le pavillon avec sa compagne. Elle arriva jaune de dépit devant Lotus d'Or.

— Eh bien, que se passe-t-il ?

— Demandez-le plutôt à la petite. En arrivant dans la cuisine, je l'ai vue là, debout, attendant que l'autre finisse de faire traîner son travail. J'avais à peine ouvert la bouche pour dire que notre maître était pressé, que voilà cette canaille qui se met à me gronder, à me traiter d'esclave et de putain, à faire des allusions et des pointes contre notre maître, bref : à se conduire comme si la cuisine était plus désignée aux querelles qu'à la préparation de la nourriture.

— Qu'est-ce que j'avais dit ? dit Lotus d'Or à Hsi Men. Il valait mieux ne pas envoyer Prune de Printemps. Cette personne cherche noise à tout le monde. Elle veut sans cesse insinuer que Prune de Printemps et moi t'accaparons entièrement et que nous ne te laissons plus du tout sortir de notre chambre à coucher. Voilà ce que nous sommes obligées d'entendre !

Son discours eut le résultat qu'elle escomptait. Hsi Men se rua à la cuisine et il régala Sun Hsué O de plusieurs coups de pied.

— Carcasse infâme et pleine de malice ! Tu insultes la petite qui vient chercher mon déjeuner, et tu l'appelles esclave et putain ? Regarde-toi dans ta propre cuvette !

Il avait à peine tourné le dos, que la victime de sa rage se mit à se plaindre.

Son emportement l'avait empêchée de penser que Hsi Men pouvait l'entendre. Pourtant, il apparut subitement devant elle et il la gifla rageusement de droite et de gauche. Il la bouscula et la houspilla de plus belle jusqu'à la faire hurler de douleur. Puis il partit au pas de course.

Mme Lune, qui était en train de se faire coiffer, avait entendu la vacarme à la cuisine et s'était fait faire un rapport de l'incident par Petit Bijou.

— Il ne lui est jamais arrivé de demander des pâtés pour le petit déjeuner, déclara-t-elle, mais cela n'empêche pas qu'il faut les lui servir tout de suite. D'ailleurs, Sun Hsué O n'a pas à offenser la petite sans raison.

Après ce petit discours, Mme Lune renvoya Petit Bijou à la cuisine, pour enjoindre à Sun Hsué O de servir Hsi Men en grande hâte. Le maître reçut enfin son petit déjeuner, le mangea et sortit immédiatement après pour se rendre au marché du Temple.

Comme Sun Hsué O se remettait mal du traitement qu'elle avait subi, elle se rendit chez Mme Lune pour se justifier. Sans se rendre compte que Lotus d'Or l'avait subrepticement suivie et qu'elle s'était collée à la fenêtre pour l'entendre, elle fit ses confidences à Mme Lune, en présence encore de Li Kiao.

— Tu ne te doutes pas de ce que cette femme, qui est sexuellement déchaînée et qui a complètement accaparé Hsi Men, peut dire derrière notre dos. Il est normal qu'une femme passe de temps en temps une nuit de folie avec son mari ; mais celle-ci n'est vraiment bonne à rien d'autre. De sa part, on peut s'attendre à tout. N'a-t-elle pas déjà empoisonné son premier mari ? Qui sait ce qu'elle peut s'aviser de machiner contre nous ? Il est clair qu'elle ne peut pas nous souffrir, cette créature à qui la vue seule d'un homme fait rouler les yeux comme une poule !

Lotus d'Or rentra dans son pavillon. Elle arracha ses bijoux et lava le fard et la poudre de ses joues. Les cheveux défaits, son visage de fleur bouleversé et trempé de larmes, elle se jeta sur son lit. Elle y resta jusqu'au retour de Hsi Men. Très frappé par l'état où il la voyait, il voulut en connaître la cause. Alors elle lui raconta l'incident en sanglotant, et elle finit par lui demander la lettre de séparation.

— Ce n'est pas ton argent qui m'attirait, je n'ai écouté que mon cœur pour te suivre. Et me voilà maintenant exposée à un pareil affront ! Elle m'a accusée d'avoir assassiné mon époux, de long en large. Il vaudrait surtout mieux que je n'aie pas de servante du tout ; comment demander de me servir, à qui s'expose à des réprimandes et à des injures incessantes ?

Hsi Men ne lui laissa pas le loisir d'achever. Ses trois âmes ne firent qu'un bond, ses cinq sens s'emportèrent jusqu'au ciel. Il se rua comme un ouragan chez Mme Sun Hsué O. La saisissant par les cheveux, il mit toutes ses forces à faire siffler la canne de bambou sur son dos, jusqu'au moment où Mme Lune vint l'arrêter.

Il retourna au pavillon et il remit à Lotus d'Or le cadeau qu'il lui avait acheté au marché du Temple. C'étaient des perles lourdes de quatre onces. Lotus d'Or pouvait être satisfaite : il avait pris son parti et elle jouissait de sa faveur, plus assurément que jamais. Il suffisait qu'elle demande une chose pour qu'elle en reçût dix. N'avait-elle pas toutes les raisons de se réjouir ?

Ce fut une fois de plus le tour de Houa Tsé Hsou, le voisin de Hsi Men, d'offrir un festin aux amis. Ils se réunirent au complet devant une table magnifiquement pourvue. Deux ravissantes chanteuses, dont le talent et la grâce auraient fait honneur à un Verger de Pêches impérial, étaient chargées de divertir l'assistance par leurs danses, leurs chants et le jeu de leurs luths. Lorsqu'elles se furent exécutées, pour la plus grande joie des convives, elles s'avancèrent vers la table et se prosternèrent, telles deux branches fleuries que balance la brise. Hsi Men était au comble du ravissement, si bien qu'il donna l'ordre à son page Tai A de leur payer séance tenante trois pièces d'argent à chacune.

— Qui sont ces deux jeunes filles ? demanda-t-il à son hôte. Ce sont de véritables artistes !

Frère Ying coupa la réponse de Houa Tsé Hsou en répondant avec son indiscrétion accoutumée :

— Notre vénérable seigneur aurait-il complètement perdu la mémoire ? Voyons donc : celle qui joue du luth à douze cordes, c'est Pièce d'Argent, la maîtresse adorée de notre ami Houa ; elle habite la dernière rue des maisons de joie. Celle à la pi-pa à six cordes, c'est Mlle Fleur de Cannelle [71], dont j'ai chanté les louanges il y a déjà quelque temps. Ah ! dire qu'elle a pour tante la Deuxième épouse du vénérable seigneur, et qu'il ne connaît même pas sa nièce.

— Ah bon, c'est donc elle ! dit Hsi Men avec un large sourire. Cela fait trois ans que je ne l'ai pas vue, diable ! elle s'est bien développée.

Un peu plus tard, comme la petite Fleur de Cannelle s'approchait avec coquetterie pour lui verser du vin, il la questionna :

— Comment vont ta mère et ta sœur ? Pourquoi ne viens-tu jamais voir ta tante ?

— Ma mère ne se porte pas très bien depuis un an, aussi je ne peux pas m'éloigner d'un demi-pas.

— Que dirais-tu si je te raccompagnais tout à l'heure jusque chez toi, avec deux bons amis ?

— Vous plaisantez ! Votre pied distingué daignerait-il franchir notre seuil ?

— Je ne plaisante pas, répondit Hsi Men en confirmant ses mots par le don d'un petit mouchoir fin et d'une boîte de thé parfumé qu'il tira de sa large manche.

— Quand partirons-nous ? demanda-t-elle. J'aimerais que ma compagne nous précède, pour que ma mère puisse avoir le temps de se préparer à vous recevoir.

— Sitôt que les autres auront pris congé.

En arrivant à la maison de la mère Li, les nouveaux venus furent introduits dans la salle par la sœur aînée de Fleur de Cannelle. Bientôt, la mère Li arriva en personne, se traînant péniblement et s'appuyant sur un bâton pour soulager son dos raidi et tordu par les rhumatismes.

On s'assit. La mère Li nettoya la table, ordonna qu'on allume des bougies et fit apporter à boire et à manger. Fleur de Cannelle réapparut dans une

---

71. Dans l'EIF (I, p. 216), Pièce d'Argent est traduit par Argentine Wu ; quant à Cannelle, son pedigree est indiqué plus précisément : « À la mandoline, c'est la fille à la mère Li la Troisième, celle qui habite la deuxième venelle, la petite sœur de Cannelière ; on l'appelle Cannelle. Vous avez installé chez vous sa propre tante, comment pouvez-vous prétendre ne pas la connaître ! »

toilette fraîche. Les deux sœurs réjouirent les hôtes par leurs danses et leur musique, jouèrent de la flûte au dragon, battirent le tambour à peau de rhinocéros et agitèrent leurs membres délicats de mouvements rythmiques. Le génie de l'art se mariait à leur charme juvénile. Il n'était pas question ici de « printemps gaspillés ». Elles semblaient deux cruches d'argent illuminées par les rayons du soleil doré. Hsi Men souhaita entendre chanter Fleur de Cannelle. Il s'adressa à l'aînée :

— Mes deux amis ont beaucoup entendu parler de la qualité de la voix de ta petite sœur ; aurais-tu l'obligeance de la prier de nous chanter une chanson ?

La mère Li et ses deux filles se rendirent bientôt compte que Hsi Men tournait autour de la vraie question et qu'il grillait de l'envie d'avoir la virginité de Fleur de Cannelle. Elles calculèrent qu'il était préférable de marquer de la retenue si l'on voulait obtenir un meilleur prix. Fleur de Cannelle ne bougea donc pas et c'est sa sœur qui prit la parole pour dire en manière d'excuse :

— Elle a été très soigneusement élevée et sa sagesse, car elle est très sage, l'empêche de vouloir se prêter à chanter comme cela....

Hsi Men comprit, Il posa sur la table un lingot d'argent de cinq onces.

Il passa la nuit dans la chambre de l'aînée, mais en restant bien décidé à être le premier qui posséderait la cadette encore vierge. Le lendemain, il dépêcha le jeune Tai A dans un magasin de soieries, où il fit acheter, pour cinquante onces d'argent, des robes splendides destinées à Fleur de Cannelle. Li Kiao ne fut pas peu fière, lorsqu'elle apprit que sa nièce aurait l'honneur de se faire dépuceler par son mari. Elle souligna la solennité de l'événement en offrant à la mère Li, sa sœur, un lingot d'argent de cinquante onces, en contribution aux dépenses pour la table, pour la musique, pour les bijoux et les toilettes. On fêta le dépucelage pendant trois jours et on l'arrosa comme il se devait. Il va de soi que les amis de Hsi Men vinrent le féliciter et qu'ils profitèrent largement de l'occasion pour se soûler et s'emplir le ventre une fois de plus à ses frais, tout en ayant l'air de payer leur écot d'une offrande somptueuse de cinq sous de cuivre par tête.

Chapitre onzième

Hsi Men s'attardait depuis un demi-mois chez Fleur de Cannelle, dans la maison de joie, et on ne l'avait pas vu une seule fois chez lui. Mme Lune, à plusieurs reprises, avait dépêché un valet à cheval pour aller le chercher ; mais on avait toujours su le retenir dans la maison de la mère Li, allant tout simplement jusqu'à lui cacher ses vêtements.

Ses cinq femmes se sentaient abandonnées et mises au rebut. Mais si les quatre premières pouvaient s'en accommoder à la rigueur, Lotus d'Or en souffrait beaucoup, dévorée par les désirs d'amour et soumise à l'ardeur de ses verts printemps dont le nombre n'atteignait pas trente. Elle passait toutes ses journées dans une attente languissante, toujours soigneusement coiffée, fardée, poudrée, polie comme un bijou. Quand le crépuscule jaunissait le ciel, elle rentrait dans sa chambre, cruellement déçue. La solitude, qui s'appesantissait sur les oreillers et sur les rideaux, nourrissait son irritation et lui ôtait le sommeil. Elle se levait fréquemment la nuit, pour aller calmer son agitation dans le parc, et elle glissait silencieusement parmi les fleurs et la mousse en regardant fixement le miroir de l'Étang des Lotus où se mirait la lune.

Lorsque Mong Yu Loh était entrée dans la maison de Hsi Men, elle y avait amené un jeune serviteur, très joli garçon et bien éveillé, qui s'appelait Kin Toung. Il avait à peu près seize ans maintenant. Hsi Men l'employait comme jardinier et tolérait qu'il habitât une maisonnette près du portail du parc. Quand Lotus d'Or et Mong Yu Loh travaillaient ou jouaient aux échecs dans une des tonnelles, elles lui demandaient fréquemment quelques petits services. Il était toujours serviable et plein de zèle, et on l'occupait à guetter le retour du maître de maison, pour l'annoncer tout de suite à ces dames. Ce joli garçon plaisait beaucoup à Lotus d'Or ; elle l'invitait souvent au pavillon, où elle lui offrait à boire et à manger. A la longue elle éprouva véritablement le besoin de l'avoir près d'elle.

Le septième mois était venu et le jour anniversaire de Hsi Men approchait. Mme Lune profita de l'occasion pour tenter de l'arracher au « pays de la fumée et des fleurs » en lui envoyant une fois de plus son page et son cheval. Lotus d'Or glissa en cachette une missive au garçon, pour qu'il la remette discrètement à Hsi Men. Elle le priait tout simplement de rentrer bientôt.

Le petit Tai A trouva son maître au logis de la mère Li, en plein milieu d'une joyeuse orgie. La horde de ses compagnons, inévitable et bruyante, l'entourait ; sur ses genoux, appuyée contre lui, se trouvait une petite dame poudrée.

— Que viens-tu faire ici ? Est-il arrivé quelque chose à la maison ?

— Rien de particulier.

— Apportes-tu quelques vêtements pour la petite sœur Fleur de Cannelle ?

— Oui, les voici, répondit Tai A en ouvrant le sac qu'il tenait à la main. Il en sortit une chemise de soie rose et une tunique bleue fendue. Fleur de Cannelle accepta joyeusement ces présents et elle fit descendre le jeune garçon au rez-de-chaussée pour le régaler d'une collation et d'une coupe de vin. Lorsqu'il remonta, il se pencha à l'oreille de Hsi Men et lui chuchota :

— Voici un message de votre Cinquième. Elle désire que vous rentriez bientôt.

Fleur de Cannelle s'empara de la lettre avant même que Hsi Men eût pu seulement la toucher. « C'est sûrement un billet doux », se dit-elle en examinant la lettre avec curiosité.

— Lisez-là nous, dit-elle à Tchou Chi Nien, car elle était incapable de déchiffrer les caractères dessinés à l'encre noire sur la bande de soie de couleur.

La lecture était à peine achevée, que Fleur de Cannelle se leva de table et se retira dans sa chambre. Elle se jeta sur son lit et, pressant son visage sur l'oreiller, s'endormit aussitôt. Hsi Men prit la bande de soie, cause du dépit de la petite, et la déchira. Puis, devant toute la compagnie, il expédia deux coups de pied au petit Tai A, le malchanceux messager, et le renvoya avec des éclats de fureur. Il envoya chercher deux fois Fleur de Cannelle, sans résultat. Il se leva d'un bond et s'en fut la trouver lui-même. S'approchant de sa couche, il la redressa en la prenant par les mains et lui dit pour essayer de la calmer :

— Petite sœur Fleur de Cannelle, n'aie pas de chagrin. Cette lettre n'a rien d'extraordinaire. C'est ma Cinquième qui me l'envoie, pour que je fasse un saut à la maison. Elle a quelque chose à discuter avec moi. C'est tout !

— Ne le croyez pas ! il vous fait des contes ! bêla Tchou Chi Nien qui s'était glissé derrière Hsi Men. L'auteur de la lettre est sa nouvelle maîtresse, c'est une rivale très dangereuse pour vous. Ne le laissez pas partir !

— Maudit farceur ! lui dit Hsi Men en lui envoyant une grande tape. Tu finiras par nous désespérer tous avec tes blagues.

— Vous avez tort, M. Hsi Men, dit Fleur de Cannelle avec un peu d'ironie. Puisque vous êtes si bien pourvu chez vous, vous pourriez vous passer de la virginité d'autres filles. Restez sagement à la maison. Il y a longtemps que vous vous attardez ici, le moment est venu de retourner chez vous.

Hsi Men la pressa tendrement sur son cœur et resta.

Pendant ce temps, le pauvre Tai A était rentré. Encore tout effaré et le visage bouffi de larmes, il vint faire son rapport à Mme Lune en présence de Mong Yu Loh et de Lotus d'Or.

— Eh bien, as-tu ramené ton maître ?

— Oui-da, j'ai ramené des gros mots et des coups de pied, c'est tout. Il a dit qu'il casserait tout à la maison si on revenait le chercher.

— Il a incontestablement tort de se conduire comme cela, dit Mme Lune à ses deux compagnes. Rien ne peut l'obliger à rentrer, certes, mais pourquoi battre ce brave garçon ?

— Il peut le régaler de coups de pieds tant qu'il voudra, je le lui passe. Mais qu'est-ce qu'il peut donc avoir contre nous ? dit Mong Yu Loh.

— Surtout, qu'il n'aille pas s'imaginer qu'il inspire de l'amour à une fille de joie, ajouta Lotus d'Or avec mépris. C'est une race qui ne s'intéresse qu'à l'argent.

Elle ignorait que ses paroles étaient entendues par Li Kiao qui passait sous la fenêtre et devait lui garder rancune d'entendre déprécier ainsi sa nièce et toute sa famille. Lotus d'Or eut une ennemie de plus dès ce moment.

Découragée, Lotus d'Or rentra dans son pavillon. Le temps passait avec une lenteur insupportable, les heures lui paraissaient des mois. Enfin elle prit une résolution. Absolument certaine qu'il ne rentrerait plus ce jour, elle renvoya ses deux servantes et elle sortit dans le parc, comme pour une de ses promenades habituelles. Mais pour cette fois, elle avait un but : la maisonnette du jeune jardinier. A voix basse, elle commanda au garçon de la suivre au pavillon. Après l'avoir fait entrer, elle verrouilla soigneusement la porte, puis lui servit à boire jusqu'à ce qu'il fût ivre. Alors elle défit sa ceinture, quitta ses vêtements et se donna à lui.

De ce moment, Lotus d'Or reçut tous les soirs le jeune jardinier au pavillon, le congédiant chaque matin avant le jour. En témoignage de faveur, elle lui fit présent d'un cercle d'or, de trois fléchettes d'argent pour les cheveux et d'un sachet de parfum en soie. Elle croyait pouvoir compter sur la discrétion de son jeune amant et elle ignorait que le jeune garçon allait souvent boire et jouer aux dés avec ses camarades et qu'il se trahissait en bavardant. Le vent des racontars finit par souffler aux oreilles des deux ennemies, Sun Hsué O et Li Kiao, que Lotus d'Or ne prenait pas actuellement sa fidélité plus au sérieux que lors de son premier mariage. Elles allèrent naturellement trouver Mme Lune pour lui rapporter les bruits qui couraient sur le compte de l'odieuse Cinquième. Mme Lune refusa d'y ajouter foi.

— Bah ! fit-elle, c'est tout simplement parce que vous la détestez. Et elle les renvoya.

Le malheur voulut que Lotus d'Or oublia, quelques jours plus tard, de verrouiller sa porte, si bien qu'Aster d'Automne, que le hasard amenait à pénétrer fort tard dans la maison, la surprit en flagrant délit. Le lendemain elle l'apprenait à Petit Bijou, qui le transmit aussitôt à Sun Hsué O, qui en fit part à Mme Li Kiao ; puis les deux dernières allèrent trouver Mme Lune.

— Sa servante en est témoin, dirent-elles avec assurance. Si vous ne voulez pas en informer M. Hsi Men, c'est nous qui le ferons. Il vaudrait mieux laisser courir les scorpions en liberté, plutôt que de témoigner de l'indulgence à une pareille créature.

Mme Lune leur conseilla de se taire, afin de ne pas compromettre les fêtes d'anniversaire ; ce fut en vain. Lorsque Hsi Men rentra, deux jours avant, soit le vingtième jour du septième mois, les deux femmes s'exécutèrent et lui firent part de la nouvelle.

Hsi Men se sentit envahi par un flot de bile. Les mille affaires que son absence avaient laissées pendantes cessèrent brusquement d'exister à ses yeux. Il hurla qu'on lui amène le malfaiteur. Mme Lotus d'Or, à qui l'on avait annoncé l'orage qui était sur le point d'éclater, eut tout juste le temps de faire venir le jeune garçon au pavillon. Elle lui ordonna de se taire à tout prix et le dépouilla de tous les cadeaux qu'elle lui avait faits. Son émotion toutefois l'empêcha de penser au sachet de parfum.

Le coupable alla s'agenouiller devant son maître dans la grande salle sur le devant de la maison, et l'interrogatoire commença.

— Avoueras-tu, misérable ?

Kin Toung fit le muet.

— Arrachez les épingles de ses cheveux ! et montrez-les moi, cria Hsi Men aux quatre valets armés de gourdins qui entouraient le garçon.

On ne trouva pas d'épingles.

— Où as-tu caché les épingles et le cercle d'or ?

— Je n'ai jamais possédé rien de pareil.

— Tu divagues ? Otez-lui ses vêtements !

Des poings vigoureux le saisirent, le dépouillèrent de sa jaquette, de sa culotte – et soudain apparut, attaché à la ceinture du caleçon, un sachet de parfum en soie multicolore. Hsi Men le reconnut au premier coup d'œil.

— Eh bien, manant ! d'où tiens-tu cet objet ?

Kin Toung consterné eut quelque peine à rassembler ses esprits. Puis il finit par inventer un mensonge :

— Je l'ai trouvé en balayant le jardin.

— Ligotez-le ! cria Hsi Men qui grinçait des dents de fureur. Donnez-lui ce qu'il mérite !

Les serviteurs lui obéirent et ils appliquèrent trente lourds coups de bambou sur le dos de Kin Toung. La peau éclata et se colora de sang. Après quoi, ordre fut donné au domestique Lai Pao de lui arracher deux touffes de cheveux des tempes. Finalement on le chassa de la maison.

Lotus d'Or eut l'impression qu'elle culbutait dans une cuve d'eau glacée lorsqu'elle entendit de loin les hurlements du supplicié. Mais Hsi Men arrivait chez elle. La peur lui ramollit les membres, le sang se figea dans ses veines, le souffle lui manqua ; cependant elle fit un effort immense pour le débarrasser comme d'habitude de son surtout. Elle reçut une gifle brutale. On appela Tchoun Mei qui reçut l'ordre de fermer toutes les portes extérieures et de ne laisser entrer personne dans le pavillon. Le fouet à la main, Hsi Men s'assit dans le vestibule et il ordonna rudement à Lotus d'Or de se dévêtir et de s'agenouiller devant lui. Elle baissa la tête et obéit, sans un mot.

— Créature infâme, tu vas me dire toute la vérité. Le misérable a tout avoué, donc : pas de faux-fuyant ! Combien de fois, pendant mon absence, as-tu fauté avec lui ?

— Ciel, Ciel ! cria-t-elle en pleurant, ne permets pas qu'on m'assassine, puisque je suis innocente. Je n'ai rien fait de mal pendant tout ce temps. Le jour, je travaillais à l'aiguille avec Mong Yu Loh ; le soir, je verrouillais ma porte et je me couchais de bonne heure. Jamais je n'ai passé la petite porte sur le flanc du pavillon. Si tu ne me crois pas, tu peux le demander à Tchoun Mei !

— Mais tu lui as fait cadeau d'un cercle d'or et de trois épingles d'argent ! On me l'a dit ! Ne prétends pas le contraire !

— On me fait un tort mortel, dit-elle avec une gravité passionnée. Cette histoire a été inventée de bout en bout par cette ignoble créature, qui me hait parce que tu m'as témoigné quelque faveur. Elle mériterait qu'on lui coupe la langue à la racine ! Qu'elle meure d'une mort misérable ! Le cercle d'or et les épingles que tu m'as offerts, ils sont ici ! Tu peux t'en rendre compte par toi-même. Je veux être déclarée folle, s'il manque une seule pièce. Et si le petit misérable a eu l'audace de prétendre autre chose, sa langue a menti !

— Bon : pour le cercle et pour les épingles, tu as peut-être dit vrai ; mais ceci ! dit-il d'une voix menaçante en sortant de sa manche le sachet de parfum. Ceci, tu le reconnais ? C'est bien à toi ? Comment a-t-on pu trouver ce sachet sur le corps du garçon, sous ses vêtements ? Vas-tu continuer de nier?

Sa colère montait à mesure qu'il parlait. Soudain, il fit siffler son fouet qui vint s'abattre sur la chair nue, lisse et parfumée.

— O mon cher maître! cria Lotus d'Or torturée par la douleur, épargnez la vie de votre esclave! Elle parlera. Ce sachet, je l'ai perdu un jour dans le parc. Comme je passais près du bosquet de chardons avec Mong Yu Loh, ma ceinture s'est défaite et le sachet a glissé. Je ne m'en suis aperçue que plus tard et je ne l'ai pas retrouvé. Pouvais-je supposer que le petit coquin irait le ramasser? En tout cas, il ne l'a pas reçu de ma main!

Hsi Men fut perplexe. Cette version de l'affaire concordait avec la déposition du jeune jardinier. De plus, comme il la regardait gisant à terre dans sa nudité rose, semblable à une fleur, encore belle dans son chagrin, séduisante dans sa détresse, son cœur fut envahi aux neuf dixièmes par un attendrissement qui chassa son courroux au lointain pays des Javanais.

Il appela Prune de Printemps et la fit asseoir sur ses genoux.

— Mon indulgence à l'égard de ta maîtresse dépendra de ta déposition, lui dit-il. L'histoire d'une liaison qu'elle aurait avec le jardinier te paraît tenir debout, ou non?

— Il n'en est pas question! répondit vivement la petite coquette qui était loin d'être bête. Je ne quittais pas ma maîtresse de la journée, nous étions aussi inséparables que la lèvre et la joue. L'affaire du jardinier est une invention, c'est une intrigue montée, ni plus ni moins. Vous devriez ne pas tolérer qu'on dépare votre tête par d'aussi vilains commérages.

Ce discours fit son effet. Hsi Men se débarrassa de son fouet et enjoignit à Lotus d'Or de s'habiller. Aster d'Automne dressa la table et servit à boire et à manger. Lotus d'Or s'agenouilla pour présenter la première coupe.

— Je te pardonne, lui dit Hsi Men. Mais à l'avenir, si je m'absente, profite de ta solitude pour laver ton cœur et pour te purifier. Ferme ta porte de bonne heure. Garde-toi de toute irrégularité, même en pensée! Si j'entends de nouvelles plaintes, je ne t'épargnerai plus.

— Ton esclave a entendu ton ordre, balbutia-t-elle en se prosternant quatre fois.

L'incident fut clos.

Cependant l'humiliation d'avoir été traitée de la sorte lui rongeait le cœur. Elle s'abstint de paraître aux fêtes pour l'anniversaire de Hsi Men, qui tombèrent deux jours plus tard, amenant une quantité d'invités dans la maison. Fleur de Cannelle, en venant elle aussi présenter ses compliments, se fit refuser l'entrée du pavillon lorsqu'elle s'y rendit, avec sa tante Li Kiao, pour saluer la Cinquième comme le voulait la simple correction. Lotus d'Or resta coite chez elle comme dans un tonneau de fer et elle laissa repartir ses visiteuses, la tante aussi bien que la nièce, toutes rouges de confusion.

Quand Hsi Men vint la rejoindre, le même soir, il la trouva triste, le visage pâle et ravagé, les cheveux nuageux défaits et emmêlés. Elle s'empressa, en exagérant encore son humilité, pour l'aider à défaire sa ceinture et à se dévêtir, et pour lui baigner les pieds dans de l'eau tiède. Au courant de la nuit, comme ils nageaient ensemble dans les félicités coutumières, la sensation d'humiliation qui lui pesait lui inspira ce langage :

— Mon chéri, dans toute ta maison, qui est-ce qui t'aime vraiment et sincèrement ? Toutes les autres sont femmes à n'être que passagèrement amoureuses et aucune d'elles n'hésiterait à s'asseoir à une autre table nuptiale si tu venais à mourir. Je suis seule à te comprendre entièrement. Ne te rends-tu pas compte que tous ces racontars sont nés de la jalousie et de la haine, parce que tu as parfois préféré ma présence ? Je ne m'étonnerais même pas qu'on tente de me poignarder. Et voilà que tu as impitoyablement humilié la seule d'entre tes femmes qui t'aime vraiment !

Elle le couvait ainsi habilement dans un nid douillet de paroles tendres.

En dépit de ces exhortations, il fut attiré quelques jours plus tard par la maison de la mère Li. A l'annonce de son arrivée, Fleur de Cannelle, occupée à distraire des clients, disparut rapidement dans sa chambre. Elle lava son visage de la poudre et des fards, ôta ses épingles et ses bijoux et se jeta sur son lit en s'enfouissant dans les coussins.

Hsi Men attendit longtemps avant de voir paraître la mère Li.

— Il y avait longtemps que je n'avais pas eu l'honneur, seigneur beau-frère, dit-elle en le saluant enfin.

— Eh oui, le tintouin qu'on a fait pour mon anniversaire m'a empêché de sortir.

— J'espère que la visite de la petite ne vous a pas importuné.

— Au contraire. Mais où est-elle ?

— Hélas, depuis qu'elle est revenue d'être allée chez vous, elle est toute changée. Quelque chose a dû la mettre de mauvaise humeur. Elle reste couchée toute la journée, il n'y a pas moyen de la faire sortir de son lit. Elle n'a pas quitté sa chambre une seule fois.

— Tiens, c'est bizarre ! Je vais monter la voir tout de suite.

Il se fit conduire à la chambre de Fleur de Cannelle qu'il trouva couchée sur son lit, les cheveux défaits, le visage caché dans l'oreiller. Elle ne bougea pas lorsqu'il entra.

— Qu'est-ce que tu as ? Pourquoi es-tu de mauvaise humeur ? C'est depuis que tu es venue chez moi : quelqu'un aurait osé te contrarier ?

Elle fit longtemps la sourde, et ne lui répondit qu'après qu'il eut répété maintes fois ses questions :

— Je comprends très bien : tu as ta Cinquième près de toi, tu n'as pas besoin de nous ! Mais je peux avoir grandi dans une maison de joie, je n'en ai pas moins certaines qualités ; et il suffit que je me hausse un tout petit peu sur la pointe des pieds pour que je dépasse une brave bourgeoise de cette espèce ! Quand je suis venue chez toi, ce n'était pas en professionnelle, mais en parente accourue pour te féliciter. Ta Première m'a reçue très cordialement ; elle m'a fait cadeau de robes et de bijoux, en disant qu'elle comptait que je lui rendrais visite à l'avenir, sans qu'elle ait à m'y engager spécialement chaque fois. Voudrais-tu qu'on dise que nous autres, dans notre Cour aux Fleurs, nous n'avons pas connaissance des convenances et des belles formes ? Non, n'est-ce pas ? Je me suis donc mise en route avec ma tante pour aller remplir mon devoir auprès de la Cinquième. Elle s'est enfermée dans son pavillon et nous a fait dire par sa femme de chambre qu'elle ne recevait pas. Est-ce de la bienséance ? Est-ce l'usage des belles manières ?

— Tu le prends trop à cœur, dit Hsi Men pour l'apaiser. Elle n'était pas dans son état normal ce jour-là. Mais si elle recommence à te battre froid, elle aura du bâton !

Comme si elle était effrayée, Fleur de Cannelle lui couvrit la figure de sa main. Puis elle lui demanda malicieusement :

— Polisson ! tu ne te gênerais pas de la battre ?

— Allons donc ! dit-il en riant. Comment pourrais-je autrement maintenir l'ordre entre mes femmes ? Vingt, trente coups de fouet ! Si cela ne suffit pas, on leur coupe les cheveux !

— Tu fais bien l'important. Je me demande si ta sévérité ne se transforme pas en gentillesse sitôt que tu te trouves devant elle. Je n'y suis pas, moi ! Il faudrait au moins que tu me montres une mèche de ses cheveux, pour que je croie à ta fameuse rigueur.

— Tu peux y croire, compte là-dessus !

Fleur de Cannelle l'exhorta encore une fois le lendemain, lorsqu'il prit congé d'elle.

— Ne viens pas me revoir, si tu n'es pas pourvu de l'objet dont j'ai parlé ! Tu en perdrais la face !

Comme il était encore à moitié gris et entièrement sous l'influence de ces dernières paroles lorsqu'il rentra chez lui, Hsi Men alla tout droit dans la chambre de Lotus d'Or sans s'arrêter dans l'appartement du devant. Elle s'aperçut vite de son état et lui témoigna plus d'égards que jamais. Il s'assit sur le bord du lit et lui donna l'ordre de lui ôter ses souliers. Elle avait à peine terminé, qu'il cria soudain :

— A genoux ! Et à bas les habits !

Elle fut prise d'une peur folle et ses pores en perdirent un bol de sueur. Elle s'agenouilla mais en refusant de se dévêtir.

— Seigneur, dit-elle en l'implorant, daignez illuminer votre esclave par un mot d'explication. Je préfère la mort à ce genre de torture. Pourquoi m'est-il impossible de vous contenter, même si je n'épargne pas la peine ? C'est ma mort à petit feu, ce lent martyre à la pointe du couteau émoussé.

— Viens près de moi. Je ne te battrai pas. Mais tu vas me faire un petit cadeau.

— Cher seigneur, je vous appartiens toute. Tout ce que vous voudrez, je vous le donnerai. Mais je ne vous comprends pas très bien.

— Je voudrais une belle mèche de tes cheveux.

— Pour quoi faire ?

— J'aimerais en confectionner un filet pour la coiffure.

— Tiens ? Eh bien, tu auras ta mèche. Mais jure-moi de n'en pas faire un mauvais usage.

— C'est juré.

Elle défit ses cheveux et Hsi Men coupa une belle mèche épaisse. Il l'enveloppa soigneusement dans du papier de soie et la mit dans sa poche. Lotus d'Or se serra tendrement contre lui.

— Je suis prête à faire en tout ta volonté, dit-elle en versant quelques larmes, mais, je t'en prie, sois moins capricieux à mon égard. Je te promets de ne plus dire un mot, si tu témoignes de la tendresse à une autre femme ; mais, je t'en supplie, ne me traite plus avec tant de dureté.

Hsi Men patienta difficilement jusqu'au lendemain pour courir chez Fleur de Cannelle. Il lui tendit triomphalement l'épaisse mèche noire et brillante.

— Vois-tu ? J'ai tenu parole ! Mais cela n'a pas été facile ! Il a même fallu que je lui fasse un petit mensonge : j'ai prétendu que j'en avais besoin pour me faire confectionner un filet.

— Qu'as-tu donc fait de si considérable, que tu en mènes tant de bruit ? Si elle te fait si peur, ce n'était pas la peine de jouer des ciseaux. Allons donc ! je te rendrai cet objet tout à l'heure, quand tu partiras.

Elle pria sa sœur, par signe, de tenir compagnie à Hsi Men, et elle alla s'enfermer dans sa chambre avec son butin. Elle ôta sa pantoufle pour y introduire la mèche, car elle pensait éprouver une satisfaction continuelle à fouler aux pieds la chevelure de son ennemie.

Les jours se suivirent, mais Hsi Men ne rentrait pas. Depuis l'incident qui lui avait coûté une mèche de sa belle chevelure, Lotus d'Or était tombée dans une sombre mélancolie. Elle n'avait plus envie de faire un pas hors de son pavillon et toute nourriture lui répugnait. Mme Lune, inquiète, jugea nécessaire de consulter la mère Liou, qui occupait dans la maison la charge de donner tous les conseils médicaux. Cette bonne personne prescrivit deux pilules noires chaque jour et une soupe fortifiante, sans aucune épice pour le soir. Elle ajouta qu'il serait bon qu'elle amène son mari le lendemain, pour faire un horoscope.

— Sait-il prédire l'avenir ? demanda Lotus d'Or avec beaucoup d'intérêt.

— Bien sûr ! Il est obligé de circuler dans les rues en se munissant du tambour des aveugles ; mais il n'en sait pas moins faire trois choses : d'abord, il tire les horoscopes et évoque les esprits ; ensuite, il s'y entend à cautériser les abcès au moyen d'une aiguille ; enfin, il est passé maître en conjurations.

— En conjurations ? Comment cela ?

— Supposons que des parents ne s'entendent pas avec leurs enfants, que frères et sœurs soient désunis, ou que l'épouse et la concubine vivent dans la discorde – voilà des occasions, pour mon vieux mari, d'employer ses formules de conjuration. D'abord il en établit le texte, puis les brûle et en mélange les cendres à une boisson qu'il s'agit d'avaler. Après quoi, vous verrez ! tout est rentré dans l'ordre trois jours plus tard.

— Voici trois pièces d'argent pour vos services médicaux. Les cinq autres sont destinées à couvrir vos frais d'amulettes, de papier et de tout ce qu'il vous faudra. Je vous attendrai demain à l'heure du déjeuner ; et surtout n'oubliez pas de m'amener votre mari.

A l'heure dite, la mère Liou et son vieux mari aveugle se présentèrent au pavillon. Le vieux filou commença par demander à Lotus d'Or les quatre signes astronomiques de l'heure[72], du jour, du mois et de l'année de sa naissance. Il passa un moment à pétrir de ses doigts des figurines invisibles, puis psalmodia sa formule d'horoscope qui était farcie de termes d'astrologie obscurs. Lotus d'Or n'en put tirer que deux choses : la constellation de son astre conjugal manquait d'harmonie, et il fallait se méfier des propos des petites gens.

— Maître, dit-elle, je vous serais obligée si vous mettiez en train vos formules de conjuration. Deux choses seulement me tiennent à cœur : que

---

72. Conformément aux originaux chinois, l'EIF propose : « L'aveugle rendit la salutation et s'assit. Lotus d'Or lui indiqua les huit signes de son horoscope », c'est-à-dire les huit caractères correspondant à l'année, mois, jour et heure de la naissance selon le cycle sexagésimal constitué par la combinaison de l'un des dix « troncs célestes » avec l'un des douze « rameaux terrestres ». Voir EIF, I, p. 1121, n. 2 de la p. 246.

je ne sois pas compromise par les bavardages des petites gens et que mon époux m'aime et m'estime.

— Prenez une bûche de bois de saule, répondit le vieux filou aveugle, taillez dedans l'effigie d'un homme et d'une femme, inscrivez les quatre signes qui déterminent votre naissance et celle de votre mari, liez les statuettes de sept fois sept fils de soie rouge, enveloppez le tout d'un ruban de crêpe incarnat et déposez-le, la nuit, sur les yeux de votre époux. Mettez en outre quelques tiges de vermouth sur son cœur, piquez sa main avec une épingle et mettez de la colle entre ses pieds. Dissimulez une formule de conjuration vermillon dans son oreiller et brûlez-en une seconde dont vous mélangerez les cendres à son thé. Vous aurez le résultat que vous espérez trois jours plus tard.

— Oserai-je vous demander la signification de ces moyens ?

— Je vous le dirai. Si vous lui couvrez les yeux des statuettes enveloppées de soie rouge, il vous verra aussi belle et aussi séduisante qu'une Hsi Chi [73]. Les brindilles de vermouth enflammeront son cœur d'un nouvel amour pour vous. Les piqûres d'épingle l'empêcheront de lever la main sur vous désormais, même si vous vous mettez dans votre tort. La colle le retiendra de mettre le pied dans un lieu de perdition.

Les résultats semblèrent donner raison au charlatan. Les amants s'entendirent parfaitement dès le second jour et ils se divertirent ensemble comme des poissons dans l'eau. Cependant, honorable lecteur, ce n'est jamais en vain que l'on met en garde un époux contre les commerces secrets que sa femme entretient avec des bonzes et des nonnes, des prêtres de Tao et des devins, des nourrices et des entremetteuses.

---

73. *Xishi* pour l'EIF (I, p. 249) qui l'emploie au générique. Le nom fait référence à une beauté du ve siècle avant notre ère, réputée à l'origine de l'anéantissement du royaume de Wu. Voir EIF, I, p. 1080 n. 3 de la p. 87.

Chapitre douzième

Hsi Men reçut un jour une invitation de son ami Houa Tsé Hsou. S'y rendant vers midi, comme il traversait distraitement la cour extérieure, il faillit heurter Mme Houa, tant il s'attendait peu à la voir apparaître dans l'embrasure de la porte de la terrasse surélevée. Il ne l'avait vue qu'une fois de loin, lors d'une visite à la maison de campagne de son ami ; c'était donc la première fois qu'il se trouvait en sa présence. Dès qu'il la vit, Hsi Men sentit ses sens qui montaient droit au ciel.

Elle répondit à la profonde révérence du visiteur en disant : « Wan fou », c'est-à-dire « dix mille vœux de bonheur », puis elle se retira. Mais après qu'une servante eut conduit Hsi Men dans la salle de réception et l'eut prié de s'asseoir, son merveilleux visage réapparut, voilé à demi, dans l'embrasure de la porte.

— Veuillez patienter un instant, dit-elle. Mon époux est sorti pour ses affaires et ne tardera pas.

Comme la servante lui servait du thé, Hsi Men entendit encore derrière la porte, sa voix qui prononçait :

— Oserai-je, seigneur, vous demander une faveur ? Au cas où mon époux voudrait sortir avec vous pour boire du vin dans de certains endroits, puis-je vous prier de prendre garde, pour mon honneur, qu'il ne rentre pas trop tard ? Actuellement, je suis seule avec mes deux servantes.

— Madame ma belle-sœur, je n'y manquerai pas !

Il eut à peine le temps d'achever sa phrase, que l'on annonça le retour de l'ami Houa. L'épouse disparut aussitôt. Elle avait pressenti juste : son mari n'avait invité Hsi Men que pour l'emmener au plus vite dans la maison de plaisir de la mère Wou. Ce jour, le vingt-quatrième du sixième mois, était l'anniversaire de son amie Vif-argent, ce qui valait naturellement d'être bien fêté. Pour répondre au désir exprimé par la belle Mme Houa, Hsi Men ramena son ami ivre-mort à la maison, après avoir fait tout ce qu'il avait pu pour le mettre dans cet état. On avait fini par transporter l'ivrogne à l'intérieur de sa maison et Hsi Men était sur le point de se retirer, lorsque Mme Houa reparut, sous prétexte de le remercier.

— Mon lourdaud de mari a encore trop bu. En le raccompagnant, vous m'avez marqué une attention délicate.

— Je vous en prie ! dit Hsi Men en s'inclinant. Un ordre de votre bouche sera toujours gravé dans mon cœur et taillé dans mes os. Comment peut-on négliger pareillement une aussi chère et jeune épouse ? Il faut être irresponsable ou tout à fait imbécile !

— Comme vous avez raison ! La légèreté de sa conduite me rend malade de chagrin. Puis-je me permettre d'espérer que vous le surveillerez un peu dorénavant, pour me rendre service ? Je vous en serais reconnaissante du plus profond de mon cœur.

Eh bien : une tape sur la tête de Hsi Men suffisait pour éveiller un écho dans la plante de ses pieds ! Sa longue expérience du jeu de la lune et des vents lui fit comprendre bien vite que les paroles de la belle Mme Houa venaient de lui ménager une entrée confortable dans le port de l'amour. Serait-il bête au point de faire la sourde-oreille à cette suave mélodie ?

— Honorable belle-sœur, répondit-il avec un sourire entendu, tranquillisez-vous : je le surveillerai de près.

Elle se retira après l'avoir encore remercié. Pour lui, il finit son thé à la mousse de noyaux d'abricots et rentra chez lui très satisfait. A partir de ce jour, il agit méthodiquement : chaque fois qu'il visitait une maison de joie en compagnie de l'ami Houa, Ying le Tapeur et Hsié Hsi Ta avaient mission de retenir l'autre à boire, et de lui faire passer la nuit hors de son domicile chaque fois que c'était possible. De son côté, Hsi Men se retirait discrètement pour aller se poster devant sa maison.

Un soir qu'il se trouvait à son poste habituel, la servante Hsiou Tchoun vint vers lui.

— Ta maîtresse me veut quelque chose ? lui demanda-il avec empressement.

— Elle aimerait vous parler. Le maître n'est pas à la maison.

Il accepta incontinent l'invitation et se laissa conduire dans la salle de réception.

— Vous avez fait preuve d'une grande bonté l'autre jour, lui dit la belle voisine en le saluant. Auriez-vous rencontré mon mari aujourd'hui ? Il a disparu depuis deux jours.

— En vérité, nous étions ensemble, hier, chez la mère Tchong. Des affaires m'ont obligé à partir plus tôt. Mais aujourd'hui je ne l'ai pas vu, il m'est donc impossible de vous dire où il se trouve actuellement. Heureusement d'ailleurs ! sans quoi je devrais m'attendre à de sérieux reproches de votre part, pour avoir si mal tenu ma promesse.

L'ami Houa ne rentra que le jour suivant. Sa femme se délivra de toute la rancune amassée en lui faisant un violent discours de reproches, qu'elle termina ainsi :

— Notre voisin, M. Hsi Men, a fait le sacrifice de s'occuper un peu de toi, c'est grâce à lui si tu n'es pas encore tout à fait dévoyé. Nous lui devons une petite attention pour lui exprimer notre gratitude. Et c'est un moyen de consolider notre amitié.

L'ami Houa emplit avec docilité quatre coffrets de petits cadeaux, qu'il fit parvenir à la maison voisine avec une cruche du meilleur vin. Comme Hsi Men expliquait à Mme Lune la raison de ces présents, elle s'écria, sarcastique :

— Voyez-vous cela ! c'est toi qui veilles à sa bonne conduite ! Tu ferais mieux de t'occuper de la tienne ! On dirait d'un bouddha d'argile qui voudrait faire la leçon à un bouddha de terre glaise ! Et toi, n'es-tu pas toute la journée à courir de droite et de gauche ? De toute façon, il faut que nous leur rendions décemment leur politesse. Vois donc qui a signé la lettre ? Si c'est la femme, il faut que je réponde en l'invitant moi-même. Si c'est M. Houa, tu feras comme tu voudras.

— C'est lui, je l'inviterai pour demain.

L'ami Houa fut reçu somptueusement pendant toute une journée. Puis sa femme lui démontra que ses pauvres petits cadeaux étaient hors de proportion avec la générosité de la réception chez les voisins. Ils étaient donc encore une fois leurs obligés et il fallait les inviter à leur tour. La Fête des Chrysanthèmes leur offrait une occasion splendide pour cela, le neuvième jour du neuvième mois. L'ami Houa pria donc Hsi Men, ainsi que quatre autres compagnons, de venir honorer sa maison le jour de l'exposition des chrysanthèmes. Le divertissement était assuré par deux danseuses ; et la fête, comme d'habitude, s'étendit bruyamment et joyeusement sur toute la nuit.

A l'heure où l'on se munit de sa lanterne, Hsi Men se leva de table en s'excusant pour un instant. Dans l'obscurité, il faillit entrer en collision avec Mme Houa qui s'était postée en observation au pied du Mur des Esprits. Elle se retira vivement, mais la soubrette Hsiou Tchoun, émergeant de l'ombre, aborda Hsi Men.

— Ma maîtresse vous prie de boire avec mesure, dit-elle dans un souffle, et de vous retirer de bonne heure. Elle vous fera tenir un autre message plus tard.

La joie fit presque oublier à Hsi Men ce qu'il était venu faire ! Mais, revenant à table, il évita de boire en se contentant de simuler l'ivresse.

L'attente cependant fut longue à Mme Houa qui dut passer et repasser bien des fois derrière le rideau. La première veille de la nuit était presque écoulée, et elle voyait toujours M. Hsi Men à sa place, dans une attitude somnolente. Ying le Tapeur et Hsié Hsi Ta semblaient cloués sur leurs sièges et ils ne bougèrent pas d'un pouce lorsque les deux autres compagnons, Tchou Chi Nien et Sun Tien Houa, se levèrent pour s'en aller. L'impatience avait mis Mme Houa hors d'elle. Hsi Men enfin voulut prendre congé.

— Petit Frère, lui dit l'ami Houa pour le retenir, veux-tu bien rester tranquille ! Tu n'es guère courtois pour ton hôte aujourd'hui.

— Je suis ivre, je ne tiens plus sur mes jambes, rétorqua Hsi Men en balbutiant. Il sortit en simulant le pas chancelant des ivrognes, soutenu par deux serviteurs.

— Je ne sais pas ce qui lui arrive ce soir, grommela Ying le Tapeur. Il refuse de boire et il suffit de quelques gouttes pour le soûler. Mais nous n'allons pas nous gêner, nous autres, pour boire encore quelques tournées. Nous sommes entre nous maintenant !

— Insolents, tous, tant qu'ils sont ! murmura Mme Houa derrière son rideau. Et elle fit prier son mari de venir la rejoindre.

— Tu auras l'obligeance, lui dit-elle impérieusement, de filer à la maison de joie avec tes amis. Vous y boirez à votre guise. Mais épargne-moi ce vacarme ici. Est-ce qu'il est convenable que je gaspille de l'huile pour vous et que je doive faire entretenir le feu à la cuisine toute la nuit ? Cela ne me va pas du tout.

— Je ne demanderais pas mieux ; mais demain, tu m'accableras de reproches.

— Tu peux rentrer demain matin, je n'y vois pas d'inconvénient pour ma part.

L'ami Houa ne se le fit pas dire deux fois et ses convives ne manifestèrent pas l'ombre d'une objection. Ils sortirent donc, un peu avant minuit, en emmenant les danseuses et les deux jeunes serviteurs Tien Fou et Tien Hsi.

Hsi Men attendait le message qu'on lui avait promis. Il était dans une tonnelle, assis dans le noir près du mur qui séparait sa propriété de celle du voisin. Il entendit un chien qui aboyait, une porte qui grinçait ; puis le silence. Enfin, venant du haut du mur, un miaulement. Il leva la tête et vit la soubrette Ying Tchoun qui lui faisait un signe par-dessus le mur. Il poussa une table, mit une banquette dessus et grimpa. De l'autre côté, se trouvait une échelle. On le conduisit ensuite dans la salle de réception qui était éclairée aux chandelles. Sa belle voisine l'attendait, en léger négligé, tête nue et les cheveux dénoués ; elle le pria de s'asseoir en lui offrant la coupe de l'accueil.

— Je mourais d'impatience, lui dit-elle après les phrases de salutations d'usage. Les deux impudents que mon mari a invités ne faisaient pas du tout mine de partir ; j'ai donc suggéré qu'ils feraient bien d'aller continuer dans une maison publique. Voilà comment je me suis débarrassée de leur compagnie importune.

— Mais, demanda Hsi Men prudemment, si Frère Houa allait rentrer inopinément?

— Oh, je lui ai donné congé jusqu'à demain matin. Les deux petits serviteurs l'accompagnent et je suis seule avec mes deux servantes. La vieille Fong, qui garde la porte, est mon ancienne nourrice, c'est une personne sûre et discrète.

Délivré d'inquiétude, Hsi Men s'abandonna aux délices de l'heure présente. Épaule contre épaule et cuisse contre cuisse, ils burent à la même coupe. Ying Tchoun servait à boire, Hsiou Tchoun à manger. Un peu plus tard, le couple se retira dans la chambre à coucher remplie de nuages d'aromates et s'adonna, sous les rideaux de soie bigarrée, à tous les plaisirs du lit.

Mme Houa avait fermé soigneusement la double fenêtre tendue de parchemin, pour se garantir contre la curiosité des regards étrangers. Mais elle avait compté sans la finesse de sa soubrette Ying Tchoun. Cette petite rusée de dix-sept ans n'avait pas résisté au plaisir de se glisser sous la fenêtre où elle avait fait, avec une épingle à cheveux, un trou dans le double carreau de parchemin. Elle vit alors, à la lueur des lampes et des bougies, quelque chose qui se profilait sur le rideau du lit comme l'ombre d'un étrange poisson, énorme et frétillant; et elle entendit, en alternance, des sons qui rappelaient les cris aigus du perroquet et le gazouillis d'une hirondelle.

Ils restèrent ensemble jusqu'au premier cri du coq, comme une faible lueur à l'est annonçait la naissance du jour. Hsi Men rentra dans sa propriété par le même chemin qu'il avait suivi pour venir. En prévision d'autres visites, ils étaient convenus d'un signe secret qui indiquerait que le passage était libre: une faible toux se ferait entendre en même temps qu'une brique tomberait du haut du mur.

Hsi Men se rendit au pavillon de Lotus d'Or. Il la trouva couchée.

— Où as-tu donc passé la nuit?

— Chez la mère Wou avec Frère Houa. Je l'y accompagnais par pure complaisance.

Elle le crut; mais son cœur gardait l'ombre d'un doute.

Elle était en train de coudre, certaine après-midi, dans un des bosquets du parc en compagnie de Mong Yu Loh, lorsqu'une brique vint soudain tomber à côté d'elle. Pendant que Mong Yu Loh effrayée retirait précipitamment ses pieds, Lotus d'Or leva la tête vers le mur du parc. Elle vit la tache claire d'un visage apparaître puis disparaître aussitôt. Elle poussa du coude sa compagne et lui montra l'endroit du mur où elle avait vu la chose insolite.

— Sœur Trois, demanda-t-elle à voix basse, c'est bien la propriété de l'ami Houa, n'est-ce pas? Et c'était bien la vieille Fong qui a regardé par-dessus le mur et qui s'est cachée en nous voyant assises ici. Je l'ai parfaitement reconnue. Crois-tu qu'elle n'ait eu que l'intention de regarder les fleurs?

Le même soir, elle observa Hsi Men avec une attention toute particulière. Il passa au pavillon, mais il refusa distraitement lorsqu'elle lui offrit à boire et à manger, et il s'éloigna bientôt dans le parc. Curieuse, elle le suivit de loin. Soudain, elle vit apparaître au-dessus du mur le même visage que tout à l'heure, Hsi Men aussitôt saisit une échelle et escalada le mur prestement. Lotus d'Or rentra songeuse au pavillon. Elle marcha longtemps de long en large dans sa chambre, puis elle se coucha, mais sans pouvoir trouver le sommeil de toute la nuit.

Hsi Men pénétra dans sa chambre le lendemain matin de bonne heure et s'assit au bord de son lit. L'observant par-dessous ses cils, elle lui vit l'air embarrassé comme s'il s'était senti coupable. Elle se redressa vivement et lui dit sévèrement:

— Infidèle! Confesse où tu as passé la nuit. Pas de mensonges, je t'en prie; je suis au courant de tes manœuvres.

Hsi Men se trouva pris. Il choisit le parti de se faire aussi petit qu'un nain et il se jeta à ses genoux pour la supplier:

— Cher petit museau huilé, ne crie pas; je vais tout avouer. Et après qu'il eut tout dit, il conclut:

— D'ailleurs, elle souhaite que toi et la Première la receviez en visite amicale, pour qu'elle vous présente les pantoufles de bon accueil qu'elle a faites de ses mains. De plus elle voudrait conclure avec toi une entente fraternelle.

— Comme si j'y tenais, moi! Elle espère se faciliter l'entrée de ta maison par ces petites attentions. Je possède assez d'expérience pour qu'une femme de ce genre ne puisse pas m'aveugler, et je n'ai pas la moindre envie d'observer de près sa magie. Dis-moi franchement combien de fois tu as couché avec elle?

— Drôle de petite bonne femme, s'exclama Hsi Men en riant. Tu assassinerais un homme avec tes questions! Tranquillise-toi, je t'en prie. Demain, elle viendra se prosterner devant toi et t'offrir une paire de pantoufles en signe d'amitié. Hier elle s'est procuré le patron du pied de Mme Lune; et aujourd'hui, elle commence par t'envoyer, à toi, ce petit cadeau par mon intermédiaire.

Il enleva son béret et s'ôta des cheveux les deux épingles que Mme Houa lui avait offertes. C'étaient des pièces précieuses, en or bosselé, frappées en forme du caractère Chou, qui porte bonheur et signifie : « Longue vie ! », et incrustées de turquoises bleues. Le vieux Grand-eunuque, l'oncle du mari, les avait portées en personne lorsqu'il fréquentait la Cour.

— Comment les trouves-tu ?

— C'est bien, je ne dirai plus rien, dit Lotus d'Or très radoucie. Au contraire : je guetterai avec toi pour savoir d'où souffle le vent, chaque fois que tu voudras la revoir. Qu'en dis-tu ?

— Tu es une petite femme vraiment très raisonnable, dit-il en la serrant tendrement dans ses bras pour lui témoigner le ravissement que lui causait ce changement d'humeur. — Et tu sais, poursuivit-il, celle-ci ne m'aime pas pour mon argent, c'est véritablement le coup de foudre [74]. Et pour toi, je te ferai présent demain d'une robe splendide.

— Je ne me fie pas beaucoup à tes lèvres de sucre et à ta langue de miel. Si tu veux que je tolère cette liaison, promets-moi trois choses.

— Tout ce que tu voudras !

— Voici : premièrement, il faudra que tu t'abstiennes de fréquenter les maisons publiques ; deuxièmement, que tu m'écoutes quand je parle ; troisièmement, que tu me racontes en détail tout ce qui s'est passé, chaque fois que tu rentreras de chez l'autre. Mais tu me diras tout ! Veux-tu le faire ?

— Avec joie !

Dès ce jour, toutes les fois qu'il rentrait de chez Mme Houa, il lui racontait fidèlement ce qu'il avait bu, mangé et fait. Elle était insatiable de renseignements : si le corps de Mme Houa était de teint clair, s'il était doux au toucher comme du damas fleuri, si enfin elle savait boire et jouer aux cartes aussi bien qu'elle s'entendait au jeu de la lune et des vents.

Il rapporta un jour une précieuse frise, que le Grand-eunuque avait dérobée au Harem Impérial. C'était une longue bande de soie, dentelée et bordée d'or. Un artiste y avait représenté, avec la plus haute perfection, douze scènes d'amour différentes. Les vingt-quatre figures nues des deux sexes, qui par couples satisfaisaient leurs désirs printaniers, étaient peintes d'une beauté surhumaine [75]. Lotus d'Or examina minutieusement la frise de bout en bout à la lueur de la lampe, puis elle la plia et la confia à la soubrette Tchoun Mei, comme si elle lui appartenait.

---

74. Ce surprenant anachronisme vient en lieu et place de la réponse non moins surprenante de l'original chinois, retranscrite par l'EIF : « Ma chérie, tu n'es pas de ces folles qui croient qu'élever le fiston consiste à chier de l'or et pisser de l'argent, mais tu es de celles qui comprennent que l'amour se fortifie en tenant compte de la situation. » Voir EIF, I, p. 1126, n. 1 de la p. 267.

75. L'original chinois livre des éléments techniques retranscrits par l'EIF (I, p. 268) : « Monture de satin broché de fleurs entrelacées, ornée d'une languette d'ivoire et fermée d'un ruban de brocart : vives couleurs et fins contours d'or gravés sur beau papier carré. »

— Il faudra la rendre dans deux jours, dit Hsi Men timidement. Notre voisine y tient comme à un souvenir précieux et je ne l'ai apportée que pour te la montrer.

— Je ne la rendrai pas! Je m'en servirai pour des études quotidiennes.

— Gare à toi! Si tu t'obstines, je t'ouvrirai le poing de force.

— Essaie donc! Je ne la rendrai pas; je la mettrais plutôt en pièces.

— Eh bien garde-la et contemple-la jusqu'à satiété. Il y a d'ailleurs beaucoup de choses curieuses dans la maison voisine; je te les ferai voir un jour ou l'autre.

— Merveilleux! Pour te remercier, je vais ouvrir mon petit « poing » de mon propre gré.

Et les deux amants se livrèrent aux délices ailées de la couche avec une vigueur inaltérée.

Chapitre treizième

Par une après-midi, Hsi Men entra chez Mme Lune, marqué par tous les signes d'une violente émotion.

— Figure-toi qu'on vient d'arrêter Houa, lui dit-il. Nous étions trois à boire avec lui sans nous douter de rien dans la maison de la mère Tchong — tu vois bien : c'est là qu'habite Parfum Préféré – lorsque nous avons vu entrer plusieurs agents du Yamen. Il va de soi qu'aucun de nous n'était très rassuré. Je me suis enfui en face, chez Fleur de Cannelle, pour me cacher dans sa chambre. J'y ai passé la moitié du jour. J'ai fait prendre des renseignements. Il paraît que les trois frères de Houa ont déposé une plainte en détournement d'héritage, auprès du préfet de la capitale de l'Est, et qu'ils ont réussi à obtenir un mandat d'arrêt contre lui. Ce n'était pas très grave, somme toute, aussi je suis sorti de ma cachette.

— Cela devait finir comme cela ! Voilà où t'amènent tes relations et tes vagabondages. Cela s'est bien passé aujourd'hui, tu en es quitte pour la peur ; mais je prévois que tu vas être mêlé prochainement à une rixe et qu'on finira par retrouver ta tête de mouton réduite en gelée à force d'avoir été battue.

— Ha ha ha ! me battre, moi ? dit Hsi Men en riant présomptueusement. Il y faudrait un homme qui possède sept fronts et huit vésicules biliaires [76] !

— Ce n'est pas difficile de faire le fanfaron dans sa maison !

Leur conversation fut interrompue par le petit valet Tai A, qui venait annoncer le serviteur de Mme Houa, Tien Fou. Elle priait instamment Hsi Men de l'aller voir au plus vite. Il hésita un moment, puis se dirigea vers la porte.

Mme Houa venait à sa rencontre dans une tenue négligée, le visage bouleversé et pâle comme la cire. Elle tomba à ses genoux et se lamenta.

— Hélas, seigneur, je ne sais que faire. Pour l'amour de Bouddha, sinon pour celui de son indigne servante, veuillez agir en ami et en voisin et ne pas m'abandonner. Jamais mon mari n'a voulu m'écouter. Au lieu de s'occuper de sa maison, il passait son temps à courir au dehors. Et voilà le désastre arrivé !

---

76. L'EIF présente une formulation crâne et interrogative qui modifie les termes (« – Qui aurait sept têtes et huit foies pour oser me toucher ? ») ; Lévy note toutefois que la vésicule biliaire, réputée pour être le siège du courage, est plus appropriée. En revanche, « sept fronts » n'a pas de sens ici, puisque l'expression chinoise évoque les têtes que l'on est prêt à se faire trancher. Voir EIF, I, p. 1128, n. 4 de la p. 270.

— Belle-sœur, levez-vous, je vous en prie ! Ce n'est pas aussi grave que vous le pensez, dit Hsi Men pour la rassurer. D'ailleurs je ne connais pas le premier détail de l'affaire.

— Voilà : mon mari est le second de quatre frères, neveux selon le sang du vieux Koung Koung. De son vivant, le Grand-eunuque, lorsqu'il était venu s'installer ici après son séjour dans le sud, m'avait confié toute sa fortune liquide, à moi exclusivement, car mon époux ne lui paraissait pas assez sérieux. Les trois autres neveux évitaient de s'approcher du vieux, car il leur distribuait libéralement les coups de bâton. Lorsque le vieux mourut, il y a un an, les trois autres eurent bien leur part des ustensils de ménage et du mobilier, mais l'argent liquide resta entre mes mains sans être partagé. Maintes fois j'ai conseillé à mon mari d'indemniser ses frères ; il n'a jamais daigné s'en occuper. Et les voilà maintenant qui se jettent sur lui sans crier gare !

— Il ne s'agit donc que d'une simple querelle d'héritage, ce n'est pas grave. Il n'y a vraiment pas lieu de vous faire tant de souci. Je suis tout à votre disposition et je considérerai l'affaire de Frère Houa comme la mienne propre.

— Comme cela, je suis rassurée. Ce qu'il faut avant tout, selon moi, c'est de gagner les autorités à notre cause. Il va sans dire que je mettrai les moyens qu'il faudra à votre disposition.

— Il ne sera pas nécessaire de faire des dépenses excessives. La décision est du ressort du préfet de Kai fong fou, M. Yang, qui est de la clientèle du chancelier Tsai, qui est un ami intime du maréchal Yang, mon parent. Les deux derniers sont des personnages importants à la Cour, ils ont un accès direct auprès du Fils du Ciel. C'est donc là qu'il faut insister pour qu'ils influencent le préfet Yang en faveur de votre mari [77]. Il est entendu que nous serons obligés d'offrir quelques cadeaux au chancelier ; mais c'est inutile pour le maréchal, puisqu'il est de ma famille.

Mme Houa se rendit incontinent dans sa chambre. Elle tira d'un bahut soixante lingots d'argent, pesant ensemble trois mille onces, qu'elle fit porter par ses servantes.

— Voici la somme que je mets à votre disposition.

— La moitié suffira !

— S'il y a du surplus, veuillez le considérer comme vôtre. Mais j'ai caché derrière mon lit d'autres caisses et quelques coffres, contenant des toilettes de cour, des ceintures de jade, des bagues et d'autres bijoux précieux ; j'ai-

---

77. Le réseau qu'active Hsi Men est identique à celui auquel il a recouru pour l'éloignement et la condamnation de Wou Soung.

merais vous les donner en garde pour des raisons de sécurité. M'accorderez-vous cela ?

— Mais si Frère Houa, en rentrant, s'aperçoit de la disparition de ces effets ?

— Il les ignore ! Le vieux Koung Koung me les avait confiés personnellement et je n'en ai jamais rien dit à mon mari.

— Dans ce cas, je prends le temps de rentrer chez moi et je vous envoie mes gens.

Hsi Men alla se concerter immédiatement avec Mme Lune. Elle fut d'avis qu'il fallait faire chercher l'argent dans des paniers ordinaires, mais qu'il faudrait faire passer les coffres et les bahuts par-dessus le mur pendant la nuit, pour ne pas attirer inutilement l'attention des voisins.

Le lendemain, Tchen, le futur gendre de Hsi Men, fut chargé de rédiger une requête à son oncle, le maréchal Yang. On l'expédia en grande hâte à Kai fong fou par le serviteur Lai Pao. Dès qu'il en eut pris connaissance, le maréchal se mit en rapport avec le chancelier Tsai et son protégé, le préfet de la capitale, Yang.

Le jour de l'audience publique à la préfecture arriva. Mille personnes environ s'agenouillèrent lorsque le préfet fit son entrée dans la grande salle où se rendait la justice. Des lettres avaient renseigné Houa pendant sa prison préventive. L'interrogatoire fut bref et peu sévère. Comme le préfet lui demandait quelques précisions sur la succession de son oncle, Houa déclara qu'il restait deux immeubles d'habitation dans la ville et une propriété à la campagne ; que le mobilier et les ustensiles de ménage avaient été partagés et que tout l'argent liquide avait fondu dans les frais d'un enterrement qu'on avait voulu digne. Le préfet se déclara satisfait et prononça :

— Il est très difficile de vérifier le montant de la fortune de ces fonctionnaires du service intérieur de la Cour ; elle se perd souvent aussi vite qu'elle avait été acquise. Attendu qu'il ne reste plus d'argent liquide de cet héritage, j'ordonnerai au sous-préfet de Tsing ho hsien de faire mettre en vente publique les trois propriétés et d'en partager le produit entre les trois plaignants.

Les trois frères présents avaient espéré davantage, aussi ne consentirent-ils pas à se plier à cette décision. Ils se prosternèrent devant l'estrade vermillon, pour demander qu'on ne délivre pas l'accusé tant qu'il n'aurait pas restitué la fortune en espèces qui de toute certitude existait bel et bien.

— Pourquoi n'avez-vous pas fait valoir vos droits aussitôt après le décès de votre oncle ? tonitrua le préfet courroucé. L'affaire est prescrite ! Que signifie cette plainte si tardive ?

Et l'ami Houa fut mis en liberté sans avoir reçu le moindre coup de bâton. Quand Mme Houa apprit l'issue du procès, elle envoya chercher Hsi Men pour tenir conseil avec lui. Elle lui recommanda instamment d'acheter la propriété voisine de la sienne, avant qu'elle tombe dans des mains étrangères. Hsi Men communiqua cette proposition à Mme Lune. Cette dernière eut des scrupules, car elle pensait que cette acquisition attirerait l'attention de Houa et qu'elle éveillerait ses soupçons. Hsi Men réserva sa décision pour plus tard.

L'ami Houa rentra bientôt et la vente publique des immeubles eut lieu. Le deuxième bâtiment, situé à la Place de la Paix, fut acquis par la maison impériale pour la somme de sept cents onces d'argent ; le domaine à la campagne, devant la porte sud de la ville, pour six cent cinquante-cinq onces par Tchou, le préfet du Fleuve. Restait le domaine voisin de la maison de Hsi Men, taxé cinq cent quarante onces. Il ne trouvait pas preneur, car personne n'osait prévenir les intentions de Hsi Men. L'ami Houa ne cessait de le lui offrir, mais Hsi Men s'excusait sous prétexte qu'il manquait d'argent. Cependant le sous-préfet exigeait que la liquidation fût prompte ; Mme Houa résolut donc d'envoyer la vieille Fong chez Hsi Men, pour lui dire de prélever la somme sur le trésor en argent qu'elle lui avait confié. Cela décida Hsi Men qui acheta le domaine voisin. On partagea le produit de la vente en parts égales entre les trois plaignants, mais le pauvre Houa n'eut rien du tout.

Tourmenté par bien des soucis, il finit par demander à sa femme si Hsi Men ne lui avait pas rendu compte de l'emploi des soixante lingots d'argent qu'elle avait mis à sa disposition. Il en restait peut-être assez pour s'acheter une autre maison en ville et pour s'assurer une vie modeste ? Il tombait bien mal ! Cinq jours durant, il subit les criailleries de sa femme :

— Peuh ! Inutile de disputer avec un imbécile de ta sorte ! Un peu de prévoyance de ta part... Si tu avais fait le nécessaire en temps utile, tu ne serais pas tombé dans leur filet. Tu te plains qu'on ait trop dépensé ? Où crois-tu que sont restées les trois mille onces ? Tu ne vas pas t'imaginer que de grands personnages, comme le Grand secrétaire Tsai et le maréchal Yang, se contentent de petites becquetées ? Et crois-tu que le préfet t'a laissé courir pour rien ? Ce qu'il faudrait, au lieu de bouder et gronder, c'est que tu convies à un festin de gratitude le noble bienfaiteur qui, sans être ton parent ni ton obligé, a pris sur lui les démarches et les ennuis ; pour toi, tu te brosseras avec le balai de la reconnaissance !

Grâce à ses amis et connaissances, Houa finit tout de même par réunir la somme de deux cent cinquante onces d'argent qui lui permit d'acheter un logement à la rue des Lions. Il n'eut, hélas, pas le temps d'en jouir beaucoup. Peu après avoir déménagé, un refroidissement, venant par-dessus tant d'émotions, l'obligea à se coucher. Il se priva des soins d'un médecin, par souci d'économie, et traîna misérablement au jour le jour jusqu'à ce qu'il rendît son dernier souffle. Le pauvre n'avait que vingt-quatre ans !

Les cinq semaines de deuil obligatoire n'étaient pas encore révolues, que la veuve — que nous appellerons désormais de son surnom Ping, c'est-à-dire Vase — prit la décision d'aller rendre visite à la maison voisine. Ses pensées erraient beaucoup moins près de la plaquette votive du défunt que de Hsi Men, et l'anniversaire de Lotus d'Or, qui venait le neuvième jour du premier mois, lui parut un prétexte bienvenu à cette démarche.

Elle adoucit le blanc de deuil sévère de son vêtement de dessus et de son voile de veuve par un fourreau de soie bleu et or et un splendide diadème de perles ; puis elle se rendit en cet apparat chez Mme Lune devant qui elle se prosterna en faisant quatre fois le Ko teou. La Première lui présenta tour à tour les autres femmes de Hsi Men. Mme Ping sut rapidement se mettre en bons termes avec tout le monde, et particulièrement avec Lotus d'Or qu'elle nomma d'emblée sa sœur.

On s'aperçut tôt qu'elle tenait hardiment tête au vin et il s'ensuivit une joyeuse beuverie. Le soir venu, on refusa de laisser s'en aller l'invitée, en la pressant de passer la nuit dans le pavillon de Lotus d'Or.

Au cours de l'après-midi, Mme Lune avait laissé échapper un jugement flatteur sur la beauté des deux épingles en Chou que portait Lotus d'Or, celles précisément que Hsi Men lui avait apportées de la part de Mme Ping. L'invitée, aussitôt, en promit de semblables à chacune des femmes. Et le lendemain matin, en effet, la vieille Fong apporta quatre petits paquets qui contenaient chacun une paire d'épingles. Cette preuve de générosité conquit toute la maison de Hsi Men. On s'informa sur-le-champ de la date de l'anniversaire de la donatrice ; dès que l'on sut qu'il tombait sur le quinzième jour du premier mois, en même temps que la Fête des Lanternes, on décida d'un accord unanime de lui rendre sa visite ce jour-là, car on bénéficierait de l'emplacement de la maison de Mme Ping dans la rue des Lions, juste en face du marché aux lanternes.

De son côté, Mme Ping était rentrée très satisfaite de sa visite aux femmes de Hsi Men. Elle s'était introduite du mieux qu'elle pouvait et elle pensait qu'elle avait fait ce qu'il fallait pour désarmer toute espèce d'opposition, au cas où Hsi Men aurait l'idée de combler ses vœux les plus chers en l'amenant comme son épouse dans sa maison. Ce dernier espoir s'était tout spécialement nourri de la vue d'un chantier de construction, non loin du pavillon de Lotus d'Or, tout près de la propriété voisine. L'arpenteur était venu et il avait annoncé qu'on allait entreprendre des travaux d'ici un mois. On avait déjà défoncé le mur ; il fallait encore agrandir le parc jusqu'au-delà de l'ancienne clôture, construire une petite colline que couronnerait un belvédère, et édifier un peu plus loin un nouveau pavillon d'habitation d'un seul étage.

— Et tout cela pour moi ! avait ajouté présomptueusement Lotus d'Or.

— Pour moi ! s'était dit Mme Ping en silence.

Ponctuellement, un jour avant le quinze, Hsi Men fit tenir à Mme Ping, de la part de sa Première, une cruche du meilleur vin, plusieurs plats cuisinés, dont un de nouilles-de-longue-vie, une coupe de pêches-de-longue-vie et une robe tissée de fils d'or. On répondit par cinq cartes d'invitation aux cinq femmes, plus une à Hsi Men, plus secrète, pour le prier de venir plus tard dans la soirée. A l'exception de Sun Hsué O qui devait garder la maison, les quatre femmes acceptèrent ; et l'on vit, l'après-midi du quinze, quatre palanquins se diriger vers la maison de Mme Ping, escortés d'une suite nombreuse.

Deux chanteuses divertirent la compagnie par leurs chants et leurs danses ; mais l'intérêt se portait principalement à la fête qui se déroulait à l'extérieur. Au bout de peu de temps, les cinq belles se pressaient à la fenêtre du balcon, pour regarder dans la rue, de derrière le rideau de perles.

Devant elles s'ouvrait le marché aux Lanternes [78]. Les nombreuses baraques étaient assaillies par une foule énorme qui s'y engouffrait des deux bouts de la rue des Lions. Mais aussi, quel spectacle ! La beauté, la variété de ces splendides lanternes, dont un certain nombre étaient en vente dans les boutiques, d'autres fixées à des perches pour décorer la fête, d'autres enfin, portées par la foule ! Ces dernières glissaient au-dessus de la masse des têtes

---

78. Ce passage de la visite rendue à Mme Ping (Vase ou Fiole) par les femmes de Hsi Men donne lieu dans toutes les versions du roman au morceau de bravoure de la description des échafaudages du marché aux lanternes, animation courue du Nouvel An chinois. L'ekphrasis qui commence ici peut être mise en relation avec les nombreux exemples qui émaillent la tradition occidentale depuis l'Antiquité. Typique de ce genre littéraire de la description d'œuvres d'art, la multiplication des occurrences visuelles poussée jusqu'à l'invraisemblance a notamment commencé à Homère une description du bouclier d'Achille, modèle du genre, et pas simplement pour la sphère occidentale. Voir A.-M. Lecoq, *Le Bouclier d'Achille – un tableau qui bouge*, Paris, Gallimard, 2009. Pour une lecture exhaustive de la description virtuose du marché aux lanternes, on se reportera à l'EIF (I, p. 294-296) ainsi qu'à son érudite annotation (p. 1132-1135). On notera toutefois que Chen-Noung (ou Shen Noung), le souverain légendaire qui régna dans les années 2700 et auquel on attribue le *Grand Herbier ou Pents'ao* dans lequel il traite de la guérison des maladies par les minéraux, les animaux et les plantes, est absent de la version originale. Il faut aussi souligner que tous les thèmes sont tournés dans un sens érotique, qu'il s'agisse de Tchoung Koueh, le « pourfendeur des démons », qui est connu pour avoir marié sa petite sœur à un étudiant de son pays qui lui rend les hommages funèbres (ici « accouplé à de jolies filles ») ou de Liou Hao (Liu Hai deng, l'un des huit immortels) présenté dans une situation évocatrice de l'art de Jérôme Bosch – à cet imaginaire revoient les crabes myriapodes, c'est-à-dire dotés de très nombreuses pattes (huit pattes et sept pinces dans l'original).

comme des fleurs magiques ou comme d'immenses perles lumineuses ! On y voyait représentées toutes les espèces de fleurs, du lisse nénuphar à la pâle fleur de neige. Et quelles trouvailles, dans ces dessins qui s'inspiraient de l'homme et des animaux ! On discernait les jeunes disciples de Confucius, poliment inclinés ; des ménagères vertueuses ; toute l'histoire du bon vieil empereur Chen Noung ; des moines gras qui étalaient la plus basse cupidité sous leur calvitie de pleine lune. On voyait l'horrible vieux Tchoung Koueh, le sévère juge des enfers, accouplé à de jolies filles ; le riche Liou Hao, le parangon de vertu, en train de dévorer ses joyaux tout en chevauchant un crapaud. On voyait des chameaux lourdement chargés, des lions argentés, des singes, des éléphants blancs qui passent sous la porte de la ville avec d'étranges trésors sur leur dos ; des crabes myriapodes, des requins à gueule béante, des papillons d'argent, des salamandres bigarrées ; enfin toutes sortes de scènes extravagantes, comme les quatre disciples de Lao Tsé [79] en train de proposer le livre secret de la drogue de cinabre, ou de paisibles villageois déguisés en guerriers farouches, si ce n'était pas au contraire, de farouches tribus des confins du territoire qui se muaient en paisibles colons tributaires.

Toutes les classes de la société étaient représentées dans cette foule ; jusqu'aux petits jeunes gens nobles et blasés, qui piétinaient d'impatience lorsque la cohue les arrêtait ; jusqu'aux patriciennes richement parées, accompagnées de leur fille, qui allaient s'abriter du tumulte en montant au premier étage d'une maison de thé, après avoir embelli le tableau par les splendides couleurs de leurs robes somptueuses.

Rien ne manquait : ni le diseur de bonne aventure, qui s'offre à lire le destin des passants dans les nuages ou dans la disposition des constellations ; ni l'académicien déchu qui profite de tout piédestal pour raconter des histoires à la foule et pour chanter des chansons ; ni le moine qui travaille la cymbale de sa paume pour essayer d'attirer la foule, afin de l'édifier par des textes du Tripitaka [80] ; ni le boulanger ambulant qui circule avec ses beignets de

---

79. Lao-tseu (*Laozi* : Maître Lao ou Vieux Maître) est un sage chinois tenu pour un contemporain de Confucius (v. 550-v. 450) et pour l'ancêtre du taoïsme. Les sectes taoïstes le désignent comme Taishang Laojun (« suprême seigneur Lao »). Né dans le pays de Chu, il serait parti pour une retraite spirituelle vers l'ouest de la Chine actuelle. Sa biographie se développe à partir de la dynastie Han essentiellement, à partir d'éléments composites, la recherche actuelle estimant qu'il s'agit d'un personnage fictif, dont rend bien compte sa représentation typologique en vieillard à la barbe blanche parfois monté sur un buffle. *Le Livre de la Voie et de la Vertu (Dao De Jing)* que la tradition lui attribue est un texte majeur du taoïsme. Voir William Boltz, « Lao tzu Tao te ching », *Early Chinese texts : a bibliographical guide*, sous la direction de Michael Lœwe, Berkeley, University of California, Institute of East Asian Studies, 1993, p. 270.

80. L'EIF propose : « Ici, frappant des cymbales, le moine errant raconte les exploits du pèlerin surnommé Trois-Corbeilles-de-la-Loi-du-Bouddha. » *Sanzang* est bien la traduction du terme sanskrit

nouvel an ; ni le vendeur de branches de pêcher artificielles ; ni rien enfin de ce qui peuple invariablement le Marché du Nouvel An.

Les cinq belles dames se divertirent longtemps du spectacle coloré et mouvant qui se déroulait à leurs pieds dans le bourdonnement d'une infinité de voix humaines, où se mêlaient les roulements et les grincements de lourdes voitures. L'on comprendra que le balcon aux cinq belles filles n'était pas resté longtemps inaperçu de la foule. On s'arrêtait en bloquant le passage ; des regards curieux montaient vers la fenêtre ; on finit par entendre des jugements approbateurs et des conjectures flatteuses.

— Elles font sûrement partie d'un harem princier ! dit une voix qui sortait d'un groupe de jeunes gens à la mode.

— Je dirais plutôt que ce sont des concubines de la propriété voisine qui appartient à la maison impériale.

— Ou bien de petites courtisanes, invitées à la fête par un protecteur haut placé !

— Bêtises ! cria un quatrième qui vint se mêler à la conversation. Je vais vous le dire : si ce ne sont pas les concubines du Prince des Enfers en personne, elles appartiennent bien au harem du riche Hsi Men, vous le connaissez ! qui possède le magasin de drogues près du Yamen cantonal et qui est le créancier de tous nos fonctionnaires, du premier au dernier ! Je ne connais pas celle qui porte la collerette dorée brodée de vert ; mais celle à la collerette brodée de rouge, c'est sans doute l'ancienne femme du marchand de pâtés Wou, dit Bonhomme Trois Pouces, que Hsi Men a expédié à coups de pied dans l'autre monde il n'y a pas longtemps. Vous connaissez l'histoire ! A propos, vous savez qu'on n'a plus de nouvelles du beau-frère Wou Soung depuis deux ans....

Tripitaka désignant les trois « corbeilles » de l'immense canon bouddhique imprimé pour la première fois en 970 en cent trente mille planches. Voir EIF, I, p. 1134, n. 4 de la p. 296.

Hsi Men avait passé la journée chez la mère Li avec ses amis, mais bien contre son gré. Les attraits et l'habileté de Fleur de Cannelle, pas plus que les passe-temps ordinaires de ses compagnons, tels que la boisson et le jeu de dés ou de boule, n'avaient de prix à ses yeux. Il attendait un message de la rue des Lions et il s'ennuyait. Le soir tombait lorsque le petit valet Tai A parut enfin. Se penchant à l'oreille de son maître, il lui chuchota que Mme Lune et Li Kiao étaient rentrées et que Mme Ping le priait de venir la rejoindre chez elle.

Lorsqu'il arriva devant chez Mme Ping, il comprit en voyant la porte barrée que les invitées étaient parties. Rassuré, il frappa et se fit ouvrir par la vieille Fong. Mme Ping vint à sa rencontre sur l'escalier, en simple robe d'intérieur, coiffée d'un bonnet crête-de-coq et portant une bougie à la main.

Mme Ping se mit à genoux, se prosterna et commença un discours solennel :

— Depuis le décès de mon indigne époux, je me sens bien seule. J'ai beau me tourner de tous côtés, je ne trouve nulle part des parents que je puisse aimer ou n'importe quel être qui me soit proche. Je n'ai plus que vous, seigneur, pour seul appui. A condition que vous ne me trouviez ni trop laide ni trop indigne, je vais donc vous prier d'avoir la bonté d'accepter que je vous prépare votre couche et que j'arrange vos couvertures. Souffrez que je devienne la sœur de vos femmes ! J'en aurais le cœur comblé de douceur ! J'en mourrais de joie !

Ses yeux humides brillaient d'un regard d'imploration. Hsi Men prit d'une main la coupe qu'elle lui tendait, de l'autre la releva.

— Vos paroles affectueuses, lui dit-il, resteront gravées dans mon cœur comme une inscription sur le bronze. Dès la fin de votre deuil, j'aviserai. Ne vous faites pas de soucis d'ici là et fêtons aujourd'hui votre anniversaire comme un jour faste !

Le couple s'amusa un moment à jouer aux dés et aux dominos, puis les amants passèrent dans la chambre. La petite Ying Tchoun reçut l'ordre de préparer le lit et de disposer des fruits et du vin à proximité. Depuis la mort de son mari, Mme Ping avait permis à Hsi Men d'user de ses deux femmes de chambre, si bien qu'on n'avait plus à se gêner en face d'elles. Ils se déshabillèrent et, bien serrés l'un contre l'autre sous les rideaux de pourpre, ils continuèrent à boire et à jouer aux dominos.

— Où en sont les transformations dans ta propriété ? demanda-t-elle inopinément.

— Elles commenceront le mois prochain. Le domaine voisin sera transformé entièrement en parc. On y démolira tous les bâtiments en se contentant d'y édifier un pavillon de plaisance de trois pièces. Juste devant, je ferai élever un monticule avec un belvédère.

— Derrière ce mur, reprit-elle en indiquant le fond de sa couche, j'ai caché, dans des caisses à thé : quarante livres d'aloès, deux cents de cire de frêne blanche, quatre-vingts de poivre et deux cruches de vif-argent. J'aimerais que vous fassiez enlever ces marchandises pour les convertir en espèces, afin que je puisse en mettre le montant à votre disposition, en contribution aux transformations. Mon plus cher désir est d'emménager chez vous au plus vite ! Je ne peux plus me passer de vous !

— Patientez jusqu'à la fin de votre deuil, lui répondit-il en lui essuyant tendrement les yeux pleins de larmes. Le nouveau pavillon sera terminé d'ici là. D'ailleurs, pour le moment, je ne saurais même pas où vous loger.

— Même si j'allais habiter chez votre Cinquième ? Je m'entends parfaitement avec elle, comme avec votre Troisième ; toutes deux ont du charme et se ressemblent comme des sœurs. Par contre, je n'aime guère votre Première : son regard est à me faire fuir !

— Mais non, mais non ! elle est précisément la bonté en personne ! s'écria Hsi Men en riant. Sinon, crois-tu qu'elle supporterait tant d'autres femmes autour d'elle ? Pour toi, je te destine le nouveau pavillon. On n'y accédera que par deux poternes secrètes, pour que tu sois tranquille. Qu'en dis-tu ?

— Oh mon amour ! soupira-t-elle en se laissant aller dans ses bras avec bonheur.

Cette nuit-là, le jeu turbulent des phénix dura jusqu'au quatrième roulement de tambour. Ils se désiraient mutuellement sans aucune mesure ; aussi virent-ils poindre le jour avant de s'abandonner au sommeil.

Réveillés tard dans la matinée, ils ne se sentirent pas d'envie de quitter leur couche et ils déjeunèrent au lit. Puis ils reprirent le jeu d'amour. Mme Ping, qui connaissait parfaitement l'« équitation », monta sur lui et mit habilement la tige de fleur dans son petit vase. Ils étaient au comble de l'art équestre, lorsqu'ils entendirent la voix du petit Tai A sous la fenêtre. Il criait que cinq marchands d'épices étaient arrivés du sud, qu'ils apportaient un chargement et en demandaient cent onces d'argent, payables dans les six mois. Mme Lune l'envoyait pour que Hsi Men, comme le demandaient les marchands, signe le contrat de sa main.

Il se leva sans hâte, fit sa toilette minutieusement, déjeuna tranquillement, puis mit son loup [81] et partit au trot de son cheval vers chez lui. Au

---

81. Cette idée d'un loup – un peu contradictoire avec le fait que la puissance locale de Hsi Men dé-

magasin, il accueillit les marchands, examina ce qu'ils lui offraient, fit peser les denrées, versa un acompte, signa le contrat de vente et renvoya ses fournisseurs. Cela fait, il alla trouver Lotus d'Or.

— Où es-tu allée te fourrer hier ? cria-t-elle sitôt qu'elle le vit. Ne mens pas, je t'en prie, sans quoi je vais me mettre à pousser des cris à te réduire en poussière !

— Où veux-tu que je sois allé ? J'ai passé l'après-midi au marché aux Lanternes avec mes amis ; après quoi nous sommes allés tous ensemble chez la mère Li, où j'ai passé la nuit.

— En songe, peut-être ! Non, non tu ne me tromperas pas, infidèle polisson ! Crois-tu que je ne me suis pas aperçue hier qu'une certaine personne faisait de la magie pour se débarrasser de nous et te faire apparaître ?

Hsi Men se vit découvert et se mit à raconter, avec beaucoup de détails, comment il avait eu pitié de l'isolement de Mme Ping, comment elle s'était ouverte à lui de ses angoisses, comment elle l'avait supplié de la prendre dans sa maison, et comment enfin elle lui avait proposé de se loger chez Lotus d'Or tant que le nouveau pavillon ne serait pas prêt. Lotus d'Or resta un moment à réfléchir.

— Eh bien, qu'elle vienne ! dit-elle enfin. De toute façon, je m'ennuie dans cet ermitage où j'entrevois à peine une ombre humaine. Un peu de compagnie me fera du bien. Un port peut contenir beaucoup de bateaux, une rue bien des voitures ! Cependant, Mme Lune trouvera qu'elle a son mot à dire.

Hsi Men alla donc faire sa requête plus haut. Mme Lune déconseilla résolument le projet. D'abord, le deuil n'était pas révolu ; et puis c'était délicat de recueillir la veuve d'un vieil ami, d'autant qu'on venait d'acheter la maison du mari, tout en prenant en garde plusieurs objets de valeur qui appartenaient à la femme. Ces circonstances favoriseraient des interprétations fâcheuses, surtout si l'on songeait qu'on aurait affaire à l'aîné des Houa qui était un méchant intrigant, très capable de chercher à la compromettre.

Après avoir réfléchi en silence, Hsi Men retourna chez Lotus d'Or, pour y prendre conseil.

— Que vais-je pouvoir lui dire ? demanda-t-il penaud.

— C'est très simple : que nous avons eu une conversation ensemble ; qu'avec toute la meilleure volonté du monde, nous n'avons pas trouvé de place dans mon pavillon, car plusieurs pièces en sont bourrées de meubles et de marchandises pour ton magasin ; qu'il n'y a pas de place ailleurs pour

---

courage toute indiscrétion – rejoint le principe de la « visière de gaze » qui apparaît à deux reprises dans l'EIF (I, p. 126 et 315) pour traduire le terme *yansha* de l'original chinois.

caser tout cela. Tu ajouteras que tu feras activer les travaux et qu'elle pourra emménager sitôt que les peintres auront terminé leur ouvrage. N'oublie pas de te plaindre que tu ne saurais profiter de sa présence, si nous sommes pareillement entassées ; tu serais entre un plat de viande et un plat de légumes !

— C'est parfait ! s'écria Hsi Men très soulagé. Je le lui dirai mot pour mot !

Il courut à la rue des Lions sur-le-champ. Il fallut bien que la pauvre Mme Ping prît patience jusqu'au cinquième mois, contre quoi on lui promit que tout serait terminé pour cette date et que son emménagement ne ferait alors plus de doute.

Au bout de deux mois, les travaux étaient si bien avancés qu'il ne manquait plus que le belvédère. Et c'était maintenant le jour où l'on fixe aux portes des maisons des brindilles de vermouth et des formules magiques, le cinquième jour du cinquième mois : la fête des Barques aux Dragons. Mme Ping avait invité Hsi Men, sans doute pour manger avec lui des pilons de volaille roulés dans des feuilles de roseaux, comme le veut le cérémonial de cette journée, mais surtout pour régler avec lui quelques questions concernant la fin de son deuil. On fixa la cérémonie de l'incinération de la plaque votive au quinzième jour du mois en cours. Il restait à Hsi Men de choisir celui qui conviendrait pour escorter sa nouvelle femme jusque dans sa maison.

— Peux-tu me dire si tes trois beaux-frères assisteront à la cérémonie du quinzième jour ? demanda Hsi Men, car il était passablement occupé par la crainte de ces trois hommes qu'il avait contribué à berner.

— J'étais bien obligée de les inviter, pour me conformer à l'usage, répondit la dame.

Et le quinzième jour arriva. Pendant que les bonzes du couvent de la Récompense miséricordieuse emplissaient de leur vacarme la maison de Mme Ping, Hsi Men se trouvait dans celle de Ying le Tapeur, où l'on ne faisait pas moins de bruit.

Tard dans l'après-midi, le petit Tai A vint chuchoter à l'oreille de son maître que Mme Ping l'attendait. Hsi Men lui avait répondu d'un discret regard d'intelligence ; mais Ying le Tapeur avait noté l'incident et il suivit le petit serviteur pour s'informer.

— Vaurien, os de chien ! vas-tu m'avouer ce que tu as murmuré à l'oreille de ton maître ? Allons, parle ! ou je te tords les oreilles ! Crois-tu donc que j'ai plusieurs anniversaires par an et qu'on peut me souffler mes invités en plein jour ? Qui t'envoie ? Ta maîtresse, ou la fillette du numéro 18 ?

— Personne, répondit le petit valet. Je me suis dit qu'il était temps de venir chercher mon maître.

— Ah vraiment ? Écoute-moi : si j'apprends que tu m'as menti, je te réglerai ton compte.

Il lui offrit du vin et des gâteaux, puis remonta dans la salle du banquet. Pendant ce temps, Hsi Men descendait pour questionner le garçon.

— Les frères Houa étaient-ils présents ?

— Le frère aîné seulement, avec sa femme ; ils sont déjà repartis. Mme Ping a offert deux robes et dix pièces d'argent à sa belle-sœur, qui en a été ravie et qui l'a remerciée d'une révérence.

— Ont-ils fait des objections à un nouveau mariage ?

— Aucune. Ils ont dit qu'ils se permettraient de venir faire leur visite de félicitation trois jours après l'emménagement, c'est tout.

— Voilà qui me rassure. Où en est la cérémonie ?

— La plaque votive est brûlée, les bonzes sont partis.

— Bien, j'y vais. Prépare mon cheval.

Tai A se dirigeait vers la cour pour aller chercher le cheval, lorsque Ying le Tapeur sauta sur lui à l'improviste, car il avait entendu toute la conversation.

— On en apprend de belles ! Et tu ne m'en as rien dit, os de chien maudit !

— Il n'y a pas de quoi faire tant de bruit, vieux fou ! dit Hsi Men en s'approchant vivement.

Il n'était plus question de partir, cela va de soi. Ying le Tapeur s'empara de son ami et le mena devant les autres pour leur faire part de la grande nouvelle : Hsi Men allait épouser sa sixième femme !

Il était fort tard lorsqu'il put enfin s'esquiver en abandonnant ses compagnons tout ennuagés d'ivresse. Mme Ping, en robe de fête, le reçut dans la salle de réception brillamment éclairée.

Elle obtint qu'il fixe son installation au quatrième jour du mois suivant.

Peu de jours plus tard, elle le fit encore chercher. Il dut admirer un miroir que l'orfèvre venait de livrer et qu'elle destinait à son époux, comme cadeau de noces. Tous deux étaient d'excellente humeur. Ils burent force coupes de vin jusqu'au crépuscule, puis s'abandonnèrent à une conversation muette sur leur couche.

A la première veille de nuit, ils furent brusquement dérangés dans leur agréable passe-temps. Le page Tai A frappait à grands coups agités et demandait à parler à son maître. Très mécontent, Hsi Men l'introduisit dans la pièce voisine.

— Seigneur, dit précipitamment le jeune garçon, la Première vous attend pour une consultation urgente. Votre fille et votre gendre sont arrivés à l'improviste avec beaucoup de bagages.

— Il fallait que cela se passe ce soir! dit Hsi Men en maugréant. Mais il s'habilla et courut chez lui.

— Qu'est-ce qui vous amène? cria-t-il de loin à ses visiteurs qui l'attendaient dans l'arrière-salle de réception, parmi un monceau de bagages.

Le gendre, Tchen King Ki, se prosterna et raconta brièvement :

— L'oncle Yang, le maréchal, est tombé en disgrâce. Le censeur Yu l'a dénoncé auprès du trône[82]. Il est emprisonné dans la capitale du Sud. Sa famille entière et tous ses partisans sont menacés d'être déportés sur les frontières, le carcan au cou. Hier, l'intendant de l'oncle Yang est arrivé de la capitale et nous a informés de la catastrophe. Mon père a jugé bon que votre fille et moi venions nous réfugier provisoirement chez vous. Pour lui, il est allé aux renseignements à la capitale, pour essayer d'obtenir des détails de la part de la tante Yang.

— Ton père ne t'a pas confié une lettre pour moi?

— Si, la voici, répondit le gendre en sortant une lettre de sa manche. Hsi Men la décacheta et lut :

« Le chef de famille Tchen Houng incline sa tête pour saluer respectueusement son noble cousin Hsi Men.

« En conséquence de la défaite sur les cols de la frontière, dont Wang, le Ministre de la guerre, porte la responsabilité, puisqu'il a manqué d'envoyer des renforts, il a plu à l'Illustre, par suite d'une dénonciation du censeur Yu, de juger notre parent, le maréchal Yang, comme son complice, et de le faire jeter en prison dans le baillage du Sud. Toute la famille et ses partisans devront être déportés dans une colonie pénitentiaire sur la frontière. Je juge indiqué de confier à votre garde mon fils indigne et votre fille aimée. Pour moi, je pars pour la capitale, afin de m'informer plus amplement. Pour le cas où il se produirait quelque difficulté au Yamen de votre ville, j'ai confié à mon fils cinq cents onces, afin que vous les utilisiez selon votre bon gré. Je vous rendrai grâce de vos bons offices jusqu'au moment où la dernière dent tombera de ma bouche.

---

82. Dans un premier temps, l'EIF ne nomme pas celui qu'elle désigne drolatiquement comme « l'un des censeurs du bureau d'investigation » pour traduire *Kedao guan*. Lévy précise toutefois que *ke* désigne les bureaux de contrôle attachés aux « six ministères » et *dao* ceux de l'administration provinciale. Voir EIF, I, p. 1141, n. 2 de la p. 332. Les traducteurs de 1949 se réfèrent à un passage de l'édition originale (retranscrit par l'EIF, I, p. 335-336) identifiant Yuwen Xuzhong, connu pour être passé au service des Jin après la chute de la capitale des Song en 1126, comme l'instigateur de la décision impériale de condamner le commissaire aux armées Yang Kian (ou Jian) et le chancelier Tsai King (Cai Jing) – les deux protecteurs de Hsi Men. À partir du Livre IV de l'EIF, celui qui constituera une menace grandissante pour Hsi Men sera le Censeur Zeng.

« Écrit sous la lampe, en hâte fébrile, le vingtième jour du mois du milieu de l'été.

T'chen Houng »

Voici l'exposé qu'il eut de l'affaire : un groupe de censeurs, mené par Yu, avait profité de l'occasion que fournissait l'échec de l'armée sur les frontières pour porter une plainte générale contre le chancelier Tsai King, à qui sa toute-puissance, avait créé beaucoup d'ennemis, et contre le maréchal Yang. Le Fils du Ciel avait accordé sa grâce au chancelier Tsai et l'avait conservé à son poste ; mais il avait décrété que le maréchal Yang serait arrêté et jugé par le tribunal d'État. En outre, un certain nombre de familles, parentes ou clientes de Yang, seraient expédiées, le carcan au cou, en pénitence à la frontière. Consultant la liste de ces familles, Hsi Men lut avec terreur le nom de T'chen Houng. Cela lui fit l'effet d'un coup de foudre : le maréchal Yang son protecteur à la Cour, était en disgrâce ; le beau-père de sa fille banni ! Ses oreilles bourdonnaient, son souffle n'arrivait plus à s'échapper par le nez.

Il eut de la peine à retrouver assez de ses esprits pour pouvoir agir. Comme il n'était naturellement pas question de dormir, il appela ses deux fidèles serviteurs qu'il instruisit à voix basse. Ils partirent à l'aube pour Kai fong fou, munis d'une charge d'âne de pierres précieuses, d'or et d'argent. D'autre part, les deux contremaîtres des nouvelles constructions reçurent l'ordre de faire cesser les travaux et de congédier tous les ouvriers. Le portier eut la consigne de tenir le portail fermé jusqu'à nouvel ordre ; personne n'entrerait ou sortirait sans une raison d'urgence.

Hsi Men arpentait sa chambre, très agité. Plus il réfléchissait, plus il se creusait la tête, et plus il sentait grandir son malaise, comme la chaleur humide fait enfler un scorpion. Le cas de Mme Ping s'était évaporé de son esprit jusqu'à la neuvième région du ciel.

Mais nous laisserons Hsi Men à ses sombres méditations, pour revenir à Mme Ping. Comme deux jours s'étaient passés sans qu'elle eût de nouvelles de son fiancé, elle envoya la vieille Fong aux renseignements. Celle-ci trouva la maison fermée hermétiquement comme un tonneau cerclé de fer. Elle attendit longtemps devant le portail ; puis, ne voyant pas une incisive d'être humain paraître, elle trottina jusqu'à la maison, toute désemparée.

Le vingt-quatre, jour convenu pour l'échange des cadeaux de noces, elle fut chargée d'une nouvelle mission : en l'espèce, de livrer le miroir d'argent que Mme Ping destinait à Hsi Men. Elle trouva encore une fois le portail fermé, se posta sous l'arche de la maison d'en face et attendit. Elle eut, cette fois, plus de chance : au bout de peu de temps, elle vit sortir le petit Tai A qui menait un cheval à l'abreuvoir. Il la reconnut aussitôt et s'approcha d'elle avec un salut cordial.

— Quelle raison vous pousse ici, mère Fong ?

— Ma maîtresse m'envoie pour livrer ce miroir. Elle voudrait aussi parler au seigneur Hsi Men. Mais pourquoi est-ce si calme chez vous ?

— Le seigneur a été très occupé ces derniers jours. Je peux lui porter le miroir, si vous le désirez. Mais je voudrais d'abord faire boire le cheval. Voulez-vous rester ici en attendant la réponse ?

— Bien sûr, petit frère, j'attendrai. Et dis-lui bien que ma maîtresse est très fâchée contre lui !

Le jeune page attacha le cheval près de l'abreuvoir et disparut dans la maison. Il revint après un assez long moment.

— Le seigneur Hsi Men remercie votre maîtresse de son miroir. Il la prie de patienter encore quelques jours, mais l'assure qu'il se présentera bientôt en personne.

Les quelques jours se firent plusieurs, et de plus en plus nombreux. Le cinquième mois s'écoula, puis encore la moitié du sixième, que Hsi Men ne s'était toujours pas dérangé. Mme Ping le cherchait des yeux sous sa fenêtre tout le long du jour et vivait chaque nuit des rêves agités : il ne venait pas.

Elle perdit sa fraîcheur, et comme elle prenait de moins en moins de nourriture et ne se levait presque plus, elle devint plus pâle et plus mince de jour en jour. La vieille Fong ne pouvait supporter de la voir ainsi.

— J'ai fait venir le médecin, pour qu'il vous ausculte, lui dit-elle un jour. Puis-je le faire entrer ?

Mme Ping était étendue dans une apathie totale, les cheveux défaits épars autour d'elle et le visage caché dans les coussins. Elle ne fit pas un mouvement. La vieille alors introduisit le médecin et arrangea les couvertures en toute hâte.

Le docteur Kiang, qui portait le surnom de Mont des Bambous [83], était un petit homme vif et rusé d'environ trente ans. Il s'approcha de la malade

---

[83]. Jiang Zhushan pour l'EIF (I, p. 1143, n. 1 de la p. 341) ; le surnom signifie bien « Monts-des-Bambous » et pourrait évoquer la vanité du personnage, creux comme la plante exotique. La médecine chinoise, qui approche l'être humain tant du point de vue des symptômes visibles qu'invisibles, date du IVe millénaire avant J.-C. Dans le premier traité de médecine chinoise connu (le *Huangdi Nei Jing*), on trouve la description de cinq organes (nommés *Wu Zang*) et des six entrailles (nommées *Liu Fu*). À l'époque de la dynastie Song (960-1279) marquée par de grands savants polyvalents comme Chen Kua (1031-1095) ou Qian Yi (1035-1117) et par un bel essor académique, la médecine légale fait sa première apparition avec le *Xi Yuan Ji Lu* (*Recueil pour laver les injustices*, 1247) de Song Ci (1188-1249). Ceci coïncide avec un renouveau de l'anatomie. La matière médicale très développée s'enrichit d'une pharmacologie élaborée. Voir Hiria Ottino, *Dictionnaire de Médecine Chinoise : concepts de la médecine chinoise*, Paris, Larousse, 2001.

pour examiner son pouls et sa respiration ; mais ses attraits charmants ne lui échappèrent pas.

— Selon l'avis de l'humble adepte de l'art que je suis, dit-il avec lenteur, votre maladie provient de ce que les veines du foie et de la matrice ont éclaté sur un pouce environ et ont inondé l'intestin. Il en résulte que vous êtes entièrement soumise à l'empire de six désirs et de sept passions. Votre corps est le champ d'une lutte entre le principe de Yang et celui de Yin. Tantôt vous avez trop froid, tantôt trop chaud. Vous souffrez d'une fièvre intermittente et de profonde mélancolie. Le jour, vous vous sentez faible et ne pensez qu'à dormir ; la nuit, votre âme agitée ne peut rester dans sa demeure et vous fait chercher en rêve le commerce des esprits. Une guérison très prompte peut seule vous sauver d'une mort par consomption. Hélas ! votre vie n'est plus suspendue qu'à un faible flocon de soie.

— Je vous serais obligée, si vous m'ordonniez une médecine susceptible de me guérir, dit-elle d'un ton découragé.

— Ayez confiance dans mon art. La médecine que je vous prescris vous guérira !

Il empocha ses honoraires et se retira. La vieille Fong sortit avec lui pour aller prendre le médicament à la pharmacie. Mme Ping l'absorba le soir et s'en trouva décidément mieux portante. Le sommeil et l'appétit revinrent et la jeune femme se trouva complètement rétablie quelques jours plus tard. Elle jugea décent d'offrir un repas de reconnaissance au médecin, qu'il accepta très volontiers pour les espoirs et les désirs qu'il nourrissait dans son cœur. L'élégance de son hôtesse, la table somptueuse et les lourds parfums de musc et d'orchidées qui baignaient la demeure lui troublèrent les sens ; et il eut encore la surprise de se voir offrir par la petite Hsiou Tchoun, pendant le repas, trois onces d'argent brillant sur une assiette décorée de dorures. Mme Ping saisit une coupe de jade emplie de vin et dit en s'inclinant légèrement :

— C'est grâce à vous, si j'ai pu me remettre de ma maladie. Pour vous témoigner ma reconnaissance, j'ai pris la liberté de vous inviter à boire une coupe de mauvais vin. Merci, encore une fois : merci !

— Je n'ai fait qu'accomplir le devoir de ma profession, balbutia-t-il en coulant un regard sur les pièces brillantes. Ai-je vraiment mérité... ?

— Prenez, dit-elle en souriant. Ce n'est qu'un tout petit témoignage de ma gratitude.

Trois coupes de vin lui donnèrent bientôt le courage d'entamer une conversation plus intime, quoique la beauté merveilleusement soignée de Mme Ping lui donnât quelque circonspection.

— Oserai-je vous demander le nombre de vos verts printemps ?

— Vingt-quatre, tous inutilement gaspillés.

— Vous êtes jeune, belle, cultivée, riche, vous vivez à votre gré – comment avez-vous pu tomber en mélancolie ?

— Je serai franche, dit-elle en souriant faiblement : je suis seule au monde depuis que j'ai perdu mon nigaud de mari. Tout ce silence solennel autour de moi ! Est-ce étonnant, que je m'en sois lassée, que j'en sois tombée malade ?

— A quand remonte la mort de votre époux ?

— Il est parti le onzième mois de l'an dernier, d'une pneumonie. Eh oui, cela fait déjà huit mois !

— Avez-vous jamais eu l'occasion de consulter un autre médecin ?

— Oui : le docteur Hou, de la Grand-rue.

— Tiens ! Hou qu'on surnomme « Gueule du Diable » et qui loge chez l'eunuque Liou ? Quel charlatan ! Il n'a jamais fréquenté notre académie de médecine ! Sait-il seulement ce que c'est que le pouls ? Vous auriez mieux fait en ne le consultant pas !

— Des voisins me l'avaient recommandé. D'ailleurs je n'ai plus eu recours à ses services depuis la mort de mon mari.

— Avez-vous un fils, une fille ?

— Ni l'un ni l'autre.

— Quel dommage, quel dommage ! soupira-t-il avec beaucoup de sympathie. Se trouver seule à la fleur de l'âge ! Il était fatal que vous perdiez courage. Ne vous êtes-vous jamais demandé s'il ne vous conviendrait pas de confondre votre route avec celle d'un autre homme ?

— Oh si ! mon remariage est même déjà convenu. Je compte franchir bientôt le seuil d'une nouvelle maison.

— Puis-je me permettre l'audace de vous demander qui...

— Le seigneur Hsi Men, le propriétaire du grand magasin de drogues près du Yamen cantonal.

— Oh, oh ! Lui ? Vraiment ? Mais, gracieuse dame, vous n'y pensez pas ! Je suis médecin de sa maison et j'en connais les détours ! C'est le créancier de tout le monde, il achète et vend toutes les opinions, il a le dernier mot dans toutes les affaires du canton. Sans compter ses nombreuses femmes de chambres et ses servantes, il a cinq ou six femmes en permanence. S'il se lasse d'une de ces créatures, il l'assomme à coups de bâton ou la vend, tout simplement, par le moyen d'une entremetteuse. C'est aussi le chef d'une bande redoutée de séducteurs de femmes et de filles. Ah que je suis heureux d'avoir pu vous mettre en garde contre lui avant qu'il soit trop tard ! L'épouser, c'est courir à sa perte comme un papillon vole droit sur la flamme ! Vous en auriez des regrets douloureux. D'ailleurs, depuis peu, il est mêlé à une affaire très pénible qui concerne la famille du beau-père de sa fille. Peut-être ignorez-vous que sa fille et son gendre se cachent chez lui ? C'est aussi la raison de l'arrêt de ses travaux de transformation et de reconstruction. La préfecture, puis le Yamen, ont été informés d'un décret de bannissement de sa parenté ; qui sait s'il ne sera pas visé bientôt lui aussi, avec son bien ? Alors, que deviendront ses femmes, les malheureuses ?

Mme Ping interdite gardait le silence. Elle pensait avec effroi à la fortune qu'elle avait confiée à Hsi Men et comprenait maintenant la raison de sa si longue absence. Elle se disait aussi qu'il lui serait peut-être plus avantageux d'épouser un jeune homme aussi aimable, aussi cultivé et aussi agréable à vivre que le docteur Mont des Bambous. Restait à savoir s'il y était disposé.

— Je vous sais un gré infini de vos informations, lui dit-elle après un long silence, et je suivrais volontiers vos conseils, si vous pouviez me recommander un autre mari parmi vos connaissances.

— Je me mettrai joyeusement à la recherche. Mais je ne sais pas quel type d'homme vous préférez.

— L'extérieur importe peu, s'il vous ressemble d'autre façon.

A l'ouïe de ces mots, le docteur Mont des Bambous ne se tint plus de joie ; il se leva d'un bond et alla tomber lourdement aux genoux de Mme Ping.

— Hélas, gracieuse dame, je ne peux plus vous cacher que, dans ma maison, il n'y a personne qui partage les bouchées avec moi, pauvre homme ! Je n'ai pas non plus de descendance. Ma vie s'écoule tristement, comme celle d'un brochet solitaire. Si vous voulez m'être charitable, je nouerais joyeusement avec vous des liens qui nous uniraient pour la vie.

— Si nous voulons en venir à parler sérieusement de mariage, dit-elle en le relevant gentiment, il faut que je sache votre âge et le temps que vous avez passé en brochet solitaire. Et puis il faudra que vous m'envoyiez un intermédiaire, comme il est d'usage, et que vous vous occupiez des cadeaux, selon l'usage également.

— Ce serait assurer le bonheur de mes trois existences ! dit-il en frappant le sol de son front. Vous ne serez pas seulement mon épouse, mais mon père et ma mère !

Le contrat fut ainsi conclu et le docteur Mont des Bambous rentra, ivre de vin et de bonheur, très tard dans sa maison froide.

Le lendemain, la mère Fong s'exécuta ; et le dix-huitième jour du sixième mois, le docteur Mont des Bambous s'installa chez Mme Ping. Il reçut d'elle trois cents onces d'argent, dont il se servit pour ouvrir une reluisante pharmacie dans les pièces du rez-de-chaussée qui donnaient sur la rue. Et s'il avait jusqu'ici fait ses visites péniblement à pied, il se rendait maintenant chez ses malades fièrement au trot de sa mule.

Chapitre quinzième

Pendant ce temps, les deux fidèles émissaires de Hsi Men, Lai Pao et Lai Wang, se hâtaient vers la capitale Kai fong fou. Le soleil levant teintait de pourpre leur chemin lorsqu'ils se mettaient en route ; le soleil couchant rougissait la poussière à leurs pieds avant qu'ils s'arrêtassent. Ils franchirent enfin la Porte des dix mille Générations [84] et descendirent à l'auberge.

Ils se rendirent ensuite au palais du chancelier Tsai, dont ils connaissaient le chemin, car ils y étaient déjà venus à deux reprises. Ils s'arrêtèrent sous la voûte du Reliquaire de Marbre dans la rue de la Force du Dragon, d'où ils guettèrent le portail du palais. Au bout de peu de temps, ils en virent sortir un homme en surtout vert, qui se dirigeait vers l'est d'un pas alerte et que Lai Pao reconnut pour l'intendant du maréchal Yang. Il allait l'interpeller lorsqu'il se rappela que le seigneur Hsi Men leur avait expressément enjoint d'éviter tout contact avec la maisonnée du maréchal impliqué dans l'affaire ; il le laissa courir. Enfin, tous deux s'approchèrent du portail et pénétrèrent dans la loge du portier.

— Est-ce que le Vénérable Commandeur est chez lui ? demandèrent-ils après les salutations d'usage [85].

— Le Vénérable Commandeur est à une audience au palais. Que désirez-vous ?

— Pourrions-nous parler à l'oncle Ti ?

— L'oncle Ti n'y est pas non plus.

Lai Pao comprit qu'il ne tirerait rien du vieux bonhomme sans lui faire tinter à l'oreille un petit pourboire ; il tira donc une piécette d'argent de sa manche et la tendit au portier qui, du coup, devint plus communicatif.

— Voulez-vous parler au Vénérable Commandeur, ou au Grand Commandeur ? Dans le premier cas, il faut vous adresser au Grand intendant, l'oncle Ti ; dans le second, au Petit intendant, l'oncle Kao An. Tous deux ont leur domaine bien délimité. D'ailleurs cela n'empêchera pas que le Vénérable Commandeur soit sorti, comme je vous l'ai dit. Mais son fils, le

---

84. Lévy précise que *wanshou chengmen* signifie mot à mot « porte de la ville murée, de la Longévité de dix mille [années] », ajoutant qu'aucune porte de ce nom n'est connue pour la Kaifeng à l'époque des Song du Nord. Voir EIF, I, p. 1144-1145, n.1 de la p. 348.

85. L'EIF traduit « le grand Précepteur » (I, p. 349) ; il s'agit du chancelier Tsai King (Cai Jing), dit aussi ici Vénérable Commandeur. Les autres personnalités que rassemble l'imbroglio protocolaire qui suit sont le majordome principal Zhai Jian (dit ici l'oncle Ti, Grand intendant), le jeune majordome Gao An (ici l'oncle Kao An, Petit intendant), Tsai Yu, Grand Commandeur et Grand Secrétaire de la Salle de la Concorde bienheureuse (Cai You, favori effectif de l'empereur Huizong à l'appui d'un engouement taoïste commun, mais qui ne semble pas avoir occupé les fonctions que lui prête le roman) et le chancelier de la Droite Li Pan Yeng (*Youxiang Li Bangyan*, conseiller d'État de droite et favori de l'empereur). Voir EIF, I, p. 1145-1146, n. 2 et 6 de la p. 350.

Grand Commandeur, est bien ici. Si vous désirez lui parler, je vais vous annoncer à son intendant Kao An.

— Dites-lui que nous sommes du palais du maréchal Yang, lui chuchota Lai Pao en confidence.

Le portier les pria d'attendre dans la première cour, puis il disparut, pour revenir au bout d'un moment accompagné du Petit intendant. Lai Pao lui offrit dix pièces d'argent avant même qu'il eût eu le temps d'ouvrir la bouche.

— Nous sommes au service du Maréchal Yang, lui dit-il, et nous nous étions mis d'accord avec son intendant pour venir ensemble trouver le Vénérable Commandeur, afin d'en obtenir d'autres renseignements. Mais nous l'avons manqué. L'intendant sera probablement déjà venu ?

— Oui : il vient de partir. Le Vénérable Commandeur n'est pas encore rentré de son audience, mais le Grand Commandeur est chez lui. Suivez-moi !

Tsai Yu en effet, comme avant lui son père, le chancelier de la Gauche Tsai King, jouissait de la faveur toute particulière de l'empereur Houi Tsoung. Outre sa situation de Grand Secrétaire de la Salle de la Concorde bienheureuse, il assumait les fonctions de Ministre de l'Instruction, et en tant que Gardien du Palais de l'Unité, il avait le privilège de faire des observations à l'empereur.

Kao An, qui était entré le premier, revint pour faire un signe aux deux autres et pour les introduire auprès du Grand Commandeur qui trônait avec beaucoup de dignité dans un fauteuil sur une estrade élevée. Les deux envoyés s'agenouillèrent à distance respectueuse et firent leur Ko teou.

— Qui êtes-vous et d'où venez-vous ?

— Nous sommes de la maison de Tchen Houng, parent du maréchal Yang, et nous sommes venus pour obtenir de nouveaux renseignements auprès du Vénérable Commandeur.

Lai Pao tira une liste de cadeaux de sa manche et la tendit au Grand Secrétaire. Celui-ci la parcourut rapidement ; et après avoir lu : « cinq cents onces d'or... », il fit signe à Lai Pao de se rapprocher.

— Écoute-moi bien, lui dit-il en sourdine : Par suite des bavardages qu'ont répandus les censeurs, le Vénérable Commandeur s'est retiré des affaires de l'État pour quelques jours. Si vous voulez obtenir des renseignements plus précis, il faut vous adresser au chancelier de la Droite Li. En ce qui concerne le maréchal Yang, on dit au palais que le Céleste lui sera clément et qu'il se contentera de lui infliger une dégradation atténuée ; mais qu'il n'en témoignera que plus de rigueur à l'égard des autres accusés faisant partie de sa maison ou de sa parenté. Le chancelier de la Droite vous donnera tous les détails.

— Je suis un étranger dans le palais du chancelier de la Droite, dit Lai Pao en se prosternant pour un autre Ko teou. Oserai-je, du fond de mon impuissance, implorer votre généreuse assistance ?

— Prenez en direction du rempart de la rive nord. Non loin du pont du Fleuve Céleste, vous verrez une grande porte flanquée d'une tour. Là, vous demanderez le palais du chancelier de la Droite, Grand Secrétaire de la Salle du Gouvernement tutélaire et Ministre de l'Instruction publique : Li Pan Yeng. N'importe qui pourra vous l'indiquer. Je vous donnerai une lettre de recommandation et vous ferai accompagner par un de mes gens.

Il écrivit quelques lignes et désigna l'intendant Kao An pour les escorter, en lui ordonnant d'emporter la liste des cadeaux.

Le chancelier Li, revêtu de la robe rouge impériale et la taille ceinte de la ceinture de jade, venait de descendre de la chaise à porteurs qui le ramenait de l'audience, lorsqu'on lui annonça les trois visiteurs. Il fit appeler Kao An le premier, puis permit aux deux autres de se présenter devant lui.

Kao An remit au chancelier la lettre de recommandation et la liste des cadeaux, puis Lai Pao et Lai Wang étalèrent sur l'estrade les trésors qu'ils avaient apportés.

— Dès l'instant où vous m'étiez recommandés par le Grand secrétaire Tsai, dit le chancelier après un coup d'œil aux lingots d'or, ces attentions étaient vraiment superflues ; d'autant que le Céleste incline à plus de clémence à l'égard du maréchal Yang. On réservera des châtiments plus durs à quelques-uns de ses partisans ; les censeurs ont beaucoup insisté là-dessus.

Il donna l'ordre à un serviteur d'aller chercher à la chancellerie l'acte d'accusation des censeurs et la liste des condamnés à la déportation. Dès qu'il l'eut entre les mains, il autorisa les deux envoyés à en prendre connaissance. En tête, ils lurent le nom du ministre de la guerre limogé Wang ; plus bas, ceux d'un grand nombre de personnages attachés au maréchal gracié. Plus loin, ils reconnurent avec terreur le nom de Tchen Hong, et enfin, pour comble d'épouvante, celui de leur propre maître : Hsi Men Tsing !

Lai Pao et Lai Wang, tout tremblants, se jetèrent aux pieds du chancelier.

— En vérité, c'est Hsi Men qui est notre maître ! Ah, que le noble seigneur consente à ouvrir tout grand son cœur haut comme le ciel et large comme la terre ; et qu'il daigne sauver la vie de notre maître !

Kao An se prosterna comme eux et joignit ses supplications aux leurs. Le chancelier réfléchissait : on lui offrait le marché de la somme importante de cinq cents onces d'or contre un seul nom de la liste des condamnés.

L'affaire lui paraissait avantageuse, puisqu'il ne s'agissait que d'une petite correction sur la liste fatale. Sur un signe de sa main, on lui apporta une table et de quoi écrire. De quelques traits de pinceau habiles il réunit les deux caractères Hsi et Men, pour en faire Kou, et il transforma le Tsing en Lien, qui lui ressemble ; le nom de Hsi Men Tsing se trouvait avoir disparu de la liste, où l'on ne lisait plus que : « l'homme coupable d'avoir corrompu des fonctionnaires »[86]. Après cette falsification ingénieuse, il écrivit encore une courte réponse au Grand Secrétaire, distribua cinq pièces d'argent aux trois envoyés, puis les congédia. Ravis d'avoir accompli leur mission avec tant de succès, Lai Pao et Lai Wang rentrèrent à leur auberge, payèrent leur écot et prirent incontinent le chemin du retour.

Sitôt arrivés à Tsing ho hsien, ils firent consciencieusement leur rapport à leur maître. Au début de leur récit, Hsi Men se sentit culbuter dans le seau de glace bien connu ; mais ensuite il se sentit soulagé du grand poids non moins bien connu. Rayonnant de joie, il courut chez Mme Lune pour lui raconter l'heureuse issue de l'affaire.

Les travaux de construction au fond du parc repartirent dès le lendemain, tandis que le portail s'ouvrait à deux battants ; et tout reprit comme devant.

Un jour que le petit Tai A passait à cheval par la rue des Lions, il fut bien étonné de voir qu'une nouvelle pharmacie s'était ouverte au rez-de-chaussée de la maison de Mme Ping. Une belle enseigne de laque rouge vantait les drogues et les médicaments qu'on y débitait ; et elle ne semblait pas le faire en vain, à voir la foule des clients qui emplissaient la boutique jusqu'à la faire paraître trop petite. Le petit page, qui ne savait pas que Mme Ping s'était remariée, se dit simplement qu'elle avait ouvert une boutique et engagé un gérant. C'est en tout cas ce qu'il raconta à son maître, dont il n'obtint qu'un sourire incrédule.

Dans le premier tiers du septième mois, comme le vent d'ouest avait apporté des pluies régénérantes et une fraîcheur délicieuse, Hsi Men partit se promener à cheval. Il rencontra Ying le Tapeur avec Hsié Hsi Ta.

Ils l'emmenèrent sans s'embarrasser de ses protestations. Lorsque Hsi Men rentra chez lui, à demi ivre, il tomba sur la mère Fong à l'entrée de la rue de l'Est. Il arrêta son cheval.

— Holà, mère Fong, où courez-vous si vite ?

— Je vais au temple, à la porte de la ville. J'ai mission de brûler de l'argent mortuaire pour feu mon maître, comme le veut l'usage.

---

86. L'original chinois est plus concis : « Il donne l'ordre d'apporter le dossier, prend le pinceau et transforme le nom de Ximen en Jia, puis range les cadeaux. » Une note complète sur la subtile modification graphique est proposée par Lévy. Voir EIF, I, p. 1146, n. 3 de la p. 353.

— Comment se porte ta maîtresse ? Fais-lui savoir que j'irai lui rendre visite demain.

— Ce n'est plus la peine. Il n'est plus question de visites. C'est un autre qui a vidé la marmite des épousailles !

— Quoi ! Veux-tu dire qu'elle s'est mariée ailleurs ?

— Écoutez-moi bien : elle vous a attendu on ne sait combien de temps, elle vous a envoyé le miroir en cadeau de noces, par l'intermédiaire de la vieille créature ; vous avez verrouillé votre porte, et la vieille créature, vous avez refusé de la recevoir. Alors, ma maîtresse en a épousé un autre !

— Mais qui ?

— Le docteur Mont des Bambous.

Comme la vieille lui contait l'histoire de bout en bout, Hsi Men faillit tomber de cheval, de saisissement. Puis il se dit amèrement : « C'est lamentable. Je me serais consolé de n'importe qui d'autre ; mais qu'elle se soit accommodée de ce petit bonhomme ratatiné, de cet imbécile, de cette face de tortue ! C'est lamentable ! » Il fouetta son cheval rageusement et partit comme un trait.

A la maison, dans l'arrière-cour éclairée par la lune, Mme Lune, Mong Yu Loh, Lotus d'Or et la fille de Hsi Men étaient en train de jouer aux petits chevaux[87] avec de grands éclats de rire. Sitôt qu'elles entendirent leur seigneur, elles disparurent dans les appartements du fond, à l'exception de Lotus d'Or, toujours complaisante, qui aida Hsi Men à retirer ses chaussures.

— Vous êtes des sottes ! lui dit-il rudement. Vous vous agitez comme des folles et perdez votre temps à des jeux puérils !

Il l'écarta d'un coup de pied rageur et, sans même dire bonsoir à Mme Lune, il se rendit en titubant dans la bibliothèque de l'aile ouest, où il se fit dresser un lit pour la nuit. Il se coucha, non sans avoir encore injurié la femme de chambre.

Le petit Tai A fut convoqué et interrogé. Il raconta ce qu'il savait.

— Cette femme, jugea Mong Yu Loh, a commis une grave incorrection en se remariant si tôt après la mort de son premier mari.

— Ah, sait-on, de nos jours, faire encore la différence entre ce qui est convenable et ce qui ne l'est pas ? enchérit Mme Lune avec quelque emphase. On voit même des femmes, au beau milieu de leur deuil, qui boivent et font l'amour ! C'est plutôt cela que j'appellerais incorrection et impudeur.

---

87. Les éditeurs de 1949 traduisent ainsi *tiaomasuor*, littéralement « sauter la corde du cheval » – une sorte de marelle à corde tournante associée de chants synchronisés, soit un jeu typiquement chinois qui n'a rien à voir avec le jeu des petits chevaux inspiré du *pachisi* indien, et popularisé autour de 1936 en France sur une idée de Tristan Bernard.

Lotus d'Or et Mong Yu Loh sentirent la pointe qui les visait également toutes les deux ; elles en prirent de l'ombrage et se retirèrent un peu contrites dans leurs appartements.

Hsi Men avait décidé qu'il fournirait à son jeune gendre l'occasion de se rendre utile : il le commit donc à partager avec Pen Sé la direction des travaux, tandis que son prédécesseur Lai Tchao occuperait le poste plus reposant de portier du portail principal. Tchen se mit donc à passer ses journées sur le chantier du fond du parc. On lui servait ses repas tantôt là, tantôt dans l'appartement qu'il partageait avec sa femme. Il avait l'interdiction d'entrer dans la grande salle du milieu sans un ordre formel de son beau-père ; c'est ce qui fait qu'il n'avait jamais vu ses épouses.

Comme Hsi Men s'était absenté un jour pour faire un bout de route avec le juge du département Ho, qui s'en allait en voyage commandé, Mme Lune, s'adressant à Li Kiao et à Mong Yu Loh, leur dit :

— Je n'ai jamais encore fait de politesse au jeune Tchen. Ce garçon travaille durement, dans une maison qui lui est étrangère, et il ne se repose que bien tard le soir. Que penseriez-vous de l'arracher un moment à son travail pour lui réconforter un peu l'estomac ? Je ne sais trop ce que vaut ma suggestion : peut-être ira-t-on me reprocher de me mêler de choses qui ne me regardent pas, mais par ailleurs je ne voudrais pas négliger ce pauvre petit.

— Sœur, c'est vous qui commandez dans la maison ! dit Mong Yu Loh. Qui s'occupera du jeune homme, si ce n'est vous ?

Mme Lune commanda un repas copieux à la cuisine et elle fit inviter le jeune Tchen à les rejoindre dans la grande salle du milieu.

— Je vous vois travailler au chantier chaque jour et sans répit, lui dit-elle gentiment lorsqu'il entra. C'est pourquoi je profite d'une absence du maître, pour vous offrir une petite collation et une coupe de vin médiocre.

— Je vous remercie mille fois de votre bonté, murmura le jeune Tchen. Le peu de besogne que j'accomplis ne vaut pas qu'on en parle.

Mme Lune fit mander sa jeune femme, pour leur tenir compagnie ; mais on l'attendit assez longtemps sans qu'elle parût. Cependant on entendait le bruit caractéristique des dominos qu'on déplace sur une table.

— Qui joue aux dominos ? demanda Tchen.

— La fille de Hsi Men avec la servante Flûte de Jade, répondit Mme Lune.

— Voilà bien ses façons de fille mal élevée, soupira le jeune homme. Vous la priez de venir, et elle reste à jouer aux dominos !

Le rideau s'écarta enfin pour laisser passer la jeune femme. Elle entra et s'assit avec beaucoup d'indifférence en face de lui.

— Est-ce que ton époux sait aussi jouer aux dominos ? lui demanda Mme Lune.

— Plutôt mal ! répondit-elle dédaigneusement. C'est à peine s'il arrive à distinguer un parfum d'une mauvaise odeur.

Mme Lune connaissait le gendre de Hsi Men comme un bon garçon, agréable et poli ; mais elle ignorait qu'il faisait de jolis vers, de bons essais et qu'il jouait parfaitement aux dés, aux échecs et aux dominos.

Au beau milieu de la partie, le rideau s'entrouvrit pour laisser apparaître Lotus d'Or. Souriante, les cheveux enserrés d'un filet d'argent et une fleur coquettement fichée sur la tempe gauche, elle s'écria en voyant le jeune homme :

— Ah, beau-frère Tchen ! Je me demandais justement qui pouvait être ici.

Tchen se retourna. A l'aspect de Lotus d'Or, son cœur se mit à bouillonner, ses yeux papillotèrent et sa raison s'enfuit comme s'il venait de se retrouver en présence de la bien-aimée d'une de ses vies antérieures.

Là-dessus, voilà qu'on annonça l'arrivée de Hsi Men. Le jeu cessa brusquement et la servante Petit Trésor fit prestement disparaître le jeune Tchen en le menant vers une petite porte de sortie.

Pendant ce temps, Hsi Men descendait de cheval et se rendait au chantier pour voir où en étaient les travaux. Il ne se rendit qu'ensuite au pavillon de Lotus d'Or.

Le soir venu, Hsi Men se coucha tôt. Il était fatigué par sa promenade à cheval et abruti par les nombreuses coupes de vin qu'il avait goulûment absorbées ; bientôt ses ronflements résonnèrent dans la chambre comme les roulements d'un tonnerre lointain.

On était à la fin de juillet et les nuits même étaient lourdes et oppressantes. Lotus d'Or n'arrivait pas à trouver le sommeil. Son attention fut éveillée par une vibration métallique qui sortait d'un piège à moustique couvert de gaze vert jade. Elle se leva, nue, et projeta la clarté de la lampe sur la moustiquaire. Une libellule s'y était prise. Lotus d'Or saisit la bestiole et la brûla sur la flamme.

Ses yeux se promenaient sur le corps de Hsi Men étendu ; son regard s'arrêta juste au milieu, sur le puissant outil. Envahie par un désir irrésistible, elle se mit à jouer doucement de ses doigts délicats. Puis, se penchant, elle eut quelques tendres caresses.

— Ah, folle ! grommela Hsi Men, tu ne peux pas rester tranquille, même quand je dors !

Il se redressa un peu pour suivre son jeu avec intérêt et pour repaître ses yeux du spectacle des courbes parfaites de ce corps penché sur lui. Ainsi, tous deux se divertirent, en pleine nuit, au jeu de la flûte purpurine.

Il dura le temps d'un repas, puis Hsi Men sentit naître en lui le désir agréable et impérieux qu'il connaissait bien. Il cria à Tchoun Mei qu'elle apporte du vin. Il lui fit poser la bougie sur la banquette qui était derrière le rideau du lit, pour n'être pas blessé par sa clarté ; puis il lui ordonna de se mettre à son chevet, la cruche de vin à la main.

— Vaurien, polisson ! s'écria Lotus d'Or. Que signifie cette nouvelle marotte ? Et la petite, que vient-elle faire ici ?

— J'ai appris cela chez notre sœur Ping, répondit-il en riant. Nous obligions la petite Ying Tchoun à rester à côté de nous pour me verser à boire : l'attrait du jeu s'en trouvait augmenté !

— Bien, je ne gronderai plus ; mais fais-moi grâce de la sœur Ping ! Nous lui voulions du bien et nous n'en avons récolté que des ennuis. Elle a été si pressée de se remarier, que ton humeur s'en est ressentie ; et c'est moi qui ai payé : c'est sur moi que tu as déversé ta bile ! c'est moi qui ai reçu les coups de pieds ! et des reproches par-dessus le marché !

— Qui t'a reproché quelque chose ?

— La Première !

Lotus d'Or rapporta toute la dispute qui avait suivi, en précisant que la Première lui avait coassé sous le nez comme une grenouille hydropique.

Hsi Men fut assailli par une vague de colère rouge. Il prit Mme Lune en grippe, subitement.

— Dès demain, je ne la regarderai plus ! déclara-t-il d'un ton très décidé.

Il reste que, de cette heure, il lui témoigna de l'hostilité. Il ne la regarda plus et n'échangea plus une seule parole avec elle. De son côté, Mme Lune ne lui accorda plus la moindre attention et ne s'informa plus jamais de ce qu'il faisait ou de la façon dont il vivait. S'il lui arrivait de pénétrer chez elle, elle faisait semblant d'être affairée à de petites tâches et elle laissait ses servantes lui répondre à sa place. Leurs rapports étaient devenus totalement insipides et froids.

Le jour de la fête des charpentiers était venu. La matinée avait amené dans la maison une foule d'amis et de connaissances, chargés de boîtes de fruits et de banderoles rouges de félicitation. Les ouvriers avaient reçu des cadeaux et l'on avait offert un banquet somptueux. L'après-midi, l'agitation avait disparu avec les derniers invités, et Hsi Men, fatigué de s'être levé tôt et de s'être tant dépensé au cours de la journée, s'était retiré dans un des appartements du fond pour dormir.

Ce fut le moment que choisit le jeune Tchen pour se présenter au pavillon de Lotus d'Or. Il la trouva en train de chatouiller les six cordes de sa pi-pa ; il lui demanda du thé.

— C'est étrange, répondit-elle ; vous étiez à la fête où vous avez pu boire et manger pendant la moitié d'une journée. Comment se fait-il que vous soyez encore en appétit ?

— Pour dire vrai, je suis debout depuis ce matin très tôt. Je n'ai pas eu le temps de penser à manger et à boire.

— Le seigneur est-il à la maison ?

— Il s'est retiré pour dormir.

Lotus d'Or appela Tchoun Mei pour lui commander un repas arrosé de vin et un entremets sucré pour son visiteur. Pendant qu'il se nourrissait de bon appétit, elle se remit à pincer la pi-pa.

— Que jouez-vous ? Ne me chanterez-vous pas quelque chose ? demanda-t-il hardiment.

— Vous êtes bien exigeant, répliqua-t-elle d'une voix traînante. Si j'allais le répéter au seigneur Hsi Men ?

— Belle-sœur Cinq, s'écria-t-il en se jetant à ses genoux, avec une contrition comique, plus jamais je ne récidiverai !

Elle lui fit un sourire plein de promesses et l'aida à se relever. Dès ce jour, leurs relations crurent en intimité. Il multiplia ses allées et venues au pavillon, bavardait avec désinvolture, allait parfois jusqu'à s'appuyer sur l'épaule de Lotus d'Or, frôlait son dos à l'occasion ; tout cela le plus naturellement du monde et le plus candidement. La bonne Mme Lune l'avait jugé naïf et puéril ; elle était loin de se douter qu'elle avait lâché pareil évaporé dans sa maison !

Chapitre seizième

Quelques mois plus tard, les nouvelles constructions étaient achevées, jusqu'au dernier clou, et elles reluisaient de peinture fraîche. Pour leur inauguration, Hsi Men organisa encore un banquet qui dura plusieurs jours. Mais nous n'allons pas perdre notre temps à noter ces détails.

Un jour du commencement du huitième mois, Hsi Men était parti vers dix heures du matin pour aller fêter l'anniversaire du nouveau juge départemental Hsié dans la maison de campagne qu'il possédait en dehors de la ville. L'écho du bruit des sabots de son cheval avait à peine fini de résonner sous la voûte, que Mme Lune, accompagnée des quatre autres épouses et de la fille de Hsi Men, partit pour inspecter en toute tranquillité les nouveaux arrangements du parc. Elles n'eurent qu'à passer le porche à tourelle pour voir s'étaler devant leurs yeux des prodiges sans fin [88].

Mme Lune en tête, les six belles se promenèrent par les allées tortueuses, les quittant parfois pour se frayer un chemin dans l'herbe haute, se reposant parfois sur des prés parfumés, s'accroupissant ici pour observer de près une fleur miraculeuse, et s'amusant au bord des étangs à nourrir les poissons d'or ou à chasser les papillons à coups d'éventail. Mme Lune fixa le but de la promenade au Pavillon du Repos des Nuages, qui était situé sur une hauteur. Arrivée là, elle se mit à jouer aux échecs avec Mong Yu Loh et Li Kiao, pendant que les trois autres montaient jusqu'au belvédère. Leurs regards ravis erraient sur les plates-bandes de pivoines et les bosquets de rosiers, sur les branches des pommiers sauvages et des chardons du Cachemire, sur les bambous qui résistent au froid et sur les cyprès éternellement verts. C'était en vérité le lieu de l'éternel printemps !

Quand elles se furent rassasiées de voir, elles se réunirent pour prendre une collation commune au pavillon. Mme Lune présidait à un bout de la table, Li Kiao se trouvait en face d'elle, les quatre autres occupaient les côtés selon leur rang.

— Oh, fit Mme Lune, j'ai oublié d'inviter le jeune Tchen. Et elle envoya Petit Trésor pour le quérir.

Il arriva au bout d'un moment et il fut invité à s'asseoir à une petite table derrière sa femme. Il portait un surtout de soie de couleur pourpre, avec des petites fleurs, une toque de crêpe bleu ciel sur la tête et de coquettes

---

88. La description des aménagements jardiniers et architecturaux de la demeure de Hsi Men renvoie à la subtile esthétique de la réinvention de la nature par ses propres moyens à laquelle introduit désormais l'étude magistrale de Ananda K. Coomaraswamy, *La Transformation de la nature en art : les théories de l'art en Inde, en Chine et dans l'Europe médiévale – l'iconographie, la représentation idéale, la perspective et les relations dans l'espace*, Lausanne et Paris, L'Âge d'homme, 1994.

pantoufles de satin noir. Après qu'on se fut désaltéré de plusieurs coupes de vin réconfortantes, Mme Lune reprit son jeu d'échecs avec Li Kiao et la fille de Hsi Men, tandis que Mong Yu Loh montait sur la tour du belvédère avec Sun Hsué O. Lotus d'Or resta seule. Elle voulut retourner sur la rive de l'étang aux fleurs de lotus, pour y chasser les papillons avec son éventail. Tchen, d'humeur mutine, l'avait suivie à son insu ; il se trouva soudain derrière elle et lui glissa à l'oreille :

— Belle-sœur Cinq, vous ne connaissez rien à la chasse aux papillons ! Je vais vous aider.

Saisie, elle fit volte-face. Le scrutant d'un regard en biais, elle lui dit d'une voix basse et grondeuse :

— Polisson ! vous m'avez fait une peur mortelle !

Il s'approcha d'elle en riant et l'étreignit sans façon pour l'embrasser. Feignant de résister, elle se raidit en repoussant Tchen de ses deux mains appuyées sur sa poitrine. A ce moment retentit la voix de Mong Yu Loh :

— Sœur Cinq ! monte vite par ici, j'ai quelque chose à te dire.

Lotus d'Or se dégagea vivement des bras de son agresseur et escalada la colline, pendant que le jeune Tchen regagnait lentement son appartement, le cœur partagé entre la joie et le chagrin.

Hsi Men était un personnage bien en vue dans toutes les classes supérieures, mais également dans les ruelles les plus suspectes de la bonne ville de Tsing ho hsien. Tous les filous le connaissaient et bon nombre d'entre eux pouvaient se vanter d'avoir reçu de lui des « bienfaits » considérables. Deux bandits mal famés, qui portaient, dans leur milieu, les surnoms de Serpent dans l'Herbe et de Rat des Routes [89], appartenaient à cette espèce de gens qu'on nommait « heurtoirs » à l'époque Soung et que l'on nomme actuellement des assommeurs. Ils étaient assis tous les deux à jouer aux dés devant une gargote, dans une rue étroite d'un faubourg, lorsque Hsi Men passa devant eux comme il rentrait de la partie de campagne chez le juge départemental Hsié. Il eut une illumination. Arrêtant brusquement son cheval, il les héla. Ils accoururent et le saluèrent d'une légère génuflexion.

— D'où venez-vous, seigneur ?

— Nous avons fêté l'anniversaire de l'honorable juge départemental Hsié. A propos, j'aurais une petite commission à vous confier.

— Seigneur, vous nous avez déjà plusieurs fois fait l'honneur et la faveur... Vous savez que nous nous jetterions au feu pour vous, dans l'eau

---

89. L'EIF restitue leur prénom (*ming*) associé à leur petit nom (*xiaoming*) : « Lu le Brillant, surnommé Serpent-des-Prés, et Zhan le Victorieux, alias Rat-qui-traverse-la-Rue. » ; le premier implique une méchanceté sournoise et le second un caractère audacieux. Voir : EIF, I, p. 1149, n. 4 de la p. 372.

bouillante ; que pour vous nous mourrions dix mille morts !

— C'est parfait ! Venez me voir demain matin, nous en reparlerons.

— Pourquoi demain ? Dites-le nous tout de suite, seigneur !

Hsi Men se pencha pour leur confier à l'oreille l'affaire du remariage de Mme Ping.

— Frères, dit-il en achevant, il me plairait bougrement que vous régliez son compte au maudit Mont des Bambous.

Il fouilla dans sa manche, en retira une bourse dont il vida le contenu. Il y avait cinq onces d'argent brut.

— Nous espérons bien, enchérit Serpent dans l'Herbe, que le seigneur aura l'occasion après cela de nous procurer une bonne situation chez Son Excellence Hsié.

— C'est entendu, dit Hsi Men en partant.

Il y avait deux mois maintenant que le docteur avait emménagé dans la maison de Mme Ping. S'il avait pu croire, au début, qu'il gagnerait l'amour de sa femme, grâce aux artifices des drogues et des philtres, il avait de quoi être déçu. Dans le fond de son cœur, elle n'appartenait qu'à Hsi Men, et la petite sympathie qu'elle avait éprouvée pour le petit homme s'était tôt volatilisée, à la façon d'une averse. Elle avait fini par piétiner les flacons des divers aphrodisiaques qu'il lui présentait, et elle jetait tout aux ordures.

Après une scène particulièrement violente, le docteur Mont des Bambous s'était retiré dans sa boutique, le ventre plein de rage. Il venait de se laisser tomber sur un escabeau derrière son comptoir, lorsque deux étrangers entrèrent et prirent place sur la banquette avec des manières désinvoltes et fanfaronnes.

— Auriez-vous du jaune de chien dans votre boutique ? demanda le premier.

— Vous voulez dire « jaune de bœuf » ou « bezoar de bœuf » ? J'en ai, en effet. Mais le « jaune de chien » n'existe pas.

— Tant pis ! Donnez-moi donc de la cendre de glace.

— Vous daignez plaisanter ! Vous confondez sans doute avec des « morceaux de glace », qui est une manière de désigner le camphre. J'en ai d'excellent, qui vient de Perse.

— Trêve de plaisanterie, dit l'autre. Ce magasin n'est ouvert que depuis peu et l'on n'a pas eu le temps de le bien fournir. Parlons net ! Dites, l'ami Mont des Bambous ! cessez de faire semblant de dormir ou rêver. Vous vous souvenez bien des trente onces d'argent que vous avez empruntées à un certain monsieur il y a deux ans, lors de la mort de votre femme ? Il vous les réclame aujourd'hui, avec les intérêts, bien entendu. Nous avons appris, il y a quelque temps, que vous étiez en train de vous marier et que vous alliez ouvrir une pharmacie ; nous vous avons donc laissé un petit délai. Mais maintenant : passez la monnaie !

— Comment ? fit le docteur épouvanté, il y aurait un monsieur à qui je dois de l'argent ?

— Du calme, mon ami. Je ne vois pas le moindre petit trou où vous auriez l'occasion de pondre les œufs de mouche de votre indignation !

— Mais je ne le connais pas de nom, votre monsieur ! Je ne l'ai jamais vu. Cette affaire ne me regarde pas !

— Moi, Tchang Chong, dit Rat des Routes, je me suis porté garant pour vous ; et voici la reconnaissance.

Il tira de sa manche un papier qu'il mit sous les yeux du docteur. L'autre, de fureur, devint jaune comme de la cire.

— Chiens que vous êtes ! cria-t-il. Maudits escrocs ! vous voulez me duper !

En guise de réponse, Serpent dans l'Herbe lui expédia par-dessus la table un coup de poing, rapide comme le vent, qui lui tordit le nez. Puis il empoigna une étagère chargée qu'il lança dans la rue, si bien que les flacons et les boîtes d'onguent roulèrent de toutes parts.

Les cris stridents du docteur finirent par attirer une patrouille de police qui intervint dans la bagarre pour les attacher tous et les emmener ensemble au poste.

Le matin suivant, le juge ouvrit l'interrogatoire par ces mots :

— C'est bien toi qui es Kiang, nommé Mont des Bambous ? Pourquoi refuses-tu de t'acquitter de ta dette, en injuriant ton créancier par-dessus le marché ? Ta conduite est abominable.

— C'est incompréhensible, rétorqua le docteur, je ne lui ai jamais rien emprunté. J'ai voulu lui faire entendre raison mais il m'a rossé et il a dévasté ma boutique.

— Lou Houa, qu'as-tu à répondre ?

— Il m'a emprunté cette somme il y a deux ans, pour subvenir à l'enterrement de sa femme. Cela fait deux ans que j'attends d'être remboursé. Et lui, il ouvre une pharmacie ! Quand je l'ai pressé de me rendre ce qu'il me doit, il s'est mis à tempêter et à m'insulter. D'ailleurs, voici la reconnaissance et mon témoin !

Le juge prit le papier et lut :

« Le soussigné est Kiang, nommé Mont des Bambous, médecin du canton. Pour suffire aux frais d'enterrement de son épouse défunte, il a emprunté et reçu de Lou Houa : trente onces d'argent fin au taux mensuel de trois pour cent. Le remboursement aura lieu dans le délai d'un an. Tchang Chong se porte garant. En cas de contestation, ce document tiendra lieu de preuve. »

Pris d'un grand courroux, le sieur Hsié frappa du poing sur la table en criant :

— Eh bien, la preuve est là ! Tu es un débiteur de mauvaise foi et endurci, car tu oses contester le texte même d'un document qui fait preuve !

Sur un ordre bref, trois ou quatre agents se ruèrent sur le pauvre docteur. Ils lui appliquèrent trente coups de bambou ; puis ils le traînèrent jusque chez lui, avec l'ordre de percevoir la somme de trente onces d'argent. Si le docteur ne s'exécutait pas, il serait enfermé à la prison pour dettes. Mont des Bambous se précipita chez sa femme pour la supplier de payer les trente onces ; elle lui cracha au visage.

— Tu n'as pas apporté une sapèque dans notre ménage, et il faudrait que je paie encore tes dettes ! Ah si j'avais su plus tôt qui tu es, je me serais bien gardée de t'épouser, détestable tortue !

Que pouvait-elle faire ? Elle fléchit. Serpent dans l'Herbe et Rat des Routes se retirèrent triomphalement avec leurs belles pièces d'argent tout neuf, après avoir déchiré la reconnaissance.

Ils se rendirent immédiatement chez Hsi Men, à qui ils racontèrent fièrement leur réussite. Il les félicita, les régala, et consentit à leur laisser généreusement l'argent extorqué comme salaire de leur peine, sans avoir à rien débourser. Il leur promit encore de recourir à leurs services à la prochaine occasion.

Le lendemain, sa satisfaction s'augmentait encore, car il apprenait que Mme Ping avait ignominieusement chassé son mari, sans un sou, comme il était venu, et qu'elle avait fermé définitivement la boutique concurrente. C'était exact en effet. De son côté, Mme Ping s'était conformée à l'usage en ordonnant à la vieille Fong de jeter un seau d'eau sur les talons du docteur, pour confirmer le divorce. Elle respira mieux lorsqu'elle se trouva seule et se fit d'amers reproches pour avoir conclu précipitamment ce mariage abominable. De ce jour, toutes ses pensées se concentrèrent de nouveau sur Hsi Men, et elle passa ses journées sur le pas de sa porte à essayer de voir s'il n'allait pas lui faire signe.

Le quinzième jour du huitième mois, on fêta l'anniversaire de Mme Lune. Comme Hsi Men ne lui adressait toujours pas la parole, il avait préféré échapper à l'ambiance d'agitation joyeuse de sa maison et il s'était rendu chez Fleur de Cannelle avec Ying le Tapeur et Hsié Hsi Ta.

Lorsque le petit Tai A vint lui amener son cheval à la fin de la journée, Hsi Men lui demanda si tout s'était bien passé à la maison.

— Il n'y a rien eu de particulier. La plupart des invités sont partis à cette heure. Mme Ping, de la rue des Lions, a fait envoyer ses félicitations et des cadeaux par la mère Fong.

— Tu as l'air bien échauffé. As-tu bu du vin ?

— Oui : la mère Fong m'a transmis une invitation de la part de Mme Ping ; j'en sors. Elle m'a offert deux grandes coupes de vin. Elle m'a confié son chagrin, et ses regrets d'avoir reçu dans sa maison le docteur Mont des Bambous. Elle implore votre pardon de tout son cœur et vous supplie de venir lui rendre visite, car elle désire venir habiter chez vous à tout prix. Je suis chargé de lui rapporter tout de suite votre réponse. Il faut croire qu'elle souffre, seigneur, car elle a beaucoup maigri.

— Sacrée femme ! que me veut-elle encore ? murmura-t-il. Bon, soit ! Va lui dire que je ne veux plus de ces visites et de ces tergiversations. Je choisirai un jour indiqué pour le mariage et ce jour seulement, je lui enverrai la chaise à porteurs. C'est mon dernier mot.

A la date convenue, il envoya la grande chaise solennelle, tendue de soie rouge, à la rue des Lions, en imposant cortège de quatre serviteurs et de huit porteurs de grandes lanternes vermillon. De son côté, Mme Ping expédiait en avant la mère Fong et ses deux servantes, pour annoncer sa venue. Elle attendit le retour de la vieille pour lui confier les clés de sa maison et pour monter dans la chaise à porteurs. Elle était aux anges.

Hsi Men ne sortit pas de chez lui ce jour-là, mais il n'organisa pas la réception que l'on donne généralement pour l'arrivée d'une Nouvelle ; il s'était juré de lui infliger une leçon. Il l'attendait calmement, vêtu de sa robe d'intérieur ordinaire.

Mme Ping, au moment de descendre de sa chaise sous le portail principal, ne fut pas peu surprise de ne voir personne lui souhaiter la bienvenue. Pourtant, si personne ne venait, la Nouvelle était empêchée par le rite de franchir le seuil de sa future maison.

Finalement, Mong Yu Loh fut émue de pitié. Elle courut chez Mme Lune pour la supplier de faire en sorte que la pauvre femme pût franchir le portail.

Mme Lune hésitait, car elle était courroucée contre la Nouvelle, comme il est bien naturel. Mais la peur de déplaire à Hsi Men l'emporta : elle se leva et se dirigea lentement, sur ses pieds de lis, vers le portail.

Il ne parut que le lendemain matin au nouveau pavillon. Sans même entrer, il appela Mme Ping et l'emmena pour la présenter, selon les formes, comme sa Sixième aux autres femmes et aux servantes. Ce qui n'empêcha pas que Mme Ping passa sa seconde nuit dans la solitude et l'abandon : Hsi Men se trouvait chez Mong Yu Loh.

Comme la troisième soirée se passait sans que le seigneur se montrât, Mme Ping fut prise d'un sombre désespoir. Au coup de minuit, les deux servantes furent éveillées par un gémissement qui partait de la chambre d'à côté. Elles entrèrent, très inquiètes, chez leur maîtresse, que la faible lueur de la lampe à huile presque éteinte leur découvrit pendue à la barre supérieure du lit, le cou serré dans le nœud de sa ceinture de soie.

Elles se précipitèrent dans le parc en poussant des cris stridents, pour appeler Lotus d'Or et Tchoun Mei au secours, car c'étaient leurs plus proches voisines. Lotus d'Or, vite décidée, trancha le nœud d'un énergique coup de ciseaux. Les femmes reçurent ensemble Mme Ping évanouie dans leurs bras et elles l'étendirent délicatement sur sa couche. Au bout d'un moment, ô miracle ! une mousse légère couvrit sa bouche. Elle respirait !

Tchoun Mei fut chargée d'aller prévenir Hsi Men. Elle le trouva encore habillé, en train de boire et de causer gaiement. Mong Yu Loh venait précisément de lui faire des reproches au sujet de la Nouvelle qu'il délaissait déjà depuis trois nuits et qui devait, à son avis, être profondément vexée.

C'est à ce moment de la conversation qu'ils avaient entendu des éclats de voix. Mong Yu Loh avait ordonné à Parfum d'Orchidée d'aller s'informer.

— La Sixième s'est pendue ! La Cinquième prie le seigneur d'y aller tout de suite !

— Vois-tu ? dit Mong Yu Loh. Je t'avais mis en garde. Tu n'as pas voulu m'écouter ; et voilà le malheur arrivé !

Elle se précipita dehors avec une lanterne, pour aller prévenir Mme Lune et Li Kiao. Hsi Men resta tranquillement à sa place.

— Ne soyez donc pas dupes, dit le lendemain Hsi Men à ses femmes réunies. C'est une mise en scène, pour se donner de l'importance. Je ne crois pas qu'elle ait eu sérieusement l'intention d'en finir. Ce soir, j'irai chez elle et je lui demanderai de se pendre encore une fois, sous mes yeux. Si elle fait des manières, je lui ferai tâter du fouet de crin.

De stupeur, toutes les femmes gardèrent le silence. Le soir, elles perdirent chacune un plein seau de sueur, pour le souci qu'elles se faisaient au sujet de la Sixième. Et en effet, Hsi Men se rendit chez elle avec un fouet de crin dans la manche. Lotus d'Or et Mong Yu Loh le suivaient à pas feutrés et elles se postèrent aux écoutes derrière une petite porte latérale.

Lorsqu'il pénétra dans la chambre, il la trouva sanglotant sur sa couche, le visage enfoui dans les coussins. Il fut contrarié qu'elle ne fît aucun geste, et il s'assit après avoir renvoyé les deux servantes.

— S'il faut absolument que tu te pendes, pourquoi choisir ma maison entre toutes ? Tu aurais pu liquider cette affaire quand tu étais avec ton dernier mari, cet imbécile, cette tortue ! Je ne t'ai pas suppliée de venir, je n'ai pas non plus employé, la force. Mais enfin, si tu y tiens, pends-toi ! Voici une corde. Je veux bien te voir pendue !

Lorsqu'elle reçut la corde qu'il venait de lui lancer au visage, Mme Ping fut prise d'une terreur épouvantable. Elle se rappelait les calomnies du docteur Mont des Bambous sur le compte de Hsi Men et elle se disait qu'il avait peut-être eu raison. Serait-elle tombée dans un piège ? Elle poussa un hurlement.

— Au bas du lit ! Ote tout ce que tu portes ! Et à genoux ! criait Hsi Men au comble de la rage.

Comme elle hésitait, il la prit par le bras et la tira violemment à bas de sa couche, en même temps qu'il prenait son fouet de l'autre main et lui en administrait quelques coups cinglants. Cela lui fit comprendre qu'il fallait se dévêtir. Lorsqu'elle fut nue, il l'obligea à se mettre à genoux et à subir, dans cette posture, une longue semonce.

— Je me repens de tout ce que je t'ai fait, dit-elle doucement. Mais aie la bonté de te souvenir que tu avais totalement disparu, que je t'attendais en vain le jour comme la nuit. Je suis tombée malade, tu peux demander à la mère Fong et aux deux servantes si elles n'ont pas jugé que mon état était grave. C'est en profitant de ma maladie, que le misérable est entré dans ma maison et m'a enjôlée. Oh, que la punition fut amère ! Ne veux-tu pas comprendre et pardonner ?

Hsi Men ne faisait pas mine de s'attendrir ; il reprit :

— On m'a rapporté que tu aurais conseillé à ce maudit docteur de me poursuivre en justice, pour la restitution des biens que tu avais confiés à ma garde.

— C'est faux ! Que mon corps se dessèche, si je l'ai dit !

— Vraiment ? dit Hsi Men dont le visage se radoucit. Mais peut-être ne désirais-tu venir dans ma maison que pour rentrer en possession de tes affaires ? Une fois que tu les aurais récupérées, tu serais vivement partie chez un autre homme ? En tout cas, si tu t'es bercée de cette idée, c'est un mauvais calcul : je ne te lâcherai pas de sitôt. J'ajoute que l'incident de la dette imaginaire, comme la rixe dans la pharmacie et encore la condamnation de ton mari, sont mon œuvre ; c'est moi qui aie inventé tout cela ! Je voulais que tu le saches.

Hsi Men, qui avait obtenu satisfaction, sentit renaître ses anciens sentiments pour elle. Il jeta son fouet et l'aida doucement à se rhabiller.

— Ainsi, tout est rentré dans l'ordre, mon enfant ! dit-il en la pressant tendrement entre ses bras.

La prospérité de Hsi Men s'était considérablement augmentée depuis son mariage avec sa riche Sixième. Sa maison était somptueuse, ses champs étaient bénis, la chance le favorisait dans toutes ses affaires ; sa propriété à la campagne était aussi soignée que sa maison de ville et en aussi parfait état ; ses magasins regorgeaient de réserves, ses mules et ses chevaux se comptaient par troupeaux ; ses domestiques s'alignaient en longues files.

Il fallait placer l'argent superflu ; Hsi Men ouvrit donc une entreprise de prêts, à côté de son magasin de drogues, qu'il dota d'un capital de deux mille onces d'argent. Il chargea son intendant Fou de diriger l'affaire avec l'aide de son secrétaire Pen Sé, laissant à son gendre Tchen la surveillance générale et les clefs du trésor. Comme l'étage supérieur du pavillon de Lotus d'Or servait de magasin pour les réserves de drogues, on aménagea le premier étage du nouveau pavillon en garde-meuble pour la conservation des objets en gage.

La nouvelle entreprise trouva un succès immédiat et bientôt les vêtements, les bijoux, les antiquités et les objets rares s'amoncelèrent au-dessus de l'appartement de Mme Ping. Le jeune Tchen se vouait à sa tâche avec beaucoup de zèle. Il se levait de bonne heure et ne prenait de repos que tard le soir. Il contrôlait soigneusement les entrées et les sorties d'argent, comme les fiches des gages qu'on établissait ou qu'on détruisait. Hsi Men avait toutes les raisons d'être satisfait de lui.

Il était loin de se douter que le jeune homme était assez malin pour devenir une épingle dans l'ouate, une épine dans sa chair !

Dans le premier tiers du onzième mois, Hsi Men se rendit à la maison de la mère Li, où il n'avait pas mis les pieds depuis longtemps, sur les instances de Ying le Tapeur et de Hsié Hsi Ta.

— Par ces temps de neige désolants, avait dit le premier, on a double plaisir à se réjouir les yeux à la vue d'une fleur de calycanthe d'hiver !

— Il a raison, avait ajouté Hsié Hsi Ta, tu négliges la petite depuis des mois. Dans ce cas, il est inutile de lui payer sa rente mensuelle de vingt jolies pièces d'argent.

Ils furent déçus tous les trois, car la fleur de calycante d'hiver ne se montra pas. La compagnie de sa sœur aînée et de la mère Li ne suffisant pas pour lui plaire, Hsi Men demanda impatiemment où se trouvait la petite.

— Elle se languissait depuis des semaines à vous attendre, seigneur ; puis, comme elle ne vous voyait jamais, elle a fini par penser que vous ne viendriez pas davantage aujourd'hui et elle s'est rendue en chaise chez sa cinquième tante, pour lui faire ses vœux d'anniversaire.

Comme Hsi Men s'était levé et qu'il était sorti pour aller se soulager dans la cour, la fatalité porta à son oreille un éclat de rire qui sortait d'une petite pièce voisine. La curiosité le poussa jusque sous la fenêtre où il risqua un regard : Fleur de Cannelle buvait et badinait avec un jeune homme dont le béret carré révélait l'origine méridionale.

Ce tableau fit sortir des entrailles de Hsi Men une flamme qui lui embrasa la tête. Il se rua dans la salle comme un forcené. Saisissant la table à deux mains, il la renversa, si bien que les plats, les assiettes et les tasses roulèrent par terre et se brisèrent avec fracas. Puis, en hurlant, il donna l'ordre aux deux valets qui l'accompagnaient de démolir toute l'installation, sans épargner une fenêtre, une porte ou un mur.

— Où est le rustre ? Où est cette canaille méridionale ? criait-il dans la cour. Qu'il sorte ! Qu'on apporte une corde ! Liez-les ensemble, lui et son petit museau poudré ! Exposez-les au public dans la loge du portail !

Le jeune Ting, qui n'était rien moins qu'un héros, avait été envahi par la peur et s'était caché sous le lit. Fleur de Cannelle lui jeta un regard méprisant et lui dit :

— Eh bien quoi ? Nous autres, nous vivons fréquemment des aventures de ce genre. D'ailleurs, ma mère s'en occupe. Allons, sors de là et laisse-le crier.

Pendant ce temps, la vieille Li s'efforçait en vain d'apaiser la fureur de Hsi Men, à coups de mensonges répétés. Mais il se démenait comme un loup féroce et personne ne trouvait le moyen de le calmer. C'est tout juste si ses amis parvinrent à l'empêcher de se jeter sur la vieille femme.

Sa rage fut lente à s'atténuer. Finalement, il franchit le seuil de la maison en jurant solennellement qu'il ne le passerait jamais plus. Il monta à cheval et partit dans la sombre nuit d'hiver.

Chapitre dix-septième

Lorsque, tard dans la nuit, Hsi Men rentra chez lui, le temps s'était éclairci. La Grande Ourse brillait au nord du firmament. Il foulait de son pas alourdi la douce couche scintillante des fins cristaux blancs dans la cour intérieure, en direction de la porte qui menait aux appartements de ses femmes, lorsqu'il s'aperçut, pour sa plus grande stupéfaction, que cette porte était entrebâillée. C'était très inaccoutumé à cette heure. Il se rangea vivement dans l'ombre pour épier ce qui allait se passer.

Il vit bientôt sortir Petit Bijou. Elle portait une petite table basse pour les sacrifices, qu'elle déposa, non loin de la porte, dans l'allée couverte qui longeait le mur. Lorsqu'elle eut préparé les ustensiles, Mᵐᵉ Lune sortit également, à pas mesurés. Elle était en tenue de fête. Elle balaya soigneusement les alentours de la petite table, alluma l'encensoir et un bâtonnet de senteur, puis se tourna vers le nord et se prosterna sept fois sous la voûte étoilée.

Hsi Men ignorait que Mᵐᵉ Lune, dès le premier jour de leur désaccord, avait pris l'habitude de jeûner trois fois par mois et de se prosterner sept fois devant la constellation de la Grande Ourse en brûlant de l'encens. Elle escomptait de ces pratiques un changement d'attitude de son époux, plus favorable à ses vœux.

Mᵐᵉ Lune s'était mise à prier :

— Moi, humble servante de la famille Wou, je vois avec chagrin mon conjoint Hsi Men, dissiper son cœur aux lieux de la fumée et des fleurs. Hélas ! aucune de ses femmes n'a pu lui donner un descendant mâle ; il n'aura pas de fils pour entretenir sa tombe et pour offrir des sacrifices qui réconforteraient son esprit. Qui sera son soutien, quand viendra la vieillesse ? Sous le ciel nocturne, je t'implore, ô astre clément : prête-moi ton éclat, afin que le cœur de l'époux se tourne de nouveau vers son humble servante, afin aussi que le seigneur soit béni d'un descendant qui continue sa maison. Voici le vœu de la très humble servante !

Hsi Men entendait distinctement cette prière. Elle n'était pas achevée, qu'il en ressentit une confusion profonde. Ah, quelle injustice avait-il commise envers cette femme qui priait pour lui par cette froide nuit d'hiver et qui témoignait de tant de fidélité et de tant de dévouement !

Incapable de rester davantage dans sa cachette, il fit quelques longues enjambées pour se rapprocher d'elle et il l'embrassa avec beaucoup d'émotion. Elle s'était fort effrayée de le voir surgir sans bruit de l'ombre et ne souhaitait, en vérité, que l'écarter et se retirer chez elle ; mais il la retenait de ses bras puissants.

— Ma sœur, lui dit-il d'une voix émue, j'ai ignoré la bonté de ton âme jusqu'aujourd'hui, fou que je suis ! Comme j'ai été injuste à ton égard ! Je m'en repens profondément.

— Il y a tout lieu de supposer, dit-elle avec beaucoup de réserve, que tu t'es trompé de porte. Ne suis-je pas une mauvaise femme qui, depuis longtemps, n'est plus digne de ton amour et dont tu détestes jusqu'à la vue ? Que viens-tu faire chez moi ?

Sans lui répondre, il la prit par la main et la mena en silence à son appartement. Là, il l'examina attentivement à la lueur de la lampe. Il s'avisa, pour la première fois, qu'elle était habillée avec goût, que sa tunique jaune s'accordait parfaitement à sa robe rouge, que son coquet bonnet de zibeline lui seyait à ravir et que sa broche Kwan Yin en jade sur fond d'or faisait un effet charmant. N'était-elle pas digne d'être aimée de toutes les manières ? Il lui fit une profonde révérence, qui n'était pas seulement de politesse, et sa voix trahissait une soumission sincère lorsqu'il dit :

— Mes yeux étaient frappés de cécité et mes oreilles étaient invétérément sourdes à tes paroles bien intentionnées. Comme j'ai péché envers toi ! Ah, comment ai-je pu prêter quelque attention à de vulgaires cailloux, tout en ignorant le jade merveilleux ? J'implore mille fois, dix mille fois ton pardon !

— Je n'ai pas coutume de me mêler de tes affaires ; comment te donnerais-je des conseils bien intentionnés ? répondit-elle avec obstination. Je suis satisfaite de vivre en paix dans ces appartements et je te prie de ne pas t'occuper de moi davantage. D'ailleurs, je n'y ai rien préparé pour te recevoir. Tu ne veux pas, je pense, te faire mettre à la porte par mes femmes de chambre ?

— J'ai été troublé aujourd'hui par une forte émotion et je suis rentré au plus fort de la tempête de neige, tout exprès pour m'expliquer avec toi. Montre-toi bonne et compatissante.

— Est-ce que tes émotions me regardent ? Je renonce à tes explications. Confie-toi à qui tu voudras.

Comme la femme de chambre s'était discrètement retirée, Hsi Men se dépêcha de se rejeter aux genoux de la Première et il reprit sa plainte longuement. Mme Lune finit par se laisser attendrir. Elle le fit asseoir à côté d'elle et lui dit en plaisantant :

— Au bout de cent ans dûment écoulés, je crois que je pourrais recommencer une autre tentative avec toi !

Ils signèrent la paix en donnant l'ordre à Flûte de Jade de servir le thé. Alors, Hsi Men raconta en détail ce qui lui était arrivé dans la journée, confessa qu'il s'était comporté en forcené et certifia qu'il avait fait le vœu de ne plus jamais passer le seuil d'une maison de joie.

— C'est à toi de savoir ce qu'il faut faire ou ne pas faire ! De toute façon, tu sais maintenant d'expérience que la qualité de ton argent n'empêche pas une créature de cette espèce de se commettre avec un autre homme. On peut lier cent fois un corps, le sceller même, il est impossible de garrotter un sentiment !

— Tu as raison, dit-il pensivement. Puis il renvoya la femme de chambre, se dévêtit et se coucha sur le lit. Mme Lune comprit bien vite la prière qu'exprimaient ses yeux.

— Il me paraît peu commode de manger couché, dit-elle avec un sourire mutin, pourtant tu peux t'installer sur mon lit, si tu y tiens. Mais ne va pas t'imaginer....

En guise de réponse, il se dressa, l'entoura passionnément de ses bras puissants et l'attira sur la couche. On entendit bientôt un son ardent, semblable au cri rauque du cacatoès [90], qui sortait de la bouche de Mme Lune ; pendant que Hsi Men imitait avec zèle le papillon bigarré qui plonge lascivement dans les tendres profondeurs d'un calice parfumé. Deux époux réconciliés se délectaient de l'ondée que les nuages déversaient copieusement sur eux.

Le lendemain matin de bonne heure, Mong Yu Loh se présenta au pavillon de Lotus d'Or.

— Sœur Cinq est-elle déjà levée ? demanda-t-elle à Prune de Printemps.

— Elle est à sa coiffure. Veuillez entrer !

Mong Yu Loh courut pour crier à bout de souffle :

— Ma sœur, une nouvelle importante ! La sais-tu déjà ?

— Que puis-je apprendre ici, éloignée de toute goutte de salive humaine ? Alors, qu'y a-t-il ?

— Imagine-toi que Hsi Men, qui rentrait tard dans la nuit, est allé trouver Mme Lune et s'est réconcilié avec elle. Il y a passé toute la nuit ! Qu'en dis-tu ? Ma petite Parfum d'Orchidée l'a su ce matin du valet du maître.

Elle fit un long récit des événements de la journée et de la nuit, puis conclut :

— Il a dû plaider longtemps sa cause, mais la Première a fini par lui pardonner généreusement. N'est-ce pas émouvant ?

— Quelle hypocrite ! dit Lotus d'Or avec une moue de dédain. Elle aurait fait ses dévotions dans sa chambre, si elle avait été sincère ! Cette

---

90. L'image est moins orientale et plus implicite dans l'original que traduit l'EIF (I, p. 425) : « Entre les branches du pommier à fleurs passe le loriot rapide comme la navette, entre les solives de jadéite l'hirondelle répète ses pépiements. »

mise en scène dans la cour est un calcul, c'est certain. Elle comptait qu'il la surprendrait et que cela ferait le meilleur effet. Voilà prouvé une fois de plus que l'hypocrisie mène loin !

— Je ne dirais pas hypocrite, répliqua Mong Yu Loh. La Première a certainement bon cœur et elle désire sincèrement que l'harmonie règne perpétuellement dans la maison ; seulement, elle parle gauchement et ne sait pas exprimer ses sentiments de façon nuancée. Et maintenant, prépare-toi ! Nous irons trouver la Sixième, car il est dans l'ordre des choses que nous offrions un petit festin à Mme Lune, en l'honneur de l'heureux événement. J'ai compté que chacune de nous pourrait donner une demi-once pour les frais. La Sixième participera du double, bien entendu. Nous irons regarder la neige dans le parc après le repas, et nous passerons le reste de la journée à boire et à jouer. Ce sera merveilleux !

Le festin fut célébré à midi dans le salon sur le derrière de la maison, confortablement meublé de tapis, de paravents et de rideaux, et garni de braseros qui répandaient une douce chaleur.

La compagnie se divertit longtemps au jeu des flocons fringants derrière les fenêtres. Puis Mme Lune se leva et sortit dans la cour enneigée, suivie par Petit Bijou qui portait une bouilloire. Elle balaya de la neige, en emplit la bouilloire et fit du thé pour tout le monde en utilisant un mélange délicieux de noble thé du phénix et de doux thé « Langues d'alouettes ».

Pendant que l'on savourait le breuvage de Mme Lune, on annonça le frère de Fleur de Cannelle, le jeune Li Ming.

— Il arrive à point nommé, dit Hsi Men à son valet. Fais-le entrer.

Li Ming vint se prosterner devant la compagnie puis se retira avec beaucoup de modestie près de la porte.

— D'où viens-tu ? lui demanda Hsi Men.

— De chez l'eunuque Liou, qui habite au nord de la ville, non loin de la Porte du Vin et du Vinaigre. J'y enseigne la musique à plusieurs enfants. En revenant, je me suis rappelé que plusieurs morceaux que j'ai eu l'honneur de faire répéter dans votre noble maison n'étaient pas tout à fait au point ; c'est pourquoi je n'ai pas voulu manquer...

— Parfait ! Tu vas nous faire un peu de musique. Mais rafraîchis-toi d'abord, dit Hsi Men en le conduisant vers une petite table à part où il lui offrit très cordialement une tasse de thé.

Lorsqu'il eut bu, Li Ming prit la guitare à douze cordes, s'approcha de la table du festin et chanta la « Rencontre printanière en Automne ». Lorsqu'il eut fini, Hsi Men lui fit signe de s'approcher et lui fit servir, par Flûte de Jade, trois coupes de vin que Li Ming vida à genoux. On mit ensuite, sur un plateau, quatre assiettes emplies des divers mets du repas. Il les emporta jusqu'à sa petite table, les mangea de bon appétit, puis revint se poster contre le mur, non loin de Hsi Men. Celui-ci lui conta à voix basse l'incident qui s'était déroulé la veille dans la maison de la mère Li.

— Ah, je n'en savais rien! Il y a longtemps que je n'y suis pas allé, répondit Li Ming avec beaucoup de discernement. Mais Seigneur, je suis convaincu que la faute en incombe entièrement à la vieille. Il n'y a sûrement pas lieu d'être fâché contre Fleur de Cannelle. D'ailleurs je lui parlerai, et tout ira bien.

Hsi Men ne protesta pas. Lorsqu'on quitta la table au crépuscule, il congédia le jeune musicien en lui chuchotant :

— Mais garde-toi de lui dire que tu es venu chez moi aujourd'hui.

Li Ming sut parfaitement comprendre cette consigne à l'envers.

Le lendemain, comme Hsi Men était encore à déjeuner avec Mme Lune, on annonça Ying le Tapeur et Hsié Hsi Ta. Le maître de maison reposa sur-le-champ le gâteau qu'il tenait à la main et se leva pour aller saluer ses visiteurs.

— Laisse-les donc attendre! fit Mme Lune mécontente. Quelle hâte pour aller au-devant de ces envoyés du diable! Qu'ont-ils à faire ici? Ils viennent pour t'emmener, bien sûr! Par ce temps de neige, il faut être fou! En outre, c'est aujourd'hui la veille de l'anniversaire de Mong Yu Loh.

— Fais servir du thé et des gâteaux sur le devant de la maison dit Hsi Men avec insistance. J'irai finir mon déjeuner en leur compagnie.

Il pressentait que ses deux amis lui apportaient des nouvelles de la maison Li vers laquelle il se sentait fort attiré malgré ses serments. Et en effet, les deux hommes venaient en ambassadeurs de Fleur de Cannelle. Comme ils avaient reçu, dans la matinée, une oie rôtie et une cruche de vin accompagnées de la prière instante de réconcilier Hsi Men coûte que coûte, ils entrèrent en matière aussitôt.

— Nous lui avons fait les plus durs reproches, en lui remontrant les innombrables bienfaits que tu avais fait déferler sur leur maison, et combien elle avait été coupable de fréquenter à ton insu cette canaille du midi, pour l'unique raison que tu étais resté quelques jours sans la voir. Nos discours l'ont profondément impressionnée. A genoux, en pleurant, elle nous a suppliés d'intervenir auprès de toi, afin que tu consentes à venir prendre chez elle un gobelet de vin coupé.

— C'est très bien comme cela. Je n'irai plus chez elle.

— Nous comprenons ton ressentiment; mais, en somme, tu es injuste avec Fleur de Cannelle. Ce n'est vraiment pas de sa faute. Pour dire la vérité, ce jeune Ting est l'ami de sa sœur aînée. Ce soir de malheur, il avait l'intention d'organiser un petit banquet chez la mère Li, en l'honneur d'un compatriote, fils du propriétaire du bateau qui l'avait amené deux jours plus tôt, lui, son père et leur chargement. Il avait payé d'avance dix bonnes et lourdes onces d'argent ; lorsque nous sommes inopinément arrivés, la mère Li n'a pas voulu le désobliger, naturellement, et elle s'est imaginée qu'elle devait le laisser, par politesse, en compagnie de Fleur de Cannelle. Avec une hâte bien compréhensible, elle les a fait disparaître dans une chambre du fond, pour nous les dissimuler. Il y a eu une coïncidence malheureuse, rien de plus ; mais il n'est pas question de la moindre intimité entre ces deux-là ; leur réunion était tout ce qu'il y a d'innocent. Et puisque le malentendu est éclairci maintenant, il n'y a pas de raison que tu restes fâché avec la petite.

— Ce n'est pas que je sois fâché ; mais j'ai fait le serment de ne plus remettre les pieds chez elle. Allez la saluer de ma part ; dites-lui, en la remerciant de son invitation, qu'elle ne se fatigue pas inutilement, car je suis retenu chez moi par diverses petites affaires.

Les deux amis tombèrent à genoux ensemble.

— Mais voyons, grand ami ! ta dignité ne sera pas ternie, si tu lui fais une courte visite de politesse ! On ne te demande pas d'en faire davantage.

Ils l'accablèrent et le poussèrent si bien, qu'il finit par abandonner toute résistance. Il oublia ses bonnes résolutions et quitta la maison, dès qu'il eut fini de déjeuner, avec ses deux compagnons. Mme Lune en fut fort chagrinée.

La maison Li s'était mise en frais pour le recevoir dignement. La vieille, feignant le repentir le plus profond, le reçut à genoux sur le seuil. Deux gentilles chanteuses assistaient Fleur de Cannelle pour le service. La jeune fille elle-même, vêtue de ses plus beaux atours, se consacrait uniquement à Hsi Men, lui versait coupe sur coupe et le comblait de mille tendresses.

Il resta que les exhortations de Mme Lune furent encore assez puissantes pour le ramener chez lui de bonne heure le même soir. Comme c'était la veille de l'anniversaire de Mong Yu Loh, ce fut elle qui eut l'honneur d'offrir sa couche en partage à son seigneur.

Chapitre dix-huitième

Lai Wang, serviteur de Hsi Men, possédait une petite femme ravissante, nommée Houi Lien [91]. Elle était fille du marchand de cercueils Soung et avait été mariée déjà à un cuisinier que l'on appelait souvent en renfort dans la maison. C'était Lai Wang, généralement, qui allait le quérir lorsqu'il en était besoin et c'est ainsi qu'il avait fait la connaissance de sa mignonne épouse. Il la trouvait souvent seule et il avait su établir, à force de bavardages et de badineries de toutes sortes, une liaison secrète avec elle. Le jour où l'on avait trouvé le cuisinier poignardé par un de ses confrères à la suite d'une dispute, Lai Wang avait emmené sa maîtresse et l'avait présentée comme sa fiancée à Mme Lune. Celle-ci, toujours bonne, l'avait autorisé à garder chez lui Houi Lien, en comptant d'ailleurs qu'elle pourrait utiliser son habileté à l'aiguille au service de la maison. Elle avait fait davantage encore, en dotant généreusement le couple.

Houi Lien était une jolie personne d'à peine vingt-quatre ans, vive, proprette, ni trop grande, ni trop petite, ni trop grasse, ni trop maigre. Ses pieds mignons et son teint de pétale de fleur la rendaient propre à affoler les hommes et à semer le désordre dans une maison bourgeoise.

Elle était vite parvenue à se rendre agréable aux femmes de Hsi Men et à leurs soubrettes. Tout en ne possédant pas de quoi se parer, elle avait appris en un mois l'art de se coiffer et de s'arranger avec goût, à seulement observer ses maîtresses. Bref : il avait suffi qu'elle passât à la portée des yeux de Hsi Men pour allumer son désir de la posséder.

Pour parvenir à cette fin, il avait expédié Lai Wang à Hang tchou au début du onzième mois, c'est-à-dire peu de jours avant celui que nous allons raconter. Le prétexte était de faire confectionner une garde-robe complète pour le chancelier Tsai King, son puissant protecteur. Il en fallait pour les quatre saisons, en commençant par la robe de cérémonie, brodée de serpents, et en finissant par les vêtements de tous les jours, le tout pour le prix de cinq cents onces d'argent. Calculant que l'absence de Lai Wang durerait une bonne demi-année, Hsi Men avait jugé que ce délai devait suffire.

---

91. L'EIF (I, p. 448-449) précise les circonstances de l'entrée de la nouvelle rivale de Lotus d'Or dans la maison de Hsi Men ainsi que son identité : « Comme la femme du valet Laiwang était morte de consomption, Dame-Lune lui en avait trouvé récemment une autre, née Song, la fille du marchand de cercueils Song Ren [...]. Comme elle s'appelait aussi Lotus d'Or, nom incommode à conserver, Dame-Lune l'avait changé en celui de Lotus-de-Bonté. Elle était née l'année du cheval, ce qui lui faisait deux ans de moins que Lotus d'Or, soit vingt-quatre ans cette année-là [...]. Ses pieds étaient encore plus mignons que ceux de Lotus d'Or. »

Le jour de l'anniversaire de Mong Yu Loh, où nous reprenons notre histoire, Hsi Men ne parut pas chez ses épouses, mais se tint derrière le rideau de la salle de réception pour observer ce qui se passait. Il découvrit sa chère Houi Lien parmi les femmes de service ce jour-là. « C'est d'un goût bizarre, se dit-il en la voyant, que de porter une tunique pourpre fendue sur un jupon rouge cinabre. Cela s'accorde bien mal ! »

Quelques jours plus tard, Mme Lune était sortie dans l'après-midi pour faire une visite dans le voisinage. Hsi Men, qui rentrait d'une beuverie, passait la porte qui menait aux appartements des femmes, lorsque le hasard le fit rencontrer Hou Lien. Très échauffé par le vin, il la saisit sans façon dans ses bras et lui pressa ses lèvres sur la bouche.

— Écoute-moi, lui dit-il : si tu es gentille, si tu fais ce que je veux, tu auras autant de robes que tu voudras.

Elle se dégagea en souriant et se sauva sans répondre. Hsi Men poursuivit son chemin vers l'appartement de Mme Lune, où il trouva Flûte de Jade.

— Va porter ce chiffon de satin bleu à la petite femme de Lai Wang, et dis-lui de s'en tailler un jupon. Cette chose pourpre qu'elle portait l'autre jour lui allait affreusement mal.

Flûte de Jade était assez intelligente pour comprendre ce que cela signifiait. Elle s'acquitta aussitôt de la commission. Lorsque Houi Lien déplia le riche coupon de satin bleu, brodé de fleurs des quatre saisons, elle demanda à la messagère ce qu'elle devrait dire à la Première, si celle-ci s'informait d'où venait ce beau jupon.

— Ne te fais pas de souci, répondit Flûte de Jade d'un ton rassurant. Notre maître l'informera lui-même. D'ailleurs il m'a chargée de te dire que tu pourrais avoir bien d'autres choses encore, si seulement tu lui témoignais quelque gentillesse. C'est une bonne chose que Mme Lune soit sortie aujourd'hui.

— Crois-tu que je doive l'attendre dans ma chambrette ? Et quand ?

— Il préférera ne pas venir chez toi, les domestiques pourraient le voir. Il voudrait que tu te glisses dans le parc sans te faire remarquer et que tu ailles l'attendre dans la Grotte du Printemps caché. Personne ne vous y surveillera.

— Mais la Cinquième habite tout près de là !

— Bah ! en ce moment, elle est chez la Sixième au nouveau pavillon, en train de jouer aux échecs avec la Troisième.

C'était exact, en effet, mais comme on venait de leur annoncer la rentrée de Hsi Men, les trois femmes s'étaient quittées pour regagner leurs appartements respectifs. Mais Lotus d'Or s'ennuya bientôt dans son pavillon et elle se mit à la recherche du maître. Elle rencontra Petit Bijou à la porte de l'appartement des femmes.

— Ton maître est-il ici ? lui demanda-t-elle.

Petit Bijou secoua la tête et indiqua le parc du doigt. Lotus d'Or comprit et s'en retourna. Comme elle approchait du nouveau portail, elle aperçut Flûte de Jade qui se jetait devant l'entrée comme pour barrer le passage. Instantanément Lotus d'Or conçut un soupçon. Très contrariée, elle écarta la femme de chambre.

— N'y allez pas, s'écria Flûte de Jade. Le maître souhaite n'être pas dérangé.

— Tais-toi, carré de viande de chien ! Crois-tu que j'aie peur de lui ?

Et déjà elle avait passé dans le parc. Mais ses recherches furent vaines, elle ne put découvrir la trace de celui qu'elle soupçonnait d'avoir donné un rendez-vous à Flûte de Jade.

Finalement elle se dirigea vers la Grotte du Printemps caché. Alors son oreille fut frappée par le son de deux voix, l'une mâle, l'autre femelle. Elle s'approcha vivement de l'entrée de la grotte où elle arriva juste à temps pour voir Hsi Men et Houi Lien dénouer brusquement leur étreinte et tenter de réparer en hâte le désordre de leurs vêtements. Rouge de confusion, Houi Lien essaya de passer à côté de Lotus d'Or pour gagner le large.

— Que fais-tu ici, côtelette rancie ?

— Je ne faisais que chercher le valet Houa Toung, répondit la jeune femme qui bégayait de terreur. Puis elle s'envola comme un nuage de fumée.

— Ah, fripouille ! Créature sans vergogne ! cria Lotus d'Or en se ruant sur le coupable qui manipulait nerveusement sa ceinture. Te voilà à paillarder en plein jour avec cette misérable fille ! Je l'aurais battue, si elle ne s'était pas sauvée ! Avoue tout de suite : combien de fois as-tu joué le jeu avec elle ? Et ne va surtout pas mentir ; sinon je te dénonce à Mme Lune. Elle dira son fait à cette garce d'esclave, à cette saleté !

— Ne crie donc pas si fort, on pourrait t'entendre. Pour être tout à fait franc : c'est la première et l'unique fois...

— Je n'en crois rien ! Je prendrai mes renseignements. Et gare à toi, coquin ! si tu m'as menti !

— Calme-toi, dit-il en riant et en la prenant par le bras pour la faire sortir de la grotte.

L'enquête auprès des femmes de chambre révéla à Lotus d'Or que Hsi Men lui avait dit la vérité. Elle prit le parti de garder le secret sur cette affaire et n'en fit même pas part à sa confidente ordinaire Mong Yu Loh. Au contraire, elle alla jusqu'à adopter la tactique de protéger la nouvelle favorite et elle lui confia maintes petites commissions personnelles. Cette indulgence permit à Hsi Men de continuer ses relations avec Houi Lien.

Tout de même on s'aperçut bientôt que Houi Lien s'habillait avec plus d'élégance, qu'elle possédait des onces entières d'argent brillant et qu'elle était devenue bonne cliente des marchands ambulants qui traînaient devant le portail, offrant leurs fléchettes pour les cheveux et leurs plumes d'émail. On voyait aussi la chaleur des interventions de Hsi Men auprès de Mme Lune, son empressement à louer la perfection des services qu'elle rendait et comment il insistait pour qu'elle soit exemptée des humbles corvées de la cuisine, mais affectée seulement au service plus facile de femme de chambre de la Première.

C'était le huitième jour du douzième mois, et Hsi Men avait l'intention d'assister ce matin-là, avec Ying le Tapeur, à l'enterrement d'un ami commun. Les chevaux étaient sellés mais Ying se faisait attendre. Le jeune musicien Li Ming se trouvait là par hasard ; aussi Hsi Men, qui était confortablement installé avec son gendre près du poêle bien chaud, en profita pour se faire présenter le chœur de la maison, composé des quatre femmes de chambre. Ying le Tapeur parut au beau milieu du concert. Les quatre soubrettes voulurent se retirer, mais leur maître leur ordonna de rester.

Le maître, son gendre et son ami déjeunèrent de l'inévitable riz au bouillon, de dix plats de légumes divers et de trois coupes de vin de fleurs d'or pour chacun ; après quoi Hsi Men partit avec Ying, sans oublier de faire servir une généreuse collation au jeune Li Ming dans l'aile ouest de la maison.

Les jacinthes commencèrent par jouer à quelques jeux dans la pièce où leur maître de musique prenait son repas. Ensuite, elles se rendirent dans l'aile est, pour aller tenir compagnie à Mme Tchen. Tchoun Mei resta seule avec Li Ming, pour s'exercer sur la pi-pa. Très animé par les libations, Li Ming crut pouvoir profiter de l'occasion que lui offrait ce tête-à-tête. Il s'empara de la mignonne main que Tchoun Mei cachait dans sa manche.

Mais il s'était trompé d'adresse : Tchoun Mei se recula, furieuse.

— Qu'est-ce qu'il te prend, d'oser me toucher ? Maudite tortue ! Avec qui te crois-tu ? Cela te plairait, n'est-ce pas, de faire le gourmand d'abord, et d'aller ensuite fouiller de ta vilaine pioche les plates-bandes d'autrui ? Attends le retour de Hsi Men, je vais le lui dire ! Tu verras ce qui va t'arriver ! On te chassera, tortue maudite !

En se retournant encore pour lui jeter à la tête plusieurs autres douzaines de tortues, elle fila, la jupe relevée, et courut de toutes ses forces jusque dans la salle du fond où Lotus d'Or jouait aux échecs avec Mong Yu Loh,

Mme Ping et Houi Lien.

— Qu'as-tu donc, petite croquette de viande ? demanda la Cinquième.

Tchoun Mei lui fit un récit agité qu'elle termina par une nouvelle tortue maudite.

— Ne te trouble pas pour si peu, petite, répondit Lotus d'Or avec calme. C'est nuisible au teint. Attendons le retour de M. Hsi Men.

Et, en effet, le même soir, le gardien de la porte, Lai Hsing, reçut la stricte consigne de ne plus jamais laisser entrer le jeune musicien Li Ming.

Ses rencontres clandestines et fugitives avec Houi Lien étaient gâtées par la peur constante de se faire attraper, et à la longue, elles ne suffirent plus à Hsi Men. Vers la fin du douzième mois, il dit à Lotus d'Or :

— Cher petit museau huilé, j'ai envie de coucher avec Houi Lien cette nuit. Ne pourrait-on pas organiser cela ici, dans ton pavillon ?

— Comment ? Tes pores suent la dépravation ! Mais je ne te ferai pas de querelle. S'il est absolument nécessaire que tu prennes ton plaisir avec cette créature lascive, qu'à cela ne tienne ! Mais où ferai-je dresser un lit pour vous ? Je ne vois de place nulle part. Et puis je ne crois pas que Tchoun Mei sera d'accord. Demande-le lui !

— Bon, je constate que cela vous contrarie, les femmes ! Nous irons donc nous retirer dans la Grotte du Printemps caché. Mais il y fait bougrement froid. Aie l'obligeance d'y faire allumer du feu et fais-y porter de la literie.

Lotus d'Or rit à gorge déployée.

— Voyez-vous bien ce roi Hsiang amoureux[92] ! dit-elle enfin. Le voilà qui veut, par une froide nuit d'hiver, se coucher près de sa fée parmi des rochers nus et humides !

Cependant elle lui rendit le service qu'il lui demandait, en envoyant sur l'heure Aster d'Automne à la grotte, munie de draps et d'un brasero.

En attendant, Houi Lien avait été prévenue par Flûte de Jade. Lorsqu'elle eut terminé son service chez Mme Lune, elle attendit un peu à la porte intérieure ; puis, au moment où elle ne vit plus une ombre de créature humaine, elle se coula dans le parc comme un petit nuage de fumée. Hsi Men l'attendait à la grotte, où il était arrivé peu avant, une bougie à la main.

Dès l'entrée, Houi Lien fut incommodée par un courant d'air glacial qui la fit frissonner. Les charbons ardents du brasero n'avaient pas encore pu atténuer le froid qu'avaient accumulé trois mois d'hiver. Le sol, comme les

---

92. L'original chinois est un peu plus explicite : « À croire que tu veux imiter Wang Xiang, qui avait témoigné à sa marâtre semblable piété filiale en plein hiver ! » ; Wang Xiang aurait péché ventre nu sur la glace le poisson que sa marâtre désirait déguster, en dépit des mauvais traitements qu'il recevait d'elle. Lévy précise qu'il s'agit de l'un des héros des vingt-quatre histoires de piété filiale. Voir EIF, I, p. 1165, n. 1 de la p. 469.

chaises et les tables était couvert de poussière. Pourtant, les épais nuages que dégageaient deux cierges d'encens, la lueur douce de la lampe et celle, plus rougeoyante, des braises, répandaient quelque confort dans ce décor triste et peu hospitalier. Le couple s'installa tant bien que mal sur la couche improvisée, seul petit coin habitable de cette triste caverne. Le manteau doublé de fourrure qu'avait amené Hsi Men servait de couverture de lit.

Pendant que les deux amants s'enlaçaient dans une inextricable étreinte qui les empêcha bientôt de sentir le froid, une autre personne gelait au dehors, debout sous la fenêtre en croissant de lune. Poussée par une irrépressible curiosité, Lotus d'Or s'était frayé un chemin par la mousse que le froid bleuissait et par les arbustes hérissés d'épines acérées. Elle entendit des éclats de rire et elle distingua la voix de Houi Lien.

— Hou ! faisait-elle, c'est donc ici qu'il faut que nous nous rencontrions ! dans cette prison obscure, dans cette cave glaciale ! En êtes-vous donc à mendier, que vous ne puissiez trouver un endroit plus favorable ? Je sens ma salive se changer en glaçons sur mes lèvres.

Et un peu plus tard :

— Il est impossible de dormir par ce froid. Causons plutôt. Voyez comme mes pieds sont petits ; je ne trouve rien qui me chausse dans toute votre maison. N'auriez-vous pas l'obligeance de me faire faire sur mesure une paire de pantoufles ?

— C'est peu de chose ! Tu auras demain à choisir entre toutes les teintes. Mais je ne pensais pas que tu avais les pieds plus petits que ceux de la Cinquième.

— Bah ! comment pouvez-vous nous comparer ? L'autre jour, j'ai essayé ses chaussures : je mettrais les miennes dedans ! Il y a que les siennes sont beaucoup plus joliment faites.

« Voici qui devient intéressant », se dit Lotus d'Or, et elle se fit encore plus attentive pour écouter si l'on continuait de parler d'elle.

— Combien d'automnes a-t-elle déjà gaspillés, demandait Houi Lien. Et dites-moi si elle était encore vierge lorsque vous l'avez épousée.

— Elle était déjà fort mal tombée sur un premier mari.

— Ah bon, elle était donc habituée à l'étable matrimoniale, dit Houi Lien avec beaucoup de mépris dans la voix. Et elle ajouta, plus dédaigneusement encore : — C'est une de ces déracinées qui couchent sur un lit de rosée et qui se nourrissent d'air, comme on dit !

« L'effrontée ! » pensa Lotus d'Or. « Si je racontais aux autres ce que cette créature ose dire de nous derrière notre dos, cela ferait un beau scandale. Mais je me contiendrai pour l'amour de Hsi Men. L'occasion se retrouvera ! » Et elle se sauva, très en colère. Elle s'arrêta à la porte du jardin. Là, elle prit une épingle d'or dans sa chevelure et l'introduisit dans la serrure, de manière à la coincer si bien, qu'on ne pouvait plus ouvrir de l'extérieur.

Le lendemain, quand Houi Lien voulut quitter le parc sans être vue, elle trouva la porte impitoyablement close. Elle eut beau secouer et cogner, la porte ne s'ouvrait pas. Elle fut obligée d'appeler Tchoun Mei qui se trouvait à proximité de l'autre côté de la grille. Celle-ci put extraire l'épingle et dégager la serrure. Hsi Men reconnut l'épingle et sut ainsi que Lotus d'Or les avait épiés.

Oppressée par toute la troupe des démons de la mauvaise conscience, Houi Lien se hâta vers sa chambrette qui se trouvait dans la partie antérieure de la maison. Elle rencontra, dans la première cour, Ping An qui lui lança un regard impertinent.

— Qu'as-tu à rire ? lui demanda-t-elle sévèrement.

— Il n'y a pas de quoi se fâcher.

— Pour rire de si bon matin, il faut que tu aies une raison.

— Belle-sœur, je comprends votre émoi. Vous avez tant fait l'amour ces trois jours, que vous n'avez pas eu le temps de manger et que vous croyez voir maintenant des fleurs danser devant vos yeux ! Votre chambre est restée inoccupée cette nuit, n'est-ce pas ?

— Comment donc ? cria Houi Lien dont le visage s'empourprait. Tu es un niais ! Tu as des visions ! Maudit fils de proscrit !

— Mais je viens de vous voir devant la porte fermée !

— Et alors, quoi ? Je suis allée chez la Cinquième de très bonne heure.

— Vraiment ? La Cinquième vous a si bien fait gigoter, que vous étiez clouée sur place comme un crabe sur de la terre sèche ! Et puis, la Cinquième a déclaré que vous écartiez si bien les jambes, qu'elle enverra quelqu'un au portail pour vous acheter un éventail, afin que vous puissiez sécher votre... bouche perpétuellement humide de....

— Ordure ! immonde crachat ! cria-t-elle en se jetant sur lui avec fureur. Attends : je vais répéter tes paroles et tu expieras ton insolence !

— Je sais à qui tu les répéteras : il a une branche à laquelle tu sais fort bien grimper !

Elle allait le frapper au visage, lorsque le petit Tai A sortit fort à propos de la boutique de prêt sur gage. Il fit un bond pour séparer les adversaires.

— Voyons, belle-sœur, vous n'allez tout de même pas frapper ? dit-il en essayant de calmer la furie.

— Est-ce que je n'aurais pas toutes les raisons de le faire ? Cette dent à venin m'a insultée à m'en casser les épaules !

— Ne le prenez pas tellement à cœur, belle-sœur, dit Tai A doucement pendant que Ping An en profitait pour s'esquiver. Vous feriez mieux d'aller vous arranger dans votre chambre. Vous n'êtes pas encore coiffée.

Elle lui fit cadeau de quelques piécettes pour son conseil et rentra chez elle pour se rafraîchir, se laver et se coiffer. Puis elle alla se présenter, comme chaque matin, chez Mme Lune. Après quoi elle se rendit chez Lotus d'Or.

La Cinquième était en train de se coiffer, elle n'accorda pas un regard à Houi Lien qui s'efforçait d'essuyer la glace, emplissait d'eau la cuvette et tâchait de se rendre utile de toutes les manières.

— Permettez-vous que je vous débarrasse des bandelettes et des pantoufles de nuit ? demanda-t-elle timidement.

— Laisse donc ! J'ai mon propre service. Aster d'Automne ! Où es-tu petite sotte ?

— Elle balaie la neige devant la porte. Mais Tchoun Mei est à côté ; voulez-vous que je l'appelle ?

— Ne t'occupe pas de cela et va-t'en ! Va ! Va chez M. Hsi Men et sers-le ! Il en sera ravi. Que viens-tu faire chez nous ? Nous ne sommes que de misérables créatures, de celles qui « couchent sur un lit de rosée et se nourrissent d'air », de celles qui sont « faites à l'étable matrimoniale ». N'est-ce pas cela ? Ton cas, honorable belle-sœur, est naturellement tout à fait différent. Toi, on t'a vue arriver dans la maison de Hsi Men portée sur une somptueuse chaise de cérémonie ; toi, tu es son épouse légitime ; tu n'as pas gaspillé tes automnes, toi, comme nous autres !

— Mon sort repose entre vos mains, maîtresse, s'écria Houi Lien en se jetant à genoux. Je sais que c'est vous qui commandez dans les appartements du fond, vous, notre maîtresse à toutes. Je ne vous tromperai plus jamais, je le jure ! Que je meure, si je mens ! Que mon corps se couvre de furoncles et d'abcès !

— Fort bien, dit Lotus d'Or un peu radoucie. Mais tu as vu clairement que rien ne m'échappe. Tu peux continuer à rencontrer Hsi Men, cela m'est égal. Mais je t'interdis, une fois pour toutes, de parler de moi avec tant de légèreté. S'il t'arrive jamais de me piétiner encore de tes semelles de paille grossière, je te donnerai un coup de pied dans le ventre, qui te fera sauter !

— Je suis à vos ordres, maîtresse. Mais je crains que vous n'ayez mal entendu hier au soir.

— J'ai parfaitement compris, petite sotte ! Mais écoute-moi bien : il y a des hommes que dix femmes ne suffisent pas à rassasier, Hsi Men en est un. Crois-tu que nous lui suffisons, toi, moi, la Première, la Troisième, la Sixième ? Il entretient encore quelques vermines poudrées au dehors. Mais sache qu'il me raconte tout ! Et ne va pas t'imaginer que tu peux me cacher quelque chose !

Houi Lien, interdite et penaude, sortit sur la pointe des pieds. Mais la faveur que lui témoignait Hsi Men ne devait pas tarder à lui donner de plus en plus d'arrogance. Elle prit des libertés croissantes et finit par se tenir la plupart du temps près du portail, pour acheter leurs peccadilles aux marchands ambulants. Elle rencontrait souvent le gérant Fou, le jeune Tchen et le secrétaire Pen Sé, tous trois occupés dans les boutiques de la première cour. Elle se permettait avec eux un ton de familiarité qui seyait assez peu à sa condition de servante ; c'est ainsi qu'elle interpellait irrespectueusement le gérant Fou de l'appellation de « vieux bonhomme » et qu'elle désignait Tchen tout simplement par l'épithète de « mari de la fille » [93].

Son service chez Mme Lune se limitait à l'aller saluer le matin. Le reste du temps, elle le passait chez la Cinquième, dont elle tenait à garder les faveurs. Elle avait jugé, avec raison, que c'était celle des six qui avait le plus d'influence dans la maison. De son côté, Lotus d'Or acceptait volontiers ses services et comptait encore sur elle pour se divertir ; elle jouait aux échecs avec elle, lui demandait souvent de verser le vin et allait même jusqu'à la faire asseoir à sa table lorsque Hsi Men se trouvait au pavillon : et tout cela, par amour pour lui.

---

93. Le trait est forcé ; l'EIF (I, p. 476) propose plus vraisemblablement : « Toujours à la porte pour acheter ceci ou cela, elle donnait au commis du "messire Fu", à Chen Jingli du "mon cher beau-frère" [...] ».

Par une belle après-midi de mars, les femmes de Hsi Men profitèrent d'une absence de leur maître, pour aller se promener dans le parc et pour exercer un peu leurs corps alanguis par le printemps. Elles choisirent la balançoire, où elles montèrent deux à deux[94]. Mme Lune et Mong Yu Loh prirent place les premières sur la tablette de laque dorée ; puis Lotus d'Or avec Mme Ping. Li Kiao manquait de courage ; Sun Hsué O restait à la cuisine comme de coutume.

— Et maintenant, montons à trois ! dit Mong Yu Loh. Sœur Cinq, mets-toi debout.

— Mais ne faites pas d'imprudences ! ajouta Mme Lune

On pria Houi Lien et Tchoun Mei de pousser l'escarpolette.

Lotus d'Or était la première à se plaire au jeu et elle riait aux éclats du haut de son piédestal aérien. Soudain son pied perdit l'appui sur la planche vernie, elle glissa et se fût, pour un peu, précipitée dans le vide avec la Troisième.

— Je vous le disais bien ! s'écria Mme Lune. Il ne faut pas faire les folles sur une escarpolette : cela ramollit les jambes et on tombe. Je me souviens d'un incident de ma jeunesse. Nous étions quatre petites filles à nous amuser sur la balançoire de notre jardin. La petite Tchou tenait à se balancer debout. Or, la voilà qui glisse et tombe assise sur le bord de la planche, si brusquement qu'elle s'est fait éclater quelque chose à certain endroit de son corps. Et voulez-vous que je vous le dise ? Lorsqu'elle s'est mariée, son mari l'a renvoyée à ses parents après la première nuit de noces, sous prétexte qu'elle n'avait plus son pucelage. Pauvre fille ! son histoire est bien triste. Mais depuis lors, je me méfie des escarpolettes.

Là-dessus parut le jeune Tchen.

— Eh bien, dit-il, je vous vois fort occupées.

— Vous tombez bien, mon gendre, dit Mme Lune. Rendez-vous utile en mettant vos deux belles-sœurs en train. Les femmes de chambre manquent de force.

Le jeune Tchen avait l'ouïe et l'entendement aussi fins qu'un vieux bonze plein d'expérience qui entend sonner la cloche avant même qu'elle ait tinté. D'autre part, il profitait chaque fois qu'il en avait l'occasion de ses rencontres avec Lotus d'Or, pour tâcher de gagner ses faveurs. Elle semblait

---

94. Ce thème pastoral n'apparaît pas dans au chapitre XXIV de l'original chinois ; la balançoire ou escarpolette semble convoquée par les traducteurs occidentaux en vertu d'une analogie avec l'univers des fêtes galantes.

ne pas voir ce manège d'un mauvais œil et allait même parfois jusqu'à paraître l'encourager, quoiqu'elle sût toujours faire peur de son seigneur à son amoureux.

— Avec plaisir, répondit-il en s'avançant vers Lotus d'Or qu'il envoya très haut de quelques poussées vigoureuses.

— Moi aussi! cria la Sixième en se mettant debout sur la planchette.

— Patience, belle-sœur! L'une après l'autre! Je ne peux pas servir à la fois deux maîtresses de mes pieds et de mes mains.

Mais il alla vers elle; en soulevant légèrement son jupon, de manière à découvrir un peu ses sous-vêtements, il posa ses deux mains sur les hanches rondes de Mme Ping et il lui donna un vigoureux élan.

— Pas si fort! criait-elle. Je vais tomber!

Les mots insidieux et les allusions volèrent ainsi pendant un moment, jusqu'à ce que les deux femmes cédassent leur place à Houi Lien et à Flûte de Jade.

Pendant ce temps, à l'autre bout de la propriété, le serviteur Lai Wang effectuait sa rentrée de voyage, lourdement chargé de nombreux vêtements que Hsi Men lui avait fait commander pour le chancelier Tsai. Comme il se rendait aux appartements du fond, il rencontra Sun Hsué O.

— Te voilà donc de retour, dit la femme. Sans doute as-tu souffert des intempéries, du brouillard et des tempêtes de sable; cependant tu as bonne mine. On dirait même que tu as engraissé.

— Le maître est-il à la maison?

— Non, il est en tournée avec ses amis. Sa fille et ses femmes sont dans le parc, à l'escarpolette. Veux-tu du thé? As-tu mangé?

— Non, pas encore. Je tenais à saluer d'abord la Première. Je voulais me laver après et puis manger. Ma femme est-elle à la cuisine? Je suis surpris de ne pas la voir.

— A la cuisine? demanda Sun Hsué O avec un sourire à glacer le mari sur pied. Tu n'y penses pas! C'est devenu une vraie dame, depuis ton départ. Tout son service consiste à jouer la dame de compagnie.

Mme Lune interrompit leur conversation. Elle venait d'apprendre l'arrivée du serviteur et voulait connaître les détails de son expédition. Elle lui souhaita la bienvenue, le questionna amplement, puis lui fit présent de deux bouteilles de vin.

Comme sa femme était enfin arrivée, Lai Wang se rendit avec elle dans sa chambrette. Houi Lien l'aida à se défaire, à se changer et à vider ses malles; puis elle lui apporta à manger, sans empressement mais avec beaucoup de nonchalance. Elle exprima toute la tendresse qu'elle ressentait en une seule phrase assez brève :

— Comme tu es devenu gros, espèce de bandit noir !

Le soir venu, Lai Wang fit son rapport à Hsi Men. Le maître lui exprima sa satisfaction, lui accorda quelques onces en gratification puis le congédia.

Le lendemain, le bonhomme alla trouver. Mme Sun en cachette. Il lui offrit quelques jolis objets qu'il avait rapportés : deux mouchoirs de batiste, deux petites culottes à fleurs, quatre boîtes de la meilleure poudre de Hang tchou et vingt petites boîtes de fard. Contre quoi Sun Hsué O lui conta par le menu tout ce qui s'était passé dans la maison durant son absence.

— C'est bien vrai que j'ai été surpris de trouver tant de robes et tant de bijoux dans son bahut, dit Lai Wang qui avait changé de couleur au cours du récit. Quand je lui ai demandé d'où venait tout cela, elle a tout simplement prétendu qu'elle le tenait de la Première.

Et il s'en alla plein d'idées sombres. Comme il aimait le vin, le soir le trouva déjà fort avancé dans l'ivresse. Il fut soudain pris de l'envie de jeter un coup d'œil dans le bahut de sa femme. Il en tira une somptueuse pièce de satin bleu à fleurs.

— D'où tiens-tu ce chiffon-là ? demanda-t-il à sa femme en la regardant d'un air sournois.

— Belle question ! fit Houi Lien en essayant de sourire. De la Première, bien sûr ! C'était pour que je m'en fasse un jupon ; mais je n'ai pas encore eu le temps.

— Et tout le reste ? Je te conseille de me dire la vérité ! cria-t-il sur un ton de menace.

— Vieux fou ! Vas-tu t'imaginer que je l'ai ramassé sur un tas d'ordures ? Les oiseaux ont des nids, et d'autres animaux leur terrier ; ne suis-je pas une créature humaine, moi, avec une famille et une parenté jusqu'au sixième degré ? Je vais tout te dire : les bijoux, je les ai empruntés à ma tante !

Clac ! La main de Lai Wang s'abattit sur son visage pendant qu'il se mettait à hurler :

— Comment ? Tu veux feindre, maudite ! Il y a des témoins qui sont tout à fait bien au courant de tes rapports avec certaine canaille qui ne respecte même pas les cinq premières conditions d'humanité. C'est Flûte de Jade qui a fait l'entremetteuse, qui t'a apporté le chiffon bleu et qui t'a emmenée dans la grotte du parc. Après quoi tu es encore allée coucher avec lui au pavillon de la Cinquième. Tu comprends ?

— C'est pure méchanceté, de me battre. Qu'ai-je fait ? Je suis d'une famille honorable et je ne veux plus porter mon honorable nom, si j'ai fait un seul faux-pas. La Première m'a fait cadeau du satin le jour de l'anniversaire de la Troisième, le onzième mois. Je portais le jupon de Flûte de Jade ; la Première a trouvé qu'il s'accordait mal avec ma robe et elle m'a donné le tissu pour que je m'en fasse un autre. Je suis furieuse d'être méconnue aussi cruellement !

— Allons, bon ! je me suis donc énervé inutilement, grogna Lai Wang qui paraissait radouci. Prépare mon lit, j'ai envie de dormir.

Pour cette fois, l'orage était écarté. Mais Houi Lien eut de la peine à attendre la fin de la nuit, car elle voulait s'informer auprès de Flûte de Jade sur la personne qui avait bien pu jaser.

Les deux servantes mirent peu de temps pour mener leur enquête et il leur fut bientôt évident qu'il devait exister une intimité de quelque sorte entre Lai Wang et Mme Sun. En tout cas, elle était la seule coupable présomptive.

Pendant ce temps, Lai Wang rabâchait son malheur. Un soir qu'il était une fois de plus ivre, sa langue se délia en présence de plusieurs serviteurs.

— Tout a commencé par le morceau de satin bleu qu'il a fait porter à ma femme. C'est comme cela qu'il l'a séduite. Ils se sont retrouvés dans la grotte, puis chez la maudite Cinquième. Ah ! mais s'il lui arrive de frôler seulement mon petit doigt, je m'arrangerai pour que mon couteau entre tout blanc dans son ventre et ressorte tout rouge dans son dos ! Et vous allez voir que je suis homme de parole ! Quand à la Cinquième, il faudra qu'elle y passe aussi ! Est-ce que cette maudite créature n'a pas déjà supprimé son premier mari au poison ? Qui est-ce qui l'a tirée d'affaire à l'époque, qui a obtenu, à coups d'argent, la condamnation puis l'exil du beau-frère Wou Soung ? qui, sinon ce gredin de Hsi Men ? Je le le hais, cet affreux suborneur, cette fripouille !

Ainsi parlait Lai Wang, d'une langue pâteuse ; et son vieil ennemi Lai Hsing, le gardien du portail, ne perdait pas un mot de ce discours d'ivrogne. Il n'eut rien de plus pressé que d'en aller faire le rapport à Lotus d'Or dès le lendemain.

— J'ai une communication importante pour vous, lui dit-il, mais pourrai-je compter sur votre discrétion ? Je voudrais éviter de passer publiquement pour votre informateur en cette affaire.

— Sois sans crainte, tu peux tout dire. Parle devant Sœur Trois, ce n'est pas une étrangère pour moi.

Sur quoi Lai Hsing lui répéta scrupuleusement les propos de Lai Wang, sans oublier le couteau qui devait entrer blanc et sortir rouge, ni surtout l'épithète d'empoisonneuse dont avait été gratifiée la Cinquième. Les deux femmes l'écoutèrent horrifiées. Lotus d'Or avait pâli et elle serrait avec tant de force ses dents blanches comme de l'argent, qu'on les entendait grincer.

— Est-il bien vrai que Hsi Men a eu une affaire avec la servante ? demanda Mong Yu Loh qui n'était au courant de rien.

Lotus d'Or ne put guère éviter de la renseigner. Elle fit un bref récit de l'aventure et conclut d'un ton menaçant :

— Mais laisse-moi faire !

Lorsque, le même soir, Hsi Men alla rejoindre Lotus d'Or dans son pavillon, il la trouva assise sur son lit, l'air hagard, les cheveux défaits en nuage, les joues humides de larmes et les yeux bouffis.

— Qu'as-tu donc ? lui demanda-t-il très surpris.

Elle lui fit un récit minutieux qu'elle termina sur un ton tragique :

— Si tu tolères que cette canaille discoure ainsi sur notre compte, tu perdras la face ! Et si nous ne trouvons pas immédiatement le moyen d'arrêter la main de ce meurtrier, nos deux vies, la tienne et la mienne, sont irrémédiablement perdues !

— Mais qui donc a pu lui raconter cette affaire ? demanda Hsi Men. Est-il en contact avec les appartements du fond ?

— Demande-le à Petit Bijou !

Hsi Men se rendit sur-le-champ dans son cabinet de travail, où il se fit confirmer le rapport de Lotus d'Or par Lai Hsing. Après quoi il entreprit Petit Bijou qui lui certifia qu'il était impossible que les bavardages ne vinssent pas de Sun Hsué O. Il en conclut que la première mesure à prendre était d'appliquer une solide bastonnade à Sun Hsué O. En outre, on restreindrait sa liberté de geste en l'obligeant à se passer de vêtements de dessus, ce qui la limiterait à sa cuisine et à la fréquentation de la partie féminine de la domesticité. Toute relation, toute conversation avec un homme lui serait absolument interdites.

Hsi Men s'entretint ensuite avec Houi Lien. Elle prenait l'affaire beaucoup moins tragiquement.

— Bah ! dit-elle, tout cela ne sont que paroles boursouflées de vin ! Il est moins meurtrier que ses discours, je m'en porte garante. D'ailleurs il vit de ta faveur et il n'est pas si sot que d'aller scier la branche sur laquelle il perche. Tu devrais ne pas prêter attention à des racontars de cette espèce. Au fait, qui t'a raconté cette histoire ?

— Ma Cinquième. Et Lai Hsing l'a confirmée.

— Ah bon, voilà qui ne m'étonne pas ! Il est inconsolable depuis que tu as confié l'approvisionnement à Lai Wang ; c'était lui qui s'en occupait auparavant et il regrette les petits bénéfices que cela lui procurait. C'est pourquoi il déteste mon mari. Non, vraiment, tu as tort de prendre tant à cœur les racontars. Mais il serait peut-être bon que tu éloignes Lai Wang de ta maison, à l'amiable. Il suffirait que tu lui confies quelques onces d'argent, pour qu'il puisse aller s'établir à son compte dans quelque ville éloignée. Comme je le connais, il en serait comblé ; et nous pourrions, toi et moi, nous voir à toute heure sans nous gêner.

— Tu as peut-être raison. Je l'enverrai à la capitale de l'Est, avec les cadeaux d'anniversaire pour le chancelier Tsai. Il est vrai que je comptais confier cette mission à Lai Pao ; mais tu as raison : il partira. Une fois rentré, je lui donnerai mille onces et je le renverrai à Hang tchou, cette fois pour ouvrir un commerce de soie à mon compte. Qu'en penses-tu ?

— C'est un excellent projet ! s'écria Houi Lien en enlaçant tendrement le cou de Hsi Men et en souffrant qu'il lui fermât la bouche de suaves baisers.

Quand Hsi Men lui confia sa nouvelle mission, Lai Wang fut extrêmement flatté. Il se prosterna profondément pour le remercier et s'en fut aussitôt à ses préparatifs.

Mais son ennemi Lai Hsing courut chez Lotus d'Or pour l'informer de la nouvelle tournure des événements. Lotus d'Or jugea qu'il était bon d'en parler immédiatement à Hsi Men et elle se précipita dans le parc, car on lui avait dit qu'il était au Belvédère. Il n'y était pas, mais elle trouva le jeune Tchen, occupé à fermer et sceller de grandes caisses.

— Où est le maître et qu'es-tu en train de cacheter ?

— Le maître sort d'ici, il s'en allait chez Mme Lune. Ces caisses contiennent les cadeaux pour le chancelier, et c'est Lai Wang qui va les convoyer.

Lotus d'Or descendit prestement les marches du belvédère et se hâta vers la sortie du parc. Elle rencontra Hsi Men en chemin et l'emmena dans son pavillon.

— Est-il exact que tu envoies Lai Wang à la capitale de l'Est ? demanda-t-elle.

— Mais oui.

— Ainsi tu t'es laissé emberlificoter par cette servante ! Ce que je dis ne signifie rien, une fois de plus ! Es-tu donc incapable d'y voir clair ? Ta vie est en danger ! Le jour viendra où mes yeux ne pourront plus veiller sur toi. Comprends-moi bien, mon ami : ce n'est pas la jalousie qui m'inspire ; pour moi, tu peux la garder, cette femme ! Mais je tremble pour ta vie. Il faut que ce gredin disparaisse ! Il faut arracher la mauvaise herbe avec la racine, sinon elle repousse !

Le discours de Lotus d'Or provoqua un renversement d'opinion chez Hsi Men, et il dit le lendemain à Lai Wang :

— J'ai changé d'avis. Tu viens seulement de rentrer, je ne peux pas t'infliger les fatigues d'un second voyage. J'enverrai Lai Pao. Pour toi, tu te reposeras quelques jours. Ensuite, je te donnerai de l'argent, pour que tu puisses engager un commis et ouvrir une petite boutique sur la rue.

Que pouvait faire Lai Wang ? Il faut que le serviteur se plie aux volontés de son maître. Il consentit donc, puis s'en fut essayer de passer sa mauvaise humeur en buvant force coups de vin. Lorsqu'il fut ivre, il se remit à invectiver contre Hsi Men et à vociférer de sombres menaces.

— Vas-tu bientôt cesser de montrer les dents, chien hargneux ! lui dit Houi Lien irritée. Tu parles à tort et à travers, et tu oublies que les murs ont des fentes et les cloisons des oreilles ! Mange plutôt ta soupe aux pois !

Elle le laissa cuver son vin et se rendit chez Flûte de Jade. Cette dernière arrangea une entrevue avec Hsi Men dans un coin tranquille derrière les cuisines, et elle monta la garde comme d'habitude. Houi Lien éclata en reproches.

— A peine s'est-on entendu avec toi sur la direction à prendre, que tu fais tourner bride à ton cheval ! C'est mon mari qui reste et Lai Pao qui part ! Tu es comme une balle que chacun peut faire rebondir comme il l'entend, tu es mou comme une mèche de lampe qu'on monte ou baisse à volonté ! Je gage que tu vas bientôt faire ériger un temple au dieu des mensonges ! Comment croire à ta parole après tout cela ?

— Eh bien, ce n'est pas si grave. Je me suis dit que ton mari ne connaît pas le palais du chancelier Tsai, tandis que Lai Pao n'y est pas étranger. Mais il n'y a pas de raison pour que ton mari ne tienne pas un petit commerce par ici.

— A quoi penses-tu ?

— A un débit de vin, c'est ce qui lui ira le mieux !

— Je le pense aussi, dit Houi Lien très satisfaite. Et elle courut porter la bonne nouvelle à son mari.

Quelques jours plus tard, Hsi Men fit venir Lai Wang dans son bureau. Six petits paquets cachetés étaient alignés sur sa table.

— Comme tu ne fais que rentrer de Hang tchou, je veux t'éviter les fatigues d'un nouveau voyage ; et puisque, en outre, tu ne connais pas le palais du Chancelier, j'enverrai Lai Pao. Mais tu vas prendre ces six petits paquets ; ils contiennent trois cents onces d'argent. Engage un commis et ouvre un débit de vin, je pense que tu y trouveras ton profit. L'affaire peut te rapporter d'assez jolis bénéfices chaque mois.

— Il a bon cœur, après tout, dit Lai Wang en terminant, pour sa femme, le récit de cette entrevue. Ces trois cents onces me permettront de nous construire un nid douillet.

— Tu vois bien, bandit noir ! Mais dorénavant, cesse de gronder. Et puis ne bois pas autant, retiens-toi !

Il promit. Mais lorsqu'il rentra le soir, épuisé d'avoir cherché un commis pour sa boutique, l'état d'ivresse avancé où il se trouvait prouvait assez qu'il n'avait pas pris sa promesse très au sérieux. Fatigué d'avoir couru et bu, il se coucha et s'endormit.

Sa femme aussitôt quitta prestement la chambrette, car Flûte de Jade venait de l'appeler pour qu'elle se rende aux appartements du fond. Elle ne se doutait pas du tout qu'on l'éloignait de chez elle sur un ordre de Hsi Men.

Lai Wang se réveilla vers neuf heures du soir. Les vapeurs du vin ne s'étaient pas encore dissipées et lui obscurcissaient l'esprit. Dans sa demi-somnolence, il crut entendre la voix de Sun Hsué O :

— Debout, frère Lai Wang, debout ! Ta femme est encore en train de te tromper dans le parc, avec cette canaille éhontée ! Comment peux-tu rester vautré à dormir ?

Lai Wang écarquilla les yeux autant qu'il put et se tourna de tous les côtés : sa femme avait en effet disparu.

— C'est à ma barbe, maintenant, qu'elle joue son jeu ! murmura-t-il en colère.

Il se rua en direction du parc. Il allait contourner l'aile ouest, lorsqu'un tabouret vint heurter ses jambes et le faire trébucher. En même temps, il entendit le bruit d'un couteau qui tombait sur les dalles. L'instant d'après, cinq serviteurs bondirent sur lui, en hurlant dans la cour obscure et tranquille : « Au voleur ! Au voleur ! »

— Mais je ne suis que Lai Wang, criait-il en tentant vainement de se dégager. — Je cherchais ma femme ! Pourquoi m'assaillir de cette façon ?

Sans lui faire l'aumône d'une réponse, on le traîna jusque dans la grande salle du devant. Hsi Men trônait dans un fauteuil sur l'estrade, sombre et menaçant.

— Amenez-le ! fit-il rudement.

Lai Wang s'agenouilla devant lui et, fort de son innocence, commença une défense qui ressemblait à un acte d'accusation.

— Quand je me suis réveillé de mon ivresse, j'ai vu que ma femme n'était plus dans la chambre. Je me suis mis en devoir de la chercher. Pourquoi me traite-t-on comme un vulgaire voleur ?

Son ennemi Lai Hsing s'approcha de l'estrade et déposa devant Hsi Men un long couteau-poignard.

— Voilà ce que nous lui avons enlevé, dit-il avec un sourire méchant.

— Comment, il a voulu me tuer ? dit Hsi Men avec un mouvement de colère. — Ah, l'animal est moins perfide que l'homme ! Je fais cadeau à celui-ci de trois cents onces d'argent pour qu'il puisse s'installer, et voilà qu'il sort dans l'ombre pour m'assassiner ! Accompagnez-le jusqu'à sa chambre, vous autres, et ramenez-le ici avec les trois cents onces d'argent qu'il a reçues de ma main.

Quand Lai Wang revint avec ses gardes, Hsi Men se fit donner les six paquets, qu'il avait remis au pauvre homme de ses propres mains, et il les examina l'un après l'autre. Il ne trouva d'argent que dans un seul, les autres ne contenaient que des morceaux de vulgaire plomb.

— C'est le comble ! Voilà qu'on échange mon bel argent contre du vil plomb ! s'écria Hsi Men en feignant l'indignation. Où as-tu caché l'argent des cinq autres ?

Si Lai Wang avait pu garder son sang-froid jusque-là, ce coup l'acheva.

— Maître ! balbutia-t-il affolé, comment aurais-je fait pour échanger vos lingots ? Je ne sais vraiment pas....

— Suffit ! Non seulement tu as pensé à me tuer, mais tu voulais encore m'escroquer ! Et si toutes ces preuves ne suffisaient pas, j'ai encore un témoin à produire. Avance, Lai Hsing !

Lai Hsing fit sa déposition en contant tous les détails de l'affaire. Lorsqu'il eut achevé, Hsi Men prononça :

— Ligotez Lai Wang et déposez-le dans la loge du portail. Je rédigerai demain une plainte contre lui et je le ferai mener au Yamen.

On se préparait à exécuter son ordre, lorsque Houi Lien se précipita dans la salle. Ses cheveux défaits et ses vêtements en désordre manifestaient son trouble et son émotion.

— La haine obscurcit votre jugement, seigneur ! Vous honorez l'image de Bouddha, mais vous offensez le simple bonze ! Il se peut que l'ivresse ait fait dire des sottises à mon mari, mais le pauvre homme est bien incapable d'avoir machiné les actions que vous lui reprochez.

Hsi Men finit par perdre patience et il la fit ramener de force dans sa chambre. Ce qui mit fin à la scène nocturne.

Le lendemain matin, Hsi Men rédigea une plainte en bonne et due forme et il obligea Lai Hsing à coucher sa déposition par écrit. Mme Lune tenta d'intervenir pour que l'on se contente d'une punition à domicile, mais en vain : Lotus d'Or fut la plus forte, une fois de plus.

Mme Lune, après son échec, se retira dans les appartements du fond et dit aux autres femmes, en visant Lotus d'Or qui était absente :

— Tout est sens dessus dessous chez nous ! Notre maison est ensorcelée par une renarde à neuf queues. Il faut que quelque personne ait mis ces idées dans la tête de Hsi Men, car il est inconcevable que l'on traite de la sorte un brave serviteur sans avoir la moindre raison de le faire. Les preuves sont aussi faibles qu'un cercueil de papier mâché ! Le seigneur n'a plus une étincelle de bon sens, comme s'il était enchanté par un philtre magique.

Elle se tourna vers Houi Lien, qui était agenouillée à ses pieds, et ajouta pour elle :

— Tranquillise-toi, mon enfant. Il suffit que le tribunal pose quelques questions pertinentes, et l'innocence de ton mari sera tout de suite établie.

C'était compter sans Lotus d'Or, car elle dirigeait les événements de la coulisse, bien résolue à poursuivre son chemin jusqu'au bout.

Ce n'était pas par hasard que le juge cantonal Hsié avait reçu une gentille petite liste de cadeaux en même temps que la plainte ; l'instruction publique se déroula tout autrement que ne l'avait cru Mme Lune. Les explications de Lai Wang furent inutiles ; vains les cris lamentables dont il emplit la salle d'audience. Il pouvait crier tant qu'il voulait : « Justice ! justice ! Est-ce vraiment ici la salle où l'on rend la justice ? »

— Tu es bien ingrat, misérable esclave ! lui répondait M. Hsié fort en colère. Est-ce là toute ta reconnaissance pour le maître bienveillant qui t'a autorisé à prendre cette fille comme femme sous ton toit, qui est même allé jusqu'à te confier une somme considérable pour te construire un nid moelleux ?

Vingt coups de bambou lourd, puis les poucettes, ne suffirent pas à tirer de Lai Wang l'aveu qu'on désirait ; M. Hsié fit donc interrompre le procès et compta sur l'incarcération pour vaincre cette résistance.

Hsi Men, que le cours de cette affaire satisfaisait, interdit à ses domestiques de porter de la nourriture ou des couvertures à la prison, et décréta que Houi Lien devait tout ignorer du sort de son mari.

Comme Hsi Men passait un jour devant sa fenêtre, Houi Lien profita de ce qu'il n'y avait personne à la cuisine pour le prier d'entrer.

— Comment vont les affaires de mon mari ? lui demanda-t-elle.

— Eh bien, ma petite, pour l'amour de toi et par souci pour ta réputation, j'ai adressé un recours en grâce au juge, répondit Hsi Men en mentant effrontément. Je me suis arrangé pour qu'on ne le torture pas et qu'on le libère bientôt. Une fois dehors, je l'aiderai, malgré tout, à ouvrir un petit commerce. Et tout cela, je le fais pour toi !

Il écarta le vêtement flottant de Houi Lien qui, dans cette chaude saison, ne portait qu'une chemise ; et il profita de l'occasion pour jouer un peu au canard amoureux. En partant, il lui donna deux onces d'argent, après lui avoir juré solennellement de vivre et de mourir avec elle.

Encouragée par ces nouvelles preuves de faveur et d'amour, Houi Lien crut ne plus devoir douter de la sincérité de ces discours. Dans sa joie, elle commit la faute grave d'aller annoncer la libération de son mari aux femmes de chambre et aux autres servantes, comme si c'était chose faite. La nouvelle se répandit bien vite, cela va de soi, des servantes aux maîtresses ; et Mong Yu Loh, dès qu'elle la connut, ne fit qu'un saut chez Lotus d'Or.

— Ah c'est ce qu'elle croit ! dit Lotus d'Or après le récit de la Troisième. Laissons-lui sa confiance ! Mais je veux n'être plus fille de Pan, si j'admets qu'il en fasse sa Septième !

— Comment l'en empêcheras-tu ? demanda l'autre timidement. Il fait la sourde oreille à tout ce qu'on peut lui dire, et Mme Lune ne le contrarie jamais.

— Ah tu n'as rien d'une héroïne ! Moi, je suis belliqueuse ! Crois-tu que je vais me laisser vaincre par cette servante ? Plutôt mourir !

— Je suis craintive, j'en conviens. Je n'oserais jamais susciter le courroux de Hsi Men en essayant de le contrecarrer.

Lotus d'Or attendit que Hsi Men fût installé à sa table dans le Cabinet de Malachite pour aller le trouver. Comme il était en train d'écrire, elle se pencha sur son épaule et lui demanda ce qu'il rédigeait là. Pris au dépourvu, Hsi Men fut obligé d'avouer qu'il s'agissait d'un recours en grâce pour Lai Wang.

— En vérité, tu ne mérites pas qu'on t'appelle un homme ! Tu laisses ta barque flotter à tous les vents, sans jamais essayer de la gouverner ! Et cette esclave t'a entortillé une fois de plus ! Ne vois-tu pas combien elle tient à son mari, et qu'elle se moque bien que tu la bourres de sucre et de miel tous les jours ? N'as-tu pas réfléchi que le mari te gênera considérablement, quand il sera libre ? Si tu veux posséder Houi Lien en toute liberté, débarrasse-toi du mari avant tout !

Ces paroles provoquèrent un nouveau revirement de Hsi Men. Il rédigea sur-le-champ une nouvelle requête, dans laquelle il demandait au juge de rendre docile le prisonnier en le battant et de le condamner dans les trois jours.

Tout le personnel de la Cour de Justice, jusqu'aux geôliers, avait accepté les générosités de Hsi Men ; qui donc aurait osé résister à ses désirs ? Il n'y avait que le secrétaire Yin, du Chan si, qui fût, par bonheur un honnête homme. Il refusa de formuler le décret qui devait faire mettre au supplice le pauvre Lai Wang. Une discussion s'ensuivit entre lui et le juge ; et M. Hsié se sentant les mains liées par cette opposition, trouva un expédient qui devait apaiser les scrupules de son secrétaire en même temps qu'il satisferait aux désirs de Hsi Men : il fit administrer quarante autres coups de bâton au prisonnier, après quoi on le renvoya dans sa ville natale de Hsu tchou fou.

Un beau jour donc, on fit sortir Lai Wang de son cachot, où il avait langui la moitié d'un mois, pour lui faire entreprendre la pénible marche vers la lointaine Hsu tchou fou, le carcan au cou. Le pauvre homme était dans un état lamentable. Ses membres broyés par les coups lui semblaient en gelée, ses vêtements étaient en loques et pas un sou ne garnissait sa poche. Tout cela au seuil d'une marche épuisante.

— Frères, ayez pitié du malheureux que je suis ! dit-il à ses gardiens en les suppliant. Menez-moi dans la maison de celui qui fut mon maître et où habite ma femme. Je lui demanderai des vêtements et de l'argent, pour que nous ne manquions pas de nourriture pendant le voyage.

Les gardiens firent droit à sa requête et le conduisirent à proximité de chez Hsi Men. Comme Ying le Tapeur habitait tout près, Lai Wang commença par lui faire demander audience ; mais Ying refusa, en donnant le prétexte qu'il n'y était pas. Deux autres voisins, Kou et Nien, furent plus généreux et consentirent à intercéder auprès de Hsi Men ; mais ce fut en vain. Bien plus, Hsi Men envoya cinq de ses gens, armés de bâtons, pour chasser Lai Wang du seuil de sa maison.

Les gardiens menèrent encore leur prisonnier chez son beau-père, le marchand de cercueil Soung. Celui-ci fit preuve de charité en lui donnant un cordon de sapèques de cuivre et un boisseau de riz. Ensuite commença la longue marche sur la grand-route brûlante et poussiéreuse.

Houi Lien ne se doutait de rien, car Hsi Men avait formellement interdit qu'on la renseigne.

Le vent lui apporta un jour la nouvelle assez vague que son mari serait sorti de prison et qu'il serait même venu ce jour-ci près du portail de Hsi Men, avant de partir pour une destination inconnue. Houi Lien affolée questionna tour à tour tous les serviteurs, mais aucun d'eux n'osa lui dire la vérité. Enfin elle rencontra le page Tai A.

— Petit frère, je t'en supplie, donne-moi des nouvelles de mon mari, lui dit-elle sur un ton de prière passionnée. Quand sortira-t-il de prison ?

— Je vais vous le dire, belle-sœur, répondit le jeune garçon à voix basse. Il en est déjà sorti. Comme il n'a pas voulu avouer, on lui a donné quarante coups de bâton de plus et il est actuellement en route pour son pays de Hsu tchou fou. Vous ne le reverrez jamais. Mais ne me trahissez pas, je vous en prie ! Il nous est strictement défendu de vous parler de cette affaire.

En apprenant cette nouvelle, tous les soucis et toutes les préoccupations s'évaporèrent de son esprit, à l'exception de cette peine. Elle s'enferma dans sa chambre et pleura amèrement.

Elle pleura si bien, qu'elle en tomba dans le désespoir le plus noir. Elle se saisit d'une serviette qu'elle attacha au-dessus de sa porte, elle y fit un nœud et se pendit. Lorsque, bien plus tard, on pénétra dans sa chambre, elle était morte. En venant voir sa dépouille, Hsi Men donna son avis en haussant les épaules :

— Quelle sotte ! On ne pouvait rien pour elle : elle était née pour son malheur.

Lotus d'Or avait triomphé une fois de plus.

Chapitre vingtième

C'était le premier jour du sixième mois. Une chaleur lourde et brûlante occupait l'air, le soleil de midi flamboyait dans un ciel sans nuage. L'incandescence de l'air aurait pu faire fondre le métal, carboniser les pierres.

Cela faisait plusieurs jours que la chaleur excessive avait empêché Hsi Men de faire un pas hors de chez lui. Ce matin-là, pas encore coiffé et vêtu d'une robe confortable dont le col était grand ouvert, il était installé au sommet de la colline bien aérée du belvédère, occupé seulement par le spectacle des jardiniers qui rafraîchissaient les plates-bandes à coups d'arrosoir.

Il venait de leur signaler un parterre de roses dont les têtes inclinées manifestaient la soif, lorsqu'il vit Lotus d'Or et Mme Ping qui s'avançaient lentement vers le belvédère. Sur le blanc de leur vêtement de batiste, elles portaient un fourreau collant de lamé d'or. La Cinquième abritait sa tête du soleil sous un de ces « voiles de nuage bleu » comme on les tisse à Hang tchou. Les deux belles s'approchaient en se tenant par la main et en bavardant gaiement, gracieuses comme deux branches fleuries ondulant sous la brise.

— Tu n'es pas précisément en état de recevoir des visites, dirent-elles plaisamment en guise de salut.

— C'est vrai, ma foi ; je ne suis même pas coiffé ! J'étais absorbé par les fleurs. Faites-moi donc apporter un peigne et de l'eau pour ma toilette, je vais m'y mettre ici.

Lotus d'Or fit un geste à l'adresse du valet Lai An, pour qu'il exécute l'ordre du maître. Puis elle s'approcha du parterre de roses pour en cueillir.

— Ah non, dit Hsi Men en l'arrêtant, c'est moi qui vais offrir une rose à chacune de vous.

Il venait d'en cueillir plusieurs, à peine écloses, qu'il avait disposées dans un vase de porcelaine. Lotus d'Or était trop orgueilleuse pour souffrir les partages ; aussi le devança-t-elle pour prendre le plus beau des boutons et elle se le fixa dans les cheveux. Hsi Men n'offrit donc qu'une seule fleur, à Mme Ping.

Là-dessus arrivèrent Prune de Printemps et Aster d'Automne, chargées d'un peigne, d'une brosse, d'un miroir et d'une cuvette pleine d'eau. Hsi Men prit trois autres roses dans le vase.

— Voici pour ma Première, ma Seconde et ma Troisième, dit-il à Prune de Printemps en les lui tendant. Fais savoir à la Troisième que je la prie de venir ici avec son luth à quatre cordes.

— J'irai la chercher moi-même, dit soudain Lotus d'Or.

Et elle s'éloigna avec Prune de Printemps. Mais ce n'était qu'une manœuvre : elle se sépara subitement de sa compagne à la porte du jardin.

— J'ai changé d'avis, lui dit-elle. Je remonte. N'oublie pas de dire à la Troisième qu'elle apporte son luth.

Et elle remonta par un autre chemin.

Pendant ce temps, Hsi Men avait renvoyé Aster d'Automne pour chercher le savon parfumé au jasmin qu'elle avait oublié. Seul avec Mme Ping dans la véranda de malachite, il sentait ses sens doublement stimulés par la présence de ce corps très légèrement vêtu et par la lourdeur de l'air orageux. Comme la Sixième faisait quelques pas au hasard vers les rayons du soleil qui entraient obliquement dans la pièce, la pâleur de jade et le glacé mat de sa chair, comme les douces rondeurs du haut de sa cuisse qui s'apercevaient à travers la batiste diaphane de son pantalon, allumèrent un désir irrésistible en Hsi Men qui en oublia la brosse, le peigne et la cuvette. Il attira Mme Ping en silence et la porta jusqu'au divan où il la débarrassa de ses dessous en relevant le bas de son fourreau.

Tandis que les deux amants s'abandonnaient au délire des délices de leur étreinte, Lotus d'Or s'était rapprochée du pavillon à leur insu. Elle se mit à l'écoute derrière le paravent de l'entrée et retint son souffle pour ne pas se trahir. Elle entendit la voix émue de Hsi Men qui murmurait des propos passionnés. Puis soudain celle de Mme Ping, qui disait sur le ton de la prière :

— Pas si fort ! Je vais t'avouer que je suis enceinte depuis un mois ; c'est pourquoi je te prie de me ménager un peu.

— Est-ce possible ? Ah ma chérie ! s'écria-t-il ravi. Pourquoi ne pas me l'avoir dit plus tôt ? J'aurais un peu retenu ma fougue.

Lotus d'Or entendit encore des paroles entrecoupées, quelques plaintes, puis le dernier cri de perroquet de Mme Ping. Alors retentit l'appel de Mong Yu Loh qui s'approchait :

— Sœur Cinq ! que se passe-t-il donc d'extraordinaire ?

Lotus d'Or lui fit signe de se taire et elles entrèrent ensemble dans la véranda. Hsi Men sursauta en les voyant et resta un bon moment incapable de se rassembler.

— Comment ? dit Lotus d'Or en regardant très froidement le couple, tu n'es ni lavé ni coiffé ? Je suis pourtant restée assez longtemps absente.

— J'attends que la petite m'apporte le savon, répondit-il en bafouillant. Et il se mit à sa toilette d'un air affairé.

Prune de Printemps, qui s'était acquittée de sa mission en délivrant les trois roses et qui avait apporté le luth, se mit en devoir de dresser la table à thé qu'elle garnit en outre de prunes et de tranches de melon rafraîchi. Tout le monde se groupa autour de la table, mais Lotus d'Or écarta son fauteuil et se laissa choir sur un tabouret de porcelaine.

— Tu vas t'enrhumer, lui dit Mong Yu Loh.

— Et après? C'est sans importance! Moi, je n'ai pas à m'inquiéter pour un petit être vivant dans mon sein!

Hsi Men surpris jeta un regard furtif à Mme Ping. Pour faire diversion, il manifesta le désir d'entendre Mong Yu Loh et Lotus d'Or dans la chanson « Le Prince des Flammes rouges met le Feu au grand Vide », la première l'exécutant sur le luth de lune, l'autre sur la pi-pa.

Pendant ce temps, le ciel s'était couvert de nuages noirs en direction du sud-est; des coups de tonnerre avaient retenti au nord-ouest et une violente averse s'était déchaînée. Mais bientôt, le soleil perça, en projetant sur le ciel l'enchantement d'un arc-en-ciel dont les dernières gouttes de pluie semblaient perler comme un rideau scintillant de pierres précieuses. Une brise naissante apporta en même temps la fraîcheur qu'on désirait depuis si longtemps.

Petit Bijou se présenta de la part de Mme Lune pour appeler Mong Yu Loh à finir un travail chez elle. Toute la compagnie voulut l'accompagner et, comme on se dirigeait vers le portail du jardin, on chanta en chœur un long cantique en l'honneur des orages d'été. Hsi Men marquait le rythme en battant des mains.

En arrivant à la grille, il retint Lotus d'Or qui venait derrière les autres femmes.

La tonnelle ne contenait pour l'instant que quatre tabourets de porcelaine et une carafe à trois goulots avec les fléchettes nécessaires pour le jeu de la bouteille. Mais Tchoun Mei parut bientôt avec une cruche de vin, suivie par Aster d'Automne qui portait une grande caisse de provisions que surmontait un compotier débordant.

— Tu as déjà beaucoup couru ce matin, dit Lotus d'Or à Prune de Printemps, pourquoi galoper encore jusqu'ici?

— Parce que, de tous les endroits, c'est celui-ci que vous choisissez! répondit la petite en boudant. Je me demande de quel côté vous me ferez courir la prochaine fois!

Elle resta pour les servir, tandis qu'Aster d'Automne se retirait. Hsi Men ouvrit la caisse : elle contenait huit mets différents dans huit petits plats, chacun dans un compartiment spécial; une petite carafe en argent avec du vin, deux petites coupes d'or en forme de lis et deux baguettes d'ivoire. Hsi Men disposa le tout du mieux qu'il put sur deux tabourets, les deux autres devant servir de sièges. Ils mangèrent et burent de bon appétit, en s'interrompant de temps en temps pour s'amuser à lancer des flèches dans la carafe à trois goulots.

Lotus d'Or, qui avait bu copieusement et assez vite, se sentit bientôt gagnée par une légère ivresse. Ses joues se colorèrent du rose délicat des fleurs de pêcher et ses yeux en amande prirent l'éclat humide des ondes en automne. Comme Hsi Men venait de demander qu'on apporte d'autre vin, elle demanda en même temps des nattes et des coussins, sous prétexte qu'elle était un peu fatiguée et désirait s'étendre. Dès qu'Aster d'Automne fut revenue, Lotus d'Or se fit installer une couche confortable. Après quoi elle renvoya la petite.

— Ferme bien la grille du parc et ne reviens ici que si je te fais appeler, lui dit-elle en la congédiant.

Le couple aussitôt se mit à l'aise. Hsi Men ôta son surtout et le posa sur la balustrade. Revenant d'une petite excursion vers les buissons en bordure du parterre de pivoines, il trouva Lotus d'Or étendue toute nue sur la natte. Elle n'avait gardé, pour toute parure, que ses petits chaussons de satin rouge et un éventail qu'elle tenait à la main. Hsi Men s'échauffa bien vite à la voir ainsi ; il se débarrassa rapidement de ce qu'il gardait encore sur le corps et il s'assit sur un des tabourets. Il commença par s'amuser à agacer, du bout de son pied, le petit crapaud de Lotus d'Or. Puis il lui enleva ses chaussons et, pris d'une inspiration saugrenue, il attacha chacun de ses pieds bien écartés, à quelque distance du sol, à l'un des poteaux qui soutenaient le fond de la tonnelle. Gisant à terre, semblable à un dragon cabré dont les deux pattes pointent en avant, elle subit son assaut amoureux.

En plein accomplissement de sa tâche, Hsi Men fut un peu effarouché par l'apparition inopinée de Prune de Printemps. Mais la petite, en voyant l'étrange position des deux amants, déposa sans bruit sa cruche à l'entrée de la tonnelle et se retira discrètement au proche Pavillon des Nuages en Repos, où elle se mit à une partie d'échec solitaire.

Un peu plus tard, Hsi Men se sentit repris par le désir de goûter à d'autres plaisirs, avec d'autant plus d'intensité que la présence de la soubrette l'avait excité davantage. Il se détacha de Lotus d'Or et courut, nu comme il était, à grandes enjambées au Pavillon des Nuages en Repos. En le voyant venir, Prune de Printemps se sauva par un petit sentier qui menait, par devant la Grotte du Printemps caché, dans un épais bosquet où elle se croyait sûre de n'être pas vue. Hsi Men ne fut pas long à découvrir sa cachette.

— Enfin je te trouve ! s'écria-t-il en riant. Et la prenant dans ses bras, il la porta jusqu'à la Tonnelle des Vignes vierges. Là, il l'installa sur ses genoux et la fit boire dans sa propre coupe. Étonnée, la petite coulait des regards furtifs sur sa maîtresse qui reposait toujours sur la natte, dans la même position, les pieds attachés aux poteaux de la tonnelle.

— Vous ne vous gênez guère, dit-elle à Hsi Men, et même en plein jour ! Et si quelqu'un passait par ici ?

— Bah ! J'ai fait fermer la grille par Aster d'Automne. Tu ne l'as pas rouverte, j'espère ? Et maintenant, petit museau huilé, fais bien attention : je vais te montrer la nouvelle manière de jouer au jeu de la bouteille. Cela s'appelle : tirer sur des cygnes d'argent avec des boulets d'or.

Il prit trois prunes jaunes bien fermes dans le compotier et, prenant soin de bien viser, les lança en direction du calice fleuri de la femme étendue. Il visa trois fois et toucha trois fois !

— Aïe ! tu m'assassines ! hurlait Lotus d'Or qui était tout à fait ivre et se tordait de rire.

Après quoi Hsi Men vida trois grandes coupes de vin de joie aux cinq parfums, pour se récompenser de ses prouesses, puis il dit à la femme de chambre, d'une langue pâteuse :

— Donne-lui à boire et évente-la pour la rafraîchir. Moi, je veux dormir.

Il se laissa tomber sur la natte et s'endormit sur-le-champ. Prune de Printemps, que la scène avait révoltée, profita de l'occasion pour enjamber le dormeur sur ses semelles silencieuses et pour s'échapper dans le parc où elle se volatilisa comme un nuage.

Hsi Men se réveilla une heure plus tard. Le désir amoureux s'étant réveillé avec lui, il l'assouvit encore une fois. Inerte, Lotus d'Or gisait sur la natte, complètement épuisée ; le bout de sa langue était froid comme la glace. Hsi Men détacha enfin ses pieds et l'aida à se remettre dans une position plus confortable. Lentement, la vie lui revint.

— Aujourd'hui, je l'ai vaincue ! se dit Hsi Men à part lui.

Chapitre vingt-et-unième

Les délicats fils de pourpre qui liaient les deux amants s'avéraient solides et résistants comme du fil de fer, ce qui n'empêchait pas que Hsi Men recourût sans cesse à de nouvelles inventions au jeu d'amour.

Vers le milieu d'un beau jour, il était installé dans la Salle du Panorama. Il s'éventait d'une feuille de bananier, tout abandonné à l'ambiance du paysage qu'il avait sous les yeux : le beau parc qui rêvait dans la chaleur de midi et qui exhalait des parfums suaves.

Tchoun Mei vint lui apporter une coupe de prunes glacées.

— Que fait ta maîtresse ? lui demanda-t-il.

— Elle repose sur son lit, en attendant qu'Aster d'Automne lui prépare un bain.

— Fort bien, j'irai la surprendre !

Il finit de savourer sa coupe puis se leva, fit tourner la soubrette en la tenant par les épaules et sortit avec elle pour aller au pavillon de Lotus d'Or.

Il entra doucement dans la chambre à coucher, où il trouva sa belle endormie sur le somptueux nouveau lit orné d'escargots de métal doré. Depuis qu'elle en avait vu un pareil chez la Sixième, Lotus d'Or n'avait pas cessé de harceler Hsi Men pour qu'il lui fît le présent de ce meuble splendide. Il était entouré d'une balustrade de bois précieux, taillé avec art. De part et d'autre se trouvaient deux paravents neufs, où se répétait le motif des escargots en plus des guirlandes de fleurs habituelles. Les rideaux de pourpre tenaient au cadre supérieur par des clous d'argent. Hsi Men n'avait pas lésiné sur le prix, il lui en avait coûté soixante onces bien pesées. Lotus d'Or reposait sur la natte sous une légère couverture de soie rouge. Elle avait pour tout vêtement un mince soutien-gorge. Sa tête s'appuyait sur un coussin brodé de canards mandarins. Elle dormait profondément.

Ce spectacle éveilla d'un coup le désir de Hsi Men. Il poussa Tchoun Mei vers la porte et se débarrassa hâtivement de tous ses vêtements. Retirant la couverture, il escalada la belle dormeuse, lui écarta doucement les cuisses et la posséda avant même qu'elle eût le temps d'ouvrir ses yeux d'étoile effrayés.

— Fripon ! Comment es-tu entré ? Tu m'as fait peur à en mourir. Je dormais si bien !

— Eh bien, ce n'est que moi ! Tu t'agites comme si j'étais un jeune étranger à la mode.

— Gros bêta ! Y a-t-il un seul étranger, serait-il pourvu de sept fronts et de huit vésicules biliaires, qui oserait pénétrer dans ma chambre à coucher, où tu es seul à avoir accès ?

Le jour où Lotus d'Or avait espionné ce qui se passait dans la véranda de malachite, elle avait entendu Hsi Men louer le poli de la peau des fesses de la Sixième. Elle s'était aussitôt procuré en secret de l'huile de jasmin, dont elle avait copieusement enduit son corps les jours suivants. Comme Hsi Men la voyait maintenant, dans sa nudité rose, il lui sembla que sa peau était plus lisse, plus souple qu'avant, et qu'elle exhalait un parfum encore plus délicieux.

— On m'a dit que tu te faisais préparer un bain, dit-il.

— C'est exact. Tu es cordialement invité à te baigner avec moi.

Elle donna l'ordre aux femmes de chambre d'apporter la grande cuve pour le bain et de l'emplir d'eau chaude parfumée aux orchidées. Les deux amants y entrèrent ensemble et s'y ébattirent comme deux gais poissons. Après s'être diverti un moment, Hsi Men pressa Lotus d'Or contre la paroi oblique de la cuve et recommença son jeu. Pendant qu'elle se cramponnait d'une main au bord de la baignoire, tout en retenant de l'autre sa coiffure qui se défaisait, l'homme fit claquer son corps au moins deux cents fois contre celui de la femme, créant par ce mouvement le bruit mouillé du glouglou des crabes amoureux, lorsqu'ils prennent leurs ébats dans le sable.

Enfin il fut satisfait. Ils s'entre-séchèrent, se couvrirent de chemises légères et allèrent étendre sur la couche leurs corps agréablement alanguis. Avant de s'endormir, ils se réconfortèrent de fruits et de gâteaux. Lotus d'Or demanda aussi du vin. La coupe que lui tendit Aster d'Automne était glacée. Furieuse, Lotus d'Or s'en empara et elle en jeta le contenu au visage de la malheureuse servante.

— Maladroite ! tu oses offrir à ton maître une boisson aussi mortellement glaciale ? Tu n'es bonne à rien ! — Tchoun Mei avance ! Emmène cette fille dans la cour et fais-lui faire pénitence.

— Le maître a demandé du vin glacé tous ces derniers jours ! dit la coupable en ravalant ses sanglots. Qui pouvait savoir qu'il changerait d'avis aujourd'hui ?

— Maudite fille ! Faut-il que tu aies toujours le dernier mot ? Tchoun Mei ! donne-lui dix gifles, de droite et de gauche !

— Maîtresse, répondit l'autre, je ne voudrais pas souiller mes mains au contact de sa vilaine peau sale. Mais j'irai lui mettre une grosse pierre sur la tête.

Ainsi la pauvre Aster d'Automne fut obligée, une fois de plus, de s'agenouiller sur les dalles surchauffées de la cour, en exposant aux ardents rayons du soleil de l'après-midi sa tête déjà alourdie par le poids d'une grosse pierre.

Pour son bonheur, il se trouvait que Li Kiao désirait se défaire de sa nouvelle femme de chambre. La Sixième décida Lotus d'Or à faire l'emplette, moyennant sept onces, de cette « Fleur d'Été » qui avait quinze ans et de la prendre à son service à la place d'Aster d'Automne. C'est ainsi que la malheureuse, qu'on envoya à Sun Hsué O comme fille de cuisine, fut délivrée de sa capricieuse maîtresse.

Chapitre vingt-deuxième

A son retour de la capitale de l'Est, Lai Pao avait transmis à Hsi Men une invitation très flatteuse de la part du Chancelier Tsai : le Vénérable Commandeur avait exprimé le désir de recevoir le salut personnel du donateur des riches présents qu'il avait reçus, le jour de son anniversaire, c'est-à-dire le quinzième du sixième mois.

Hsi Men avait beaucoup apprécié l'honneur qu'on lui faisait et, dans sa joie, avait pris dans sa cassette trois cents onces de plus afin de faire exécuter par le meilleur orfèvre de la ville une garniture de table du plus précieux travail. La pièce centrale comportait quatre statuettes de plus d'un pied de haut, représentant les quatre saisons ; sur quoi régnait le signe Tchou. Venait ensuite une cruche en or martelé, encore formée selon la figure du signe Tchou. A cela s'ajoutaient deux coupes de jade pour les fruits. Hsi Men joignit encore à ces nouveaux présents quatre robes rouges de parade, du plus beau brocard de Hang tchou, où le motif du serpent était brodé en cinq couleurs. Les deux plus belles provenaient d'un des bahuts de Mme Ping. Hsi Men avait jugé bon de renvoyer Lai Pao à Kai fong fou avec toutes ses offrandes, quelques jours avant son propre départ.

C'est ainsi que le fidèle serviteur s'était mis en route avec Wou Tien En, ami et beau-frère de Hsi Men, qu'ils avaient débarqué dans la capitale de l'Est, après un voyage que la chaleur avait rendu très pénible, et qu'ils étaient descendus, avec leurs mulets chargés des caisses de cadeaux d'anniversaire, à l'auberge qui se trouve à la Porte des Dix mille Générations.

Le lendemain matin, ils menèrent leurs bêtes jusqu'au palais du Chancelier Tsai. Le nouveau portier, qui ne les connaissait pas, refusa de les laisser entrer. Comme il leur demandait d'où ils venaient et où ils allaient, Lai Pao répondit qu'ils étaient les envoyés de M. Hsi Men, de la sous-préfecture de Tsing ho hsien, province du Chantoung, et qu'ils convoyaient des cadeaux d'anniversaire pour le Vénérable Commandeur.

— Il faut que vous ignoriez la qualité de ce lieu, leur répondit le portier sans aucune aménité, pour oser demander l'entrée avec tant d'insolence ! Il n'y a qu'un être au monde qui soit supérieur au Vénérable Commandeur ; mais ses inférieurs se comptent par millions ! C'est tout juste si l'on accorde le droit d'entrer ici aux trois Conseillers d'État, aux huit Ministres et à quelques princes et grands seigneurs de ce monde. Le Vénérable Commandeur n'a rien de commun avec votre maître, ce pauvre provincial des environs de la Porte de l'Est de l'Empire.

Quelques serviteurs du palais se trouvaient là ; l'un d'eux, que Lai Pao avait connu lors de ses voyages précédents, s'approcha et dit d'un ton conciliant :

— Il ne faut pas lui en vouloir : c'est un nouveau portier, qui n'occupe son poste que depuis peu de jours. Il ne vous connaît pas. Si vous désirez être introduit auprès du Vénérable Commandeur, j'irai prier l'once Ti de venir vous entendre.

Lai Pao prit vivement dans sa manche un petit paquet qui contenait une once d'argent et le tendit à l'obligeant serviteur.

— Je n'accepterai rien, dit cet homme aimable, mais donnez-le, en y ajoutant une autre once, au portier et à son assistant, de manière à vous faire reconnaître à l'avenir.

Lai Pao suivit incontinent ce bon conseil, sur quoi le visage du portier s'épanouit en un large sourire plein de cordialité.

— Ah, ah, c'est donc bien de Tsing ho hsien que vous venez ? dit-il avec empressement. Tiens, tiens ! Eh bien, veuillez patienter un peu : je vais vous annoncer à l'intendant Ti. Le Vénérable Commandeur vient de rentrer du Palais de la Pureté de l'Éther et il se repose dans la bibliothèque.

Il disparut à l'intérieur du palais pour revenir, passablement plus tard, avec l'intendant. L'oncle Ti portait des sandales de rafia et un surtout de soie bleue comme en portent les prêtres de Tao. Il reconnut Lai Pao.

— Vous êtes déjà venu une fois, lui dit-il, apporter des cadeaux pour le Vénérable Commandeur. N'est-ce pas exact ?

Lai Pao se prosterna devant lui en lui tendant, d'une main, une carte de visite, et de l'autre un paquet, enveloppé de soie de Nanking, qui contenait trente onces d'argent.

— Avec le salut de mon maître, dit-il. Il vous supplie de ne pas dédaigner, faute d'un plus digne, ce présent qui n'est qu'une humble bagatelle mais prétend témoigner de ses sentiments amicaux.

— Je devrais ne pas l'accepter, mais pour ne pas vous contrarier... répondit l'intendant en s'interrompant pour enfouir dans sa manche le précieux paquet. Après quoi il parcourut des yeux la liste des cadeaux et dit aux serviteurs de Hsi Men :

— Suivez-moi !

Il les conduisit à un deuxième porche, puis dans l'aile ouest où se trouvaient les trois salles d'attente pour les visiteurs. Il les fit asseoir et leur offrit du thé. Un peu plus tard, ils furent convoqués dans la salle de réception par le Vénérable Commandeur. Ils se mirent à genoux au pied de l'estrade où siégeait le Chancelier Tsai. Ti lui remit solennellement la carte de visite et la liste des cadeaux, pendant qu'on déballait sur les marches les caisses qu'on avait apportées. Les yeux de toute l'assemblée furent charmés par l'éclat de la cruche d'or qui avait été dessinée d'après le signe Tchou, éblouis par la splendeur des quatre génies qui figuraient les quatre saisons, conquis par la beauté de la garniture d'argent et par l'éclat mat des coupes de jade. Les robes de satin enchantaient la vue de leurs broderies de cinq couleurs. Le noble vin de Tang Yang illuminait les cruches d'or qui le contenaient, des fruits délicieux couvraient les plats d'argent ; comment n'aurait-on pas eu le cœur dilaté par la vue de ces merveilles ?

— Il est impossible que j'accepte ces offrandes, déclara le chancelier. Remportez-les !

Les deux serviteurs de Hsi Men firent vite plusieurs fois le Koteou, et Lai Pao prit la parole :

— Notre maître vous envoie ces babioles dérisoires en témoignage indigne de son inaltérable dévouement. Le Vénérable Commandeur les distribuera selon son bon plaisir.

— Voilà qui change l'aspect des choses, répondit le chancelier. Je garderai donc ces cadeaux, pour les répartir entre les gens de ma droite et de ma gauche.

On emporta les trésors sur un signe de sa main.

— Votre maître, continua-t-il, m'a témoigné plusieurs fois des attentions ; je ne sais comment l'en remercier. A-t-il un grade de fonctionnaire ?

— Notre maître est un simple bourgeois, sans aucun grade.

— Fort bien. Je dispose, grâce à la faveur de l'Empereur, de quelques brevets en blanc. J'aurais la possibilité de nommer votre maître Substitut du Juge cantonal, pour pallier la vacance causée par la promotion du juge Ho. Qu'en pensez-vous ?

Lai Pao frappa le sol de son front, puis répondit :

— La faveur d'une telle nomination provoquerait la reconnaissance de notre maître envers le Vénérable Commandeur jusqu'au moment où l'âge poudrera ses cheveux de blanc et lui détruira les os dans le corps !

Le chancelier se fit apporter sa table à écrire et plusieurs brevets en blanc. Il rédigea, au nom de Hsi Men Tsing, le document qui le nommait Substitut du Juge cantonal au Chantoung, avec le titre de Gardien du Bâton d'Or.

— Pour vous deux, ajouta le chancelier à l'adresse des serviteurs, vous avez eu la peine de transporter ces cadeaux d'anniversaire.... Lai Pao ! qui est le compagnon agenouillé derrière toi ?

— Le beau-frère de mon maître ; il se nomme Wou Tien En.

— Ah, son beau-frère ! Eh bien, je vais reconnaître son zèle en le nommant Maître de Poste à Tsing ho hsien.

Wou Tien En, au comble de la joie, frappa si fort le sol de son front, qu'il sembla qu'on pilait de l'ail dans un mortier.

Le chancelier avait déjà saisi un troisième formulaire ; et avant que le brave Lai Pao eût pu comprendre ce qui lui arrivait, il se trouvait nommé Commandant du Portail dans le palais du Prince Yun à Tsing ho hsien.

— Prenez vos brevets, dit le chancelier avec bienveillance, portez-les demain aux ministères de la Guerre et de l'Intérieur, faites-vous porter sur les registres de fonctionnaires et demandez vos patentes avec les sceaux. Et toi, Ti, mène-les dans l'aile ouest et fais-leur servir un bon repas avec du vin. Donne-leur en outre dix onces que tu prendras sur ma cassette, afin qu'ils ne manquent de rien en route.

Ainsi gracieusement congédiés, ils allèrent dans l'aile ouest où on leur servit un repas opulent. L'intendant Ti attendit qu'ils fussent rassasiés pour s'approcher de Lai Pao et lui demander :

— Je voudrais présenter une petite requête personnelle à votre maître ; peut-être ne voudra-t-il pas me l'accorder ?

— Ah M. Ti ! comment pouvez-vous douter un instant des excellentes dispositions de mon maître à votre égard ? Ce n'est qu'à vos bons offices, que nous avons dû de trouver un accueil aussi gracieux dans ce palais ! Exprimez votre désir ; quel qu'il soit, notre maître l'exaucera !

— Voilà, pour parler franc : ce que je désire, c'est une jeune compagne. Ma modeste épouse a près de quarante ans et elle est souvent malade. Pour notre malheur, nous n'avons pas d'enfant. De plus, mon service auprès du Vénérable Commandeur me laisse peu de loisir pour mes affaires personnelles. En un mot : si votre maître consentait à choisir pour moi une fraîche petite femme de quinze à seize ans, douée de quelques qualités, il ne serait pas question de regarder au prix....

— Mon maître ne manquera sûrement pas... dit Lai Pao.

Il fut interrompu par l'arrivée d'un serviteur qui apportait la réponse du chancelier à Hsi Men, accusant réception des cadeaux. L'intendant la remit à Lai Pao, en même temps que les dix onces prises sur la cassette de son maître, auxquelles il en ajouta cinq de sa propre poche.

— Nous venons de bénéficier de la générosité du Vénérable Commandeur et nous ne saurions....

— Bah ! répliqua l'intendant Ti. Il n'y a pas le moindre rapport entre ces deux affaires. Vous n'oserez pas m'offenser en refusant ?

Il insista, obtint facilement gain de cause et les pria encore d'accepter qu'il chargeât un secrétaire de les accompagner le lendemain dans les ministères, pour les aider à obtenir que les formalités fussent accomplies au plus vite. Les deux messagers, en manière de remerciements, offrirent un banquet et trois onces d'argent au secrétaire ; puis se remirent en route le jour suivant.

Pendant ce temps, des événements importants se déroulaient dans la maison de Hsi Men.

Par une de ces journées du milieu de l'été, où la chaleur vous fait mettre en boule comme les chiens devant le feu, Hsi Men avait réuni ses femmes et les chanteuses de sa maison au belvédère, dans la Salle du Panorama, à l'occasion d'un joyeux banquet. Toutes les femmes étaient présentes, la Sixième exceptée.

— Où est ta maîtresse ? demanda Mme Lune à la servante Hsiou Tchoun.

— Elle a de fortes douleurs dans le ventre, c'est ce qui l'a retenue de venir.

— Peuh ! ce ne sera sûrement pas grave. Va la chercher, pour qu'elle entende la musique !

— Qu'a-t-elle donc ? s'enquit Hsi Men.

— Elle se plaint de douleurs dans le ventre, répondit Mme Lune. Elle est reposée maintenant et ne tardera pas à nous rejoindre.

Puis elle poursuivit à voix basse, en se tournant vers Mong Yu Loh :

— Le huitième mois est révolu ; l'événement ne se fera plus attendre longtemps !

— Il est encore beaucoup trop tôt pour l'accouchement, dit Lotus d'Or avec autorité.

— Eh bien, qu'elle vienne ! conclut Hsi Men.

La Sixième finit par se montrer

Sur le désir de Hsi Men, Prune de Printemps, Flûte de Jade, Parfum d'Orchidée et Ying Tchoun entonnèrent la chanson : « Lorsque les chaleurs de l'été nous accablent ! ». Mme Ping n'en écouta que le début ; elle se leva avec un gémissement étouffé et elle se traîna jusqu'à son pavillon.

Petit Bijou vint bientôt rapporter que la Sixième sentait venir les douleurs.

— Je l'avais bien dit, s'écria Mme Lune. Mais il fallait, naturellement, que la Cinquième soit mieux renseignée que tout le monde ! Et nous n'avons même pas envoyé quérir la sage-femme !

Hsi Men donna l'ordre à Ping An de voler à la vitesse du vent à la recherche de la mère Tsai. Le festin tourna court et toute la compagnie se précipita chez Mme Ping.

— Comment te sens-tu ? demanda Mme Lune pleine de compassion.

— Comme si mes entrailles se retournaient, comme si un gros crapaud se trémoussait dans mon ventre !

— Redresse-toi un peu, car il faut faciliter le passage au fruit de ton corps, afin qu'il n'étouffe pas.

— A-t-on fait venir la sage-femme ? demanda Mme Ping.

— Ping An y est allé, répondit le petit Tai A.

— Quelle inconséquence, d'envoyer précisément ce vieillard ! Va, cours derrière lui, et ramène la vieille !

Tai A dut sauter à cheval et partir au galop.

— Que de tracas ! chuchota Lotus d'Or avec mépris à l'oreille de la Troisième. Allons nous asseoir dans un coin ombragé, sous l'auvent du toit. On étouffe dans la bousculade de cette chambre ! Et tout ce remue-ménage pour un enfant qui n'est pas né ! On croirait assister à l'accouchement d'un éléphant !

La mère Tsai finalement arriva.

— Laquelle d'entre vous est la maîtresse de maison ? demanda-t-elle en voyant le grouillement des femmes.

On lui désigna Mme Lune devant qui elle fit le Koteou.

— Pas de formalités ! Vous arrivez juste à temps !

La mère Tsai s'approcha du lit pour tâter le ventre de la Sixième.

— L'heure a sonné ! déclara-t-elle. Les langes sont-ils prêts ?

— Ils sont dans ma chambre, tout préparés ! répondit Mme Lune. Petit Bijou ! cours les chercher.

Pendant ce temps, Mong Yu Loh demandait à Lotus d'Or si elles ne feraient pas bien de rentrer pour voir comment cela se passait.

— Vas-y, si tu y tiens ! Moi, je reste ici. Une femme qui accouche ? La belle affaire !

Les deux femmes restèrent donc à l'extérieur, à bavarder. Comme elles étaient en train de se demander si Hsi Men était bien le père de l'enfant, elles virent Petit Bijou qui courait, chargée de langes et de petits coussinets attachés par des rubans de soie.

— En vérité, murmura Mong Yu Loh, la Première les avait destinés à son propre usage ; mais la Sixième l'a devancée !

Au bout de peu de temps retentirent les premiers vagissements de l'enfant. La mère Tsai parut sur le seuil et annonça d'un air important :

— Un fils est né ! Dites au maître de céans qu'il convient de faire un don généreux d'argent de joie !

Hsi Men, prévenu de cette heureuse nouvelle par Mme Lune, commença par se laver les mains, puis se jeta à genoux pour remercier le ciel, la terre et ses ancêtres. Il fit brûler de l'encens en quantités exagérées et appela toutes les bénédictions sur la mère, sur l'enfant, sur le bain et sur les langes.

Il n'y avait qu'une seule personne qui ne se joignait pas à la joie commune. Dès qu'elle avait su qu'il s'agissait d'un fils, Lotus d'Or s'était retirée dans son pavillon, pour couver sa rancune. Elle s'était verrouillée à l'intérieur et s'était jetée sur son lit en pleurant amèrement.

La mère Tsai ne perdait pas son temps. Après avoir tranché le cordon d'un coup de dent, elle avait soigneusement emmailloté le nouveau-né et dûment lavé l'accouchée pour qui elle avait préparé une bonne soupe. Le travail achevé, Mme Lune l'invita chez elle pour qu'elle s'y restaure confortablement, puis lui fit présent de la coquette somme de cinq onces d'argent.

Hsi Men, enfin, se rendit en personne auprès de la Sixième, pour voir si la mère et l'enfant se portaient bien. Sa joie déborda lorsqu'il vit le petit être, particulièrement bien conformé et de peau très claire. Il passa toute la nuit au pavillon, occupé sans cesse à contempler son fils.

De bonne heure le lendemain, on expédia des serviteurs dans toutes les directions, pour transmettre l'heureuse nouvelle à toute la parenté et aux gens du voisinage. Il se distribua plus de dix couples de coffrets de cérémonie qui contenaient des pâtes de vie heureuse. Les visiteurs étaient si pressés d'apporter leurs félicitations, qu'ils faisaient des bonds de deux pas pour se précipiter. Les deux premiers furent Ying le Tapeur et Hsié Hsi Ta. Hsi Men les reçut au belvédère, où il partagea avec eux un plat de nouilles de vie. Mais il les congédia bientôt, car il avait d'autres préoccupations. Il s'agissait avant tout de trouver une nourrice ; ce ne fut pas long. La voisine Pi amena la femme d'un de ses serviteurs. Elle venait de perdre son enfant et son mari allait la quitter pour remplir son devoir de guerrier. Cette personne, âgée de trente ans, plut à Mme Lune par sa force et sa propreté. On l'acheta pour six onces à la voisine Pi et on l'installa au pavillon de la Sixième en lui donnant le nom de You I, c'est-à-dire « Comme il vous plaira ».

Au beau milieu de cette journée agitée, les deux messagers rentrèrent de la capitale de l'Est. Ce fut une autre bonne surprise : Hsi Men était nommé Substitut du Juge cantonal et recevait le titre de Gardien du Bâton d'Or ! Un sourire rayonna de ses tempes sur tout son visage, lorsque Lai Pao lui mit sous les yeux son beau parchemin officiel doublement scellé, accompagné de plusieurs brevets ministériels et de lettres. Hsi Men ramassa avidement tous ces trésors et il courut dans les appartements du fond pour s'en régaler la vue en compagnie de ses femmes.

— Il a plu au Vénérable Commandeur d'exalter ma maison en me nommant Substitut du Juge cantonal ! leur déclara-t-il avec solennité. Je reçois le titre de Gardien du Bâton d'Or et je suis mandarin de cinquième classe !

Et s'adressant galamment à Mme Lune, il poursuivit :

— Te voici donc en droit d'orner ta coiffure de la fleur d'or des épouses de mandarin ! En moins d'un demi-mois se sont produits deux événements considérables. Notre maison a eu le privilège d'une bonne fortune dont on ne peut mesurer la hauteur qu'à celle du ciel. Le beau petit enfançon que nous a donné la Sixième recevra demain, lors de la cérémonie du lavage, le nom de Kwan Ko, c'est-à-dire Petit Frère Mandarin.

Le vil fer luit parfois d'un éclat emprunté,
Quand l'or véritable est empêché de briller !

AVERTISSEMENT [95]

Aux lecteurs que la vie de Hsi Men a divertis, sinon édifiés ; à ceux qui se sont laissés toucher par les malheurs de la bonne Mme Lune, intéresser par les intrigues des puissants, entraîner par l'agrément du récit ou séduire par le charme des poèmes ; à tous ceux que leur plaisir a menés jusqu'ici, nous avons la joie d'annoncer qu'un second volume doit compléter et achever cette « Merveilleuse Histoire de Hsi Men ».

Nous comptons bien leur plaire en leur promettant le récit fidèle de : la mort atroce de l'unique héritier mâle de notre héros, victime de la jalousie de Lotus d'Or ; l'heureuse naissance d'un second fils (mais nous tairons le nom de la mère, pour ne pas émousser la joie des âmes sensibles) ; la mort de Hsi Men, dont nous osons à peine confier qu'elle fut causée par l'avidité amoureuse de la « Renarde à neuf queues » ; enfin qu'ils connaîtront le sort

---

95. L'avertissement terminal de l'édition française de 1949 interrompt le cours de l'interminable – mais sémillante et foisonnante – histoire des amours de Hsi Men au niveau du chapitre XXX de l'original chinois. En 1949, la suite n'était disponible que difficilement (voir notre Introduction ainsi que la chronologie succincte de la matière romanesque présentée en tête des deux volumes de l'EIF). Le reste du récit, toujours aussi prolixe, est largement marqué par les expérimentations sexuelles (en partie homosexuelles) et aphrodisiaques de Hsi Men, qui se dote au Livre VIII d'un support de pénis et meurt d'épuisement au chapitre LXXIX. Alors que le censeur Zeng approche de Claire-Rivière, ses jeux de prévarication divers avec le chancelier Tsai King (Cai Jing) favorisent sa nouvelle carrière de fonctionnaire, tandis que redoublent les intrigues de Lotus d'Or pour s'assurer la primauté entre les femmes. Celles-ci incluent les péripéties de la petite enfance esseulée de Petit-Mandarin en guerre avec le chat que Lotus d'Or entraîne à l'agressivité, jusqu'à la mort de l'enfant à un an et deux mois. S'ensuit la mort de sa mère Mme Ping puis de celle de Lotus d'Or, ainsi que la revente des servantes et le remariage des épouses restantes. L'histoire s'achève avec les dernières péripéties du beau-fils Tchen (Chen Jingli), dont la mort au Livre X correspond à la défaite des armées de l'empereur Huizong, qui abdique en faveur de Qinzong.

de chacune des épouses et de toutes leurs jolies servantes, avec l'épouvantable fin de la maudite ensorceleuse sous les coups vengeurs du « Chasseur de tigres du Kin Vang ».

DOCUMENTS
ET
ILLUSTRATIONS

À la rencontre de l'œuvre

Dates	Repères chronologiques concernant l'œuvre	Contexte politico-culturel
XVIᵉ siècle		
		Parution d'*Histoire des Trois Royaumes*, l'un des « Quatre grands livres extraordinaires » (considérés comme les plus grands classiques du roman chinois).
1502	Naissance de Li Kaixian, auteur présumé ou rédacteur de la version finale de *Kin Ping Mei* (titre chinois de *La Merveilleuse Histoire de Hsi Men avec ses six femmes*).	
1522		Début de l'ère Jiajing.
1526	Naissance de Wang Shizhen, auteur initialement présumé.	
1534	Naissance de Jia Sanjin, l'un des auteurs présumés.	
1539		Ordonnance de Villers-Cotterêts.
1550	Naissance de Tang Xianzy, l'un des auteurs présumés.	
1562		Début des guerres de religion en France.
1567-1572		Ère Longqing.
1572		Début de l'ère Wanli.
1568	Mort de Li Kaixian.	
1590	Mort de Wang Shizhen.	Shakespeare, *Roméo et Juliette*.
1592	Mort de Jia Sanjin.	
XVIIᵉ siècle		
		Parution d'*Au bord de l'eau*, l'un des « Quatre grands livres extraordinaires ».

1613-1614	Première publication de *Kin Ping Mei*.	
1616	Mort de Tang Xianzy.	
1619-1620	Le roman *Kin Ping Mei* commence à circuler en Chine.	Fin de l'ère Wanli.
1620-1627		Ère Tianqi.
1627		Début de l'ère Chongzhen.
1644		Début de la dynastie des Qing.

XVIIIe siècle

		Parution de *Voyage en Occident*, l'un des « Quatre grands livres extraordinaires ».
1751		Diderot, premier tome de l'*Encyclopédie*.

XIXe siècle

1853	Louis Bazin produit dans *La Chine moderne* un passage du premier chapitre de *Kin Ping Mei*.	

XXe siècle

1912	Soulié de Morant produit la première adaptation française condensée de *Kin Ping Mei*.	
1930	Traduction allemande plus complète de *Kin Ping Mei* par Franz Kuhn.	
1933	Otto et Arthur Kibat publient une première traduction intégrale allemande, qui est interdite par Joseph Goebbels.	
1938	Joseph Goebbels proscrit également la version de Franz Kuhn.	
1939	Clement Egerton et Lao She produisent une version anglaise.	
1949	Jean-Pierre Porret établit la première traduction française, éditée à Paris par Guy le Prat.	

金瓶梅

應二哥這個人，本心又好，又別的倒也罷了，我應知趣的好人，就是那做事十分停當的。這等計較罷，只會慇懃會拜會結拜，都來了。兄弟罷。終不成明日也有個靠傍，你去多哩，若要你去靠人，提傀儡兒上場，還是別人。咱這等計較不如到了會期，後日還是別唱。

吳月娘接過來道：「結拜兄弟，若要你去靠人，只怕後日戲場上還是別人。咱唱。」

西門慶笑道：「只等應二哥來，與他說這話罷了。」

正說著話，只見一個小廝，是西門慶貼身伏侍的，名喚玳安兒，走到跟前來，說：「應二叔和謝大叔任外邊來了。」

西門慶道：「我正說他，就來了。」

下首坐的便是姓謝的謝希大。二人面走到樓上來，只見應伯爵頭上戴一頂新盔的青紗羅帽，身上穿一件半新不舊的青紗褶子。

Page extraite du chapitre I de *Kin Ping Mei*, édition chinoise.

Ximen et Lotus D'or, illustration du XVIIe siècle, édition chinoise.

Illustration du XVIIᵉ siècle, édition chinoise.

Peinture sur soie du XVIIe siècle.

Illustration d'*Histoire des Trois Royaumes*.

Illustration d'*Au bord de l'eau*.

Illustration du *Voyage en Occident*.

Photographie de Yixian, lieu de l'intrigue de
La Merveilleuse Histoire de Hsi Men avec ses six femmes (*Kin Png Mei*).

Table des matières